UMA DAMA FORA DOS PADRÕES

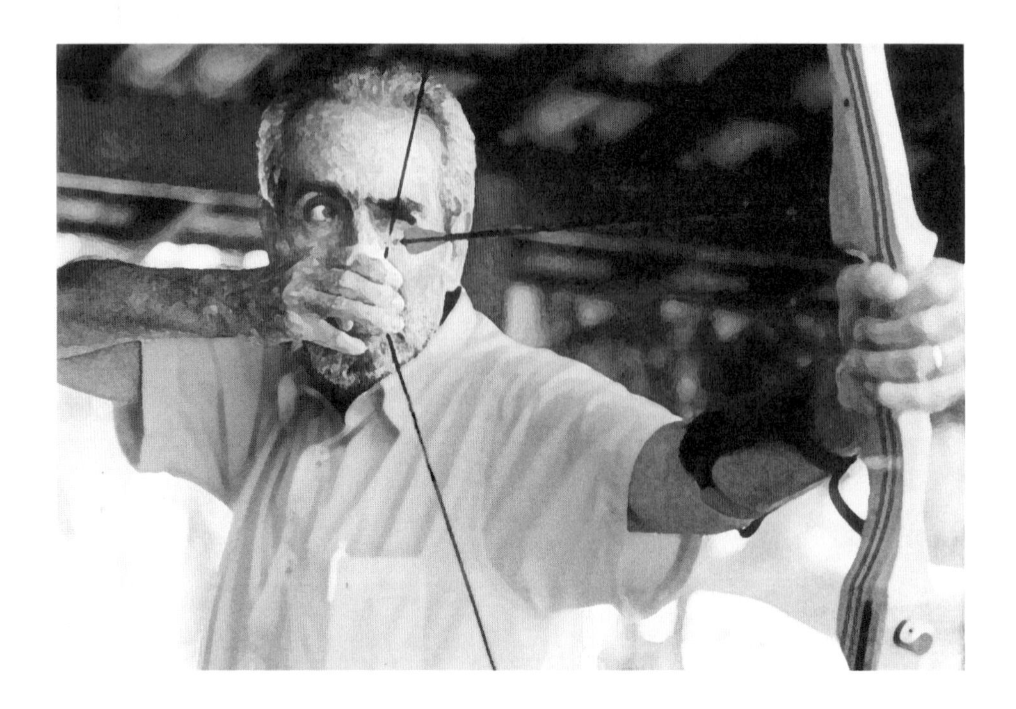

O Arqueiro

Geraldo Jordão Pereira (1938-2008) começou sua carreira aos 17 anos, quando foi trabalhar com seu pai, o célebre editor José Olympio, publicando obras marcantes como *O menino do dedo verde*, de Maurice Druon, e *Minha vida*, de Charles Chaplin.

Em 1976, fundou a Editora Salamandra com o propósito de formar uma nova geração de leitores e acabou criando um dos catálogos infantis mais premiados do Brasil. Em 1992, fugindo de sua linha editorial, lançou *Muitas vidas, muitos mestres*, de Brian Weiss, livro que deu origem à Editora Sextante.

Fã de histórias de suspense, Geraldo descobriu *O Código Da Vinci* antes mesmo de ele ser lançado nos Estados Unidos. A aposta em ficção, que não era o foco da Sextante, foi certeira: o título se transformou em um dos maiores fenômenos editoriais de todos os tempos.

Mas não foi só aos livros que se dedicou. Com seu desejo de ajudar o próximo, Geraldo desenvolveu diversos projetos sociais que se tornaram sua grande paixão.

Com a missão de publicar histórias empolgantes, tornar os livros cada vez mais acessíveis e despertar o amor pela leitura, a Editora Arqueiro é uma homenagem a esta figura extraordinária, capaz de enxergar mais além, mirar nas coisas verdadeiramente importantes e não perder o idealismo e a esperança diante dos desafios e contratempos da vida.

Julia Quinn

UMA DAMA FORA DOS PADRÕES

ARQUEIRO

1

OS ROKESBYS

Título original: *Because of Miss Bridgerton*

tradução: Viviane Diniz
preparo de originais: Marina Góes
revisão: Juliana Souza e Taís Monteiro
diagramação: Ana Paula Daudt Brandão
capa: Renata Vidal
imagens de capa: Ilina Simeonova/Trevillion Images
impressão e acabamento: Lis Gráfica e Editora Ltda.

CIP-BRASIL. CATALOGAÇÃO NA PUBLICAÇÃO
SINDICATO NACIONAL DOS EDITORES DE LIVROS, RJ

Q62d Quinn, Julia
Uma dama fora dos padrões/ Julia Quinn; tradução de Viviane Diniz. São Paulo: Arqueiro, 2018.
272 p.; 16 x 23 cm. (Os Rokesbys; 1)

Tradução de: Because of Miss Bridgerton
ISBN 978-85-8041-875-0

1. Ficção americana. I. Diniz, Viviane. II. Título. III. Série.

18-50875 CDD: 813
CDU: 82-3(73)

Todos os direitos reservados, no Brasil, por
Editora Arqueiro Ltda.
Rua Funchal, 538 – conjuntos 52 e 54 – Vila Olímpia
04551-060 – São Paulo – SP
Tel.: (11) 3868-4492 – Fax: (11) 3862-5818
E-mail: atendimento@editoraarqueiro.com.br
www.editoraarqueiro.com.br

AS DEZ MAIORES RAZÕES PARA LER ESTE LIVRO

1. Julia Quinn finalmente trouxe de volta a família mais amada dos romances de época.
2. Onde mais você encontraria uma referência tão estimulante à arqueria?
3. O ROMANCE.
4. Você quer ver um homem construir um castelo de cartas usando uma mão só.
5. Na batalha entre herói, heroína e gato, o gato vence.
6. Está repleto de RESPOSTAS ESPIRITUOSAS.
7. Você acha que o croquet deve ser um esporte e tanto.
8. George Rokesby é tão sexy que deveria estrelar a própria minissérie na TV.
9. AQUELE BEIJO.
10. A Srta. Bridgerton.

Para Susan Cotter:
Você me surpreende todos os dias.

E também para Paul.
Fazer uma ligação telefônica oportuna é a marca de um excelente marido.
Que você consiga alcançar o céu desta vez.

CAPÍTULO 1

Telhado de uma casa de fazenda abandonada
a meio caminho entre Aubrey Hall e Crake House
Kent, Inglaterra
1779

Não é que Billie Bridgerton não tivesse bom senso. Pelo contrário, ela estava certa de que era uma das pessoas mais sensatas que conhecia. Mas, como qualquer indivíduo ponderado, às vezes decidia ignorar a pequena voz da razão que sussurrava em sua cabeça. Isso não podia ser considerado imprudência, tinha certeza. Quando ignorava essa voz de advertência, fazia isso conscientemente, após uma cuidadosa análise da situação. E é preciso dizer que, quando tomava uma decisão – uma que a maioria das pessoas julgaria tola –, Billie geralmente tinha a sorte de ser a correta.

A não ser quando não era.

Como naquele exato momento.

Ela olhou para seu acompanhante.

– Eu devia estrangular você.

O acompanhante deixou escapar um miado bastante despreocupado.

Billie soltou um grunhido nada condizente a uma dama.

O gato avaliou o ruído, julgou que o barulho não era digno de sua atenção e começou a lamber as patas.

Billie considerou os padrões de dignidade e decoro, concluiu que ambos eram supervalorizados e rebateu franzindo a sobrancelha com imaturidade.

Não se sentiu nem um pouco melhor.

Com um gemido cansado, ela olhou para o céu, tentando calcular as horas. O sol estava bem escondido por trás de uma camada de nuvens, o que complicou sua tarefa, mas deviam ser no mínimo quatro da tarde. Acreditava estar presa ali havia uma hora, e tinha deixado o vilarejo às duas. Se considerasse o tempo que levara caminhando...

Ah, mas que diabo, que importância tinha a hora? Isso não a tiraria daquele maldito telhado.

– É tudo culpa sua – disse ao gato.

Previsivelmente, o animal a ignorou.

– Não sei o que você acha que estava fazendo naquela árvore – continuou ela. – Qualquer tolo saberia que você não conseguiria descer.

Qualquer tolo teria deixado o gato lá em cima, mas não. Billie ouvira o miado e já estava a meio caminho do topo da árvore quando lhe ocorreu que nem sequer *gostava* de gatos.

– E eu *realmente* não gosto de você – completou ela.

Ela estava falando com um gato. Fora rebaixada a *isso*. Mudou de posição, estremecendo quando sua meia prendeu em uma das telhas desgastadas pela ação do clima. O rasgo puxou seu pé de lado, e seu tornozelo que já latejava uivou em protesto.

Ou melhor, ela uivou. Não pôde evitar. Doía *muito*.

Pensou que poderia ter sido pior. Ela já estava bem no alto da árvore, uns bons dois metros e meio acima do telhado da casa, quando o gato se arrepiou todo, chiou e estendeu a pata com as garras para fora, fazendo-os cair.

É desnecessário dizer que o gato tombou com graça acrobática, aterrissando sem nenhum ferimento, as quatro patas no telhado.

Billie ainda não sabia bem como *ela* aterrissara, só que o cotovelo doía, que sentia uma fisgada no quadril e que seu casaco estava rasgado, provavelmente em razão do galho que aliviara sua queda a dois terços do fim do caminho.

Mas o pior eram seu tornozelo e o pé, que a estavam matando. Se estivesse em casa, ficaria com os dois para cima, apoiados em travesseiros. Já testemunhara vários casos de tornozelos torcidos – os próprios, e ainda mais vezes os de outras pessoas – e sabia o que fazer. Compressa fria, elevação, um irmão sendo forçado a ajudá-la com tudo...

Onde estavam seus criados quando precisava deles?

Mas então vislumbrou um movimento ao longe e, a menos que os animais locais tivessem recentemente se tornado bípedes, o que via era claramente um ser humano.

– Olááää! – chamou ela, então pensou melhor e gritou: – Socorro!

A menos que a visão de Billie estivesse lhe pregando uma peça – e não estava, não mesmo; até sua melhor amiga, Mary Rokesby, admitia que a visão de Billie Bridgerton não era menos que perfeita –, o humano à distância era homem. E nenhum homem que ela conhecia poderia ignorar um pedido feminino de socorro.

– Socorro! – gritou de novo, sentindo-se aliviada quando o homem parou.

Não tinha como saber se ele virara em sua direção – sua visão perfeita tinha limites –, então gritou novamente, dessa vez o mais alto que pôde, e quase chorou de alívio quando o cavalheiro – ah, *por favor*, que fosse um cavalheiro, se não por nascimento, então pelo menos por natureza – começou a se mover em sua direção.

Só que não chorou. Porque ela nunca chorava. Nunca seria esse tipo de mulher.

No entanto, respirou fundo de maneira inesperada e... surpreendentemente alta e aguda.

– Aqui! – chamou ela, tirando o casaco para poder agitá-lo no ar.

Não adiantava tentar parecer digna. Afinal, estava presa em um telhado com um tornozelo torcido e um gato sarnento.

– Senhor! – praticamente berrou ela. – Socorro! Por favor!

O cavalheiro parou por um instante ao ouvir o barulho e olhou para cima. E mesmo que ainda estivesse longe demais para que a visão perfeita de Billie pudesse identificar seu rosto, ela já *sabia*.

Não. Não. *Não*. Qualquer um menos ele.

Mas é claro que era ele. Porque quem mais passaria por ali no pior momento dela, no mais estranho e embaraçoso, na única maldita hora em que ela precisava ser resgatada?

– Boa tarde, George – disse ela, quando ele se aproximou o suficiente para ouvir.

Ele colocou as mãos nos quadris e estreitou os olhos em direção a ela.

– Billie Bridgerton.

Ela esperou que ele acrescentasse: "Eu já devia saber."

Mas ele não disse mais nada, e de alguma forma isso a deixou ainda mais irritada. O mundo não estava em perfeito equilíbrio quando ela não conseguia prever todas as palavras afetadas e pomposas que saíam da boca de George Rokesby.

– Tomando um pouco de sol? – perguntou ele.

– Sim, pensei que seria ótimo arrumar mais algumas sardas.

Ele não rebateu de imediato. Em vez disso, tirou o chapéu de três pontas, deixando à mostra o espesso cabelo castanho-avermelhado, sem nenhum pó, e a encarou com um olhar firme, de quem a avaliava. Finalmente, depois de colocar com cuidado o chapéu no que um dia fora um muro de pedra, olhou de volta para ela e falou:

– Não posso dizer que não estou gostando disso. Só um pouquinho.

A língua de Billie coçava com várias respostas, mas ela procurou se lembrar de que George Rokesby era o único ser humano à vista e, se quisesse colocar os pés no chão antes do dia primeiro de maio, teria de ser gentil com ele.

Pelo menos até que a resgatasse.

– Como você foi parar aí em cima, afinal? – perguntou ele.

– Um gato – respondeu Billie, com um tom que, por benevolência, poderia ser descrito como *fervilhante*.

– Ah.

– Ele estava na árvore – acrescentou ela, sabe-se lá Deus por quê.

George não tinha pedido nenhuma explicação adicional.

– Entendo.

Entendia mesmo? Ela achava que não.

– Ele estava chorando – grunhiu ela. – Eu não podia simplesmente ignorar.

– Não, tenho certeza de que não – rebateu ele, e, ainda que sua voz soasse perfeitamente cordial, ela estava convencida de que ria dela.

– Algumas pessoas – disse Billie, abrindo a boca apenas o suficiente para falar – são compassivas e atenciosas.

Ele inclinou a cabeça.

– E gentis com crianças pequenas e animais?

– Sim.

Ele ergueu a sobrancelha direita daquela maneira extremamente irritante dos Rokesbys.

– Algumas pessoas – falou ele lentamente – são gentis com animais e crianças *grandes*.

Ela mordeu a língua. Primeiro no sentido figurado, depois no literal. *Seja gentil*, lembrou a si mesma. *Ainda que isso esteja lhe matando...*

Ele abriu um sorriso afável. Bem, a não ser por aquela breve repuxada no canto da boca.

– Você vai me ajudar a descer deste maldito telhado? – despejou finalmente.

– Que linguajar... – repreendeu ele.

– Aprendi com *seus* irmãos.

– Ah, eu sei – disse ele. – Nunca consegui convencê-los de que você era, de fato, uma menina.

Billie sentou-se nas próprias mãos. Sentou-se *mesmo*, para tentar conter o impulso de se jogar do telhado e estrangulá-lo.

– Nunca consegui *me* convencer de que você era, de fato, humana – acrescentou George, casualmente.

Os dedos de Billie se enrijeceram como garras. O que foi *muito* desconfortável, levando-se tudo em conta.

– *George* – falou ela, e pôde ouvir mil coisas diferentes em seu tom: súplica, dor, resignação, lembrança.

Os dois tinham uma história e, independentemente de suas diferenças, ele era um Rokesby e ela era uma Bridgerton, e um dia talvez acabassem sendo da mesma família.

Suas residências – Crake House, dos Rokesbys, e Aubrey Hall, dos Bridgertons – ficavam a apenas cinco quilômetros de distância uma da outra, naquele recanto verde e acolhedor de Kent. Os Bridgertons estavam lá havia mais tempo – tinham chegado no início dos anos 1500, quando James Bridgerton se tornara visconde e recebera terras de Henrique VIII –, mas os Rokesbys os ultrapassaram em títulos desde 1672.

Um barão Rokesby bastante empreendedor (conta a história) realizou um serviço essencial para Carlos II e, em agradecimento, foi condecorado primeiro conde de Manston. Os detalhes em torno dessa elevação de posição tornaram-se nebulosos ao longo do tempo, mas acredita-se que ela tenha envolvido uma diligência, uma peça de seda turca e duas amantes reais.

Billie podia muito bem acreditar. Charme era algo que se herdava, não era? George Rokesby era exatamente o tipo conservador e retrógrado que se esperaria do herdeiro de um condado, mas Andrew, seu irmão mais novo, possuía o *joie de vivre* malicioso que o teria feito cair nas graças de um notável galanteador como Carlos II. Os outros irmãos Rokesbys não eram tão farristas (embora Billie supusesse que Nicholas, com apenas 14 anos, já estivesse aperfeiçoando suas habilidades), mas facilmente superavam George em qualquer disputa que envolvesse charme e amabilidade.

George. Eles nunca tinham se gostado. Mas Billie achava que não deveria reclamar. George era o único Rokesby disponível no momento. Edward estava nas colônias, empunhando uma espada, uma pistola ou sabe lá Deus o quê, e Nicholas estava em Eton, provavelmente também empunhando uma espada ou uma pistola (embora, com sorte, com um efeito consideravelmente menor). Andrew estaria ali em Kent por algumas semanas, mas tinha fraturado o braço em um ato de bravura em missão pela Marinha. Dificilmente poderia ter ajudado.

Não, teria de ser George, e ela precisaria agir de modo civilizado.

Sorriu para ele. Bem, esticou os lábios.

Ele suspirou. Ligeiramente.

– Vou ver se há uma escada lá atrás.

– Obrigada – disse ela, formalmente, mas achou que George não tivesse escutado.

Ele sempre tivera um passo ligeiro, dadas suas pernas compridas, e tinha desaparecido de vista antes mesmo que ela pudesse ser educada como se deve.

Cerca de um minuto depois, George reapareceu, com uma escada que parecia ter sido usada pela última vez durante a Revolução Gloriosa.

– O que de fato aconteceu? – perguntou ele, posicionando a escada. – Você não é do tipo que costuma ficar presa.

Era o mais perto de um elogio que já ouvira dele.

– O gato não ficou tão grato pela minha ajuda como seria de se esperar – disse ela, cada palavra soando como um altivo furador de gelo dirigido ao terrível felino.

A escada encaixou na posição correta com um barulho surdo, e Billie ouviu George subir.

– Isso vai aguentar? – perguntou ela.

A madeira parecia meio lascada e emitia rangidos sinistros a cada passo.

Os ruídos pararam por um instante.

– Não importa se vai aguentar ou não, não é?

Billie engoliu em seco. Talvez outra pessoa não compreendesse as palavras de George, mas ela conhecia aquele homem desde sempre, e, se havia uma verdade fundamental sobre George Rokesby, era que se tratava de um cavalheiro. E ele nunca deixaria uma dama em perigo, por mais frágil que uma escada parecesse.

Ela estava em apuros, portanto ele não tinha escolha. Precisava ajudá-la, por mais irritante que a achasse.

E ele achava. Ah, ela sabia que achava. George nunca fizera qualquer esforço para disfarçar isso. Embora, para ser sincera, nem ela.

A cabeça dele apareceu, e seus olhos azuis típico dos Rokesbys se estreitaram. Todos eles tinham olhos azuis. Absolutamente todos.

– Você está usando calça – disse George com um suspiro pesado. – É claro que está usando calça.

– Eu não tentaria subir em uma árvore de vestido.

– Não – rebateu ele secamente –, você é muito sensata para isso.

Billie decidiu deixar o comentário passar.

– Ele me arranhou – explicou ela, inclinando a cabeça em direção ao gato.

– É mesmo?

– Nós caímos.

George olhou para cima.

– É uma altura e tanto.

Billie seguiu o olhar de George. O galho mais próximo ficava a um metro e meio, e ela não estava no galho mais próximo.

– Machuquei meu tornozelo – admitiu ela.

– Eu imagino.

Ela olhou para ele, em dúvida.

– Caso contrário você teria simplesmente saltado para o chão.

A boca de Billie se contraiu enquanto olhava para além de George, em direção à terra compactada que cercava as ruínas da casa de fazenda. Em algum tempo, a construção devia ter pertencido a um fazendeiro próspero, pois tinha dois andares.

– Não – disse ela, avaliando a distância. – É muito alto.

– Até mesmo para você?

– Não sou idiota, George.

Ele não concordou com ela tão rápido quanto deveria. O que queria dizer que, no fim das contas, não concordava.

– Muito bem – foi o que ele enfim disse. – Vamos tirá-la daí.

Ela inspirou. Depois expirou. Então falou:

– Obrigada.

Ele olhou para ela com uma expressão estranha. Descrença, talvez, por ela ter dito aquela palavra?

– Em breve vai escurecer – comentou ela, franzindo o nariz enquanto olhava para o céu. – Teria sido péssimo ficar presa... – E então pigarreou antes de repetir: – Obrigada.

George recebeu o agradecimento assentindo muito brevemente.

– Consegue usar a escada?

– Acho que sim.

Doeria muitíssimo, mas ela conseguiria.

– Posso carregá-la.

– Na escada?

– Nas minhas costas.

– *Não vou* subir nas suas costas.

– Não é onde eu gostaria de tê-la – murmurou ele.

Billie levantou bruscamente a cabeça.

– Certo, muito bem – disse ele.

George subiu mais dois degraus. A beirada do telhado estava agora na altura dos seus quadris.

– Consegue se levantar?

Ela olhou fixamente para ele sem dizer nada.

– Gostaria de ver quanto peso consegue colocar nesse tornozelo – explicou ele.

– Ah – murmurou ela. – É claro.

Ela não deveria ter tentado. O telhado era tão inclinado que ela precisaria dos dois pés para se equilibrar, e o direito estava praticamente inútil naquele momento. Mas Billie tentou, porque odiava demonstrar fraqueza diante daquele homem, ou talvez apenas porque não era da sua natureza não tentar – *qualquer coisa* –, ou simplesmente porque não tivesse pensado bem antes. De toda forma, ela se levantou, cambaleou e sentou-se novamente.

Mas não antes que um grito sufocado de dor escapasse de seus lábios.

George saiu da escada para o telhado em um segundo.

– Sua tola – murmurou ele, mas havia carinho em sua voz ou, pelo menos, mais carinho do que já demonstrara alguma vez. – Posso ver?

De má vontade, Billie estendeu o pé em sua direção. Ela já havia tirado o sapato.

George o tocou de forma clínica, envolvendo o calcanhar dela com uma das mãos enquanto testava a capacidade de movimento com a outra.

– Dói aqui? – perguntou ele, pressionando suavemente o lado externo do tornozelo dela.

Billie soltou um silvo de dor antes que pudesse se conter e assentiu.

Ele moveu a mão para outro ponto.

– Aqui?

Ela fez que sim novamente.

– Mas não tanto.

– E...

Billie sentiu uma fisgada intensa correr pelo pé. Sem nem pensar, ela puxou o pé das mãos dele.

– Tomarei isso como um sim – disse George, franzindo a testa. – Mas não acho que esteja quebrado.

– É óbvio que não está quebrado – disparou ela.

O que era algo ridículo de se dizer, porque não havia nada de *óbvio* em relação a isso. Mas George Rokesby sempre provocava o que havia de pior nela, e não ajudava o fato de o pé dela estar doendo *muito*.

– Uma entorse – opinou George, ignorando a pequena explosão de raiva.

– Eu sei – rebateu ela com petulância.

De novo. Ela se odiava no momento.

Ele abriu um sorriso discreto.

– É claro que sabe.

Ela queria matá-lo.

– Vou descer primeiro – anunciou George. – Dessa forma, se você tropeçar, poderei impedir que caia.

Billie assentiu. Era um bom plano, o único, na verdade, e ela seria tola de discutir só por ter sido ideia dele. Embora esse tivesse sido, *sim*, seu impulso inicial.

– Pronta? – perguntou ele.

Ela fez que sim outra vez.

– Não está preocupado em ser derrubado da escada?

– Não.

Nenhuma explicação. Apenas não. Como se fosse absurdo até mesmo ponderar a respeito.

Ela levantou a cabeça bruscamente. Ele parecia tão sólido... E forte. E *confiável*. George sempre fora confiável, pensou Billie. Ela é que geralmente ficava ocupada demais irritando-se com ele para perceber isso.

Ele avançou com cuidado para a beirada do telhado, virando-se para colocar um dos pés no degrau mais alto da escada.

– Não se esqueça do gato – disse Billie.

– O gato – repetiu ele, lançando-lhe um olhar que dizia *Você só pode estar brincando.*

– Não vou abandoná-lo depois de tudo isso.

Com um ranger de dentes, George resmungou baixinho algo bastante desagradável e estendeu a mão para o gato.

Que o mordeu.

– *Sua praga dos...*

Billie recuou um pouco. George parecia pronto para arrancar a cabeça de alguém, e ela estava mais perto do que o bichano.

– Esse gato merece apodrecer no inferno – grunhiu George.

– Concordo – disse ela, rápido *demais.*

Ele piscou diante da aquiescência. Billie tentou sorrir, mas optou por dar de ombros. Tinha dois irmãos de sangue e mais três que podia considerar irmãos na família Rokesby. Quatro se incluísse George, mas não tinha muita certeza quanto a isso.

A questão era que ela entendia os homens, e sabia quando manter a boca fechada.

Além disso, já estava *farta* daquele bicho. Que nunca dissessem que Billie Bridgerton era sentimental. Tentara salvar o animal sarnento porque era a coisa certa a fazer, depois tentara salvá-lo novamente porque parecia um desperdício de seus esforços anteriores não tentar, mas agora...

Ela encarou o animal.

– Você está por sua conta.

– Vou na frente – falou George, seguindo para a escada. – Quero que você fique bem na minha frente o tempo todo. Dessa forma, se tropeçar...

– Caímos os dois?

– Eu a seguro – grunhiu ele.

Ela estava brincando, mas não pareceu a coisa mais sábia ressaltar isso.

George virou-se para descer, mas, quando se moveu para colocar o pé no topo da escada, o gato, que aparentemente não gostara de ser ignorado, soltou um guincho apavorante e passou entre as pernas dele. George oscilou para trás, girando os braços no ar.

Billie nem pensou. Não se preocupou com o pé, com o equilíbrio, com nada. Apenas se lançou para a frente e agarrou George, puxando-o de volta à segurança.

– A escada! – gritou ela.

Mas era tarde demais. Juntos, os dois viram a escada virar, girar, depois cair no chão, estranhamente com a graça de um passo de balé.

CAPÍTULO 2

Seria justo dizer que George Rokesby, o filho mais velho do conde de Manston e atualmente conhecido pelo mundo civilizado como o visconde de Kennard, era um cavalheiro sereno. Tinha modos calmos e firmes, uma mente implacavelmente lógica e uma maneira de estreitar os olhos que assegurava que seus pedidos fossem atendidos com grande eficiência, seus desejos concedidos com ansioso prazer, e – a parte mais importante – tudo isso de acordo com o momento que *ele* desejasse.

Também seria justo dizer que, se a Srta. Sybilla Bridgerton tivesse alguma ideia de quão próximo ele estava de esganá-la, ficaria muito mais assustada com ele do que com a escuridão que se aproximava.

– Mas que grande *azar* – disse ela, olhando para a escada.

George não falou nada. Achou melhor assim.

– Sei o que está pensando – continuou ela.

Ele abriu a boca o suficiente para dizer:

– Não tenho tanta certeza.

– Você está tentando decidir qual de nós dois prefere jogar do telhado: o gato ou eu.

Ela estava muito mais perto da verdade do que poderia ter imaginado.

– Eu só estava tentando ajudar – explicou-se ela.

– Eu sei – falou George em um tom próprio para *não* encorajar a continuidade da conversa.

Mas Billie continuou falando.

– Se eu não o tivesse agarrado, você teria caído.

– Eu *sei*.

Ela mordeu o lábio inferior e, por um instante abençoado, ele pensou que ela encerraria o assunto.

Então Billie disse:

– Foi seu pé, você sabe.

Ele moveu ligeiramente a cabeça. Apenas o suficiente para indicar que tinha ouvido.

- Perdão?

- Seu pé. - Ela apontou com a cabeça o membro em questão. - Ele esbarrou na escada.

George deixou de lado a ideia de ignorá-la.

- Você não está colocando a culpa disso em *mim*, não é mesmo? - disse ele, praticamente sibilando.

- Não, é claro que não - respondeu ela depressa, finalmente mostrando o mínimo senso de autopreservação. - Eu apenas quis dizer... Só que você...

Ele estreitou os olhos.

- Não importa - murmurou ela.

Então apoiou o queixo nos joelhos dobrados e olhou para o campo. Não que houvesse algo para ver. A única coisa que se movia era o vento, afirmando sua presença através do suave balançar das folhas nas árvores.

- Acho que temos mais uma hora até o sol se pôr - continuou ela. - Talvez duas.

- Não estaremos aqui quando escurecer - disse George.

Billie olhou para ele, depois para a escada. Então de novo para George com uma expressão que o fez querer abandoná-la em meio à notória escuridão.

Mas ele não fez isso. Porque em tese não podia. Vinte e sete anos eram tempo mais do que suficiente para que os princípios do cavalheirismo já estivessem incutidos em seu cérebro, e ele nunca poderia ser tão cruel com uma dama. Mesmo que a dama fosse *ela*.

- Andrew deve passar aqui em cerca de trinta minutos - informou ele.

- O quê? - perguntou Billie, primeiro soando aliviada, depois irritada ao prosseguir: - Por que não disse antes? Não acredito que me deixou pensar que ficaríamos presos aqui a noite toda.

Ele olhou para ela. Olhou para Billie Bridgerton, a perdição de sua existência desde o nascimento dela, vinte e três anos antes. Ela o encarava como se ele tivesse cometido uma afronta imperdoável, as bochechas vermelhas, os lábios franzidos como uma rosa furiosa.

Então, em um tom frio e imponente, ele disse:

- Passou-se apenas um minuto do momento em que a escada atingiu o chão até tais palavras deixarem meus lábios. Por favor, diga-me quando, durante sua análise esclarecedora do movimento com que meu pé tocou a escada, eu deveria ter lhe dado a informação.

Os cantos da boca de Billie se moveram, mas não esboçaram exatamente um sorriso. Não indicavam nem um vestígio de sarcasmo. Se ela fosse outra pessoa, ele teria pensado que ficara constrangida. Mas aquela era Billie Bridgerton, e ela *não* ficava constrangida. Ela simplesmente fazia o que queria, sem se importar com as consequências. Tinha agido assim a vida inteira, geralmente arrastando metade do clã Rokesby com ela.

E, de alguma forma, todos *sempre* a perdoavam. Billie tinha essa coisa – não era exatamente charme, mas uma confiança louca e imprudente – que fazia as pessoas ficarem ao seu lado. A família dela, a família dele, todo o maldito vilarejo – todo mundo a adorava. Ela era dona de um sorriso largo e uma risada contagiante, e Deus do céu, como era possível que ele fosse a *única* pessoa na Inglaterra que parecia perceber o perigo que ela representava para a humanidade?

Aquele tornozelo torcido? Não era o primeiro. Ela também quebrara o braço, de modo impressionante. Billie tinha 8 anos, e caíra de um cavalo. Um animal mal treinado que ela não deveria sequer ter montado, muito menos ter tentado pular uma cerca com ele. O osso se recuperara perfeitamente – claro que sim, Billie sempre tivera uma sorte do diabo –, e em poucos meses ela já estava de volta aos velhos hábitos. Ninguém pensou em repreendê-la. Não quando ela montou com uma perna de cada lado do cavalo. Usando calça. Naquele mesmo maldito cavalo, pulando sobre a mesma maldita cerca. E, quando um dos irmãos mais novos dele seguiu o exemplo e deslocou o ombro...

Todos riram. Os pais dele – e os dela – balançaram a cabeça e riram, e nenhum deles achou prudente tirar Billie do cavalo, enfiá-la em um vestido ou, melhor ainda, mandá-la para uma dessas escolas para moças que ensinam bordado e bons modos.

O braço de Edward ficara pendurado. Pendurado!!! E o som que fizera quando o chefe de estábulo o colocara no lugar...

George estremeceu. Era o tipo de som que mais se sentia do que ouvia. Foi horrível.

– Está com frio? – perguntou Billie.

Ele fez que não com a cabeça. Embora ela provavelmente estivesse. O casaco dele era consideravelmente mais grosso do que o dela.

– Você está?

– Não.

Ele observou-a atentamente. Ela era do tipo que tentaria resistir e se recusaria a permitir que ele se comportasse como cabia a um cavalheiro.

– E me diria se estivesse?

Ela levantou a mão como se para garantir que dizia a verdade.

– Eu juro.

Isso bastava para ele. Billie não mentia nem quebrava promessas.

– Andrew estava no vilarejo com você? – perguntou ela, estreitando os olhos em direção ao horizonte.

George assentiu.

– Tínhamos negócios a tratar com o ferreiro. Ele parou para falar com o vigário depois. Eu não quis esperar.

– É claro que não – murmurou ela.

Ele virou a cabeça para ela.

– O que você quis dizer?

Os lábios dela se entreabriram, então pairaram por um instante em um delicado formato oval antes de ela dizer:

– Na verdade, não sei.

Ele franziu a testa para ela, então voltou sua atenção para o telhado, ainda que não houvesse qualquer maldita coisa que pudesse fazer no momento. Mas não era da sua natureza sentar e esperar. Pelo menos ele poderia examinar o dilema, reavaliar e...

– Não há nada a fazer – disse Billie despreocupadamente. – Não sem a escada.

– Estou ciente – disparou ele.

– Você estava olhando em volta – rebateu ela, dando de ombros –, como se...

– Eu *sei* o que eu estava fazendo – replicou ele.

Ela pressionou os lábios em perfeita consonância com o movimento das sobrancelhas, que se ergueram daquele jeito Bridgerton irritante, como se dissesse: "*Vá em frente, pense quanto quiser. Sei que não vai adiantar.*"

Ficaram em silêncio por um momento e então, com uma voz mais baixa do que a de costume, Billie perguntou:

– Tem certeza de que Andrew passará por aqui?

George assentiu. Ele e o irmão tinham caminhado de Crake House até o vilarejo – não era sua forma de deslocamento usual, mas Andrew, que recentemente fora promovido a tenente da Marinha Real Britânica, quebrara o braço em alguma tola proeza na costa de Portugal e tinha sido mandado para se recuperar em casa. Andar era mais fácil do que cavalgar para ele no momento, e o clima do dia tinha sido excepcionalmente bom para março.

– Ele está a pé – explicou George. – Como viria se não fosse por aqui?

Havia muitas trilhas na área, mas nenhuma que não acrescentasse no mínimo um quilômetro e meio no caminho até sua casa.

Billie inclinou a cabeça de lado, olhando para o campo.

– A menos que alguém tenha lhe dado uma carona.

Ele virou lentamente em direção a ela, perplexo com a total falta de... *qualquer coisa* em seu tom. Não havia nada que indicasse uma discussão, nenhum traço de superioridade, nem mesmo algo que lembrasse preocupação. Apenas a bizarra constatação: *Hum, eis aqui uma coisa desastrosa que pode ter acontecido.*

– Bem, é possível – continuou ela, dando de ombros. – Todo mundo gosta de Andrew.

Andrew tinha o charme tranquilo e despreocupado que encantava a todos, do vigário do vilarejo às garçonetes da taberna, isso era verdade. Se alguém fosse fazer o mesmo caminho, com certeza lhe ofereceria carona.

– Ele vem andando – disse George com firmeza. – Precisa se exercitar.

O rosto de Billie assumiu uma expressão incerta.

– Andrew?

George deu de ombros, sem querer admitir derrota, embora Andrew sempre tivesse sido um grande atleta.

– Ele vai preferir o ar fresco. Passou a semana toda subindo pelas paredes de tédio. Mamãe tem tentado mantê-lo à base de sopas e repouso.

– Por causa de um braço quebrado? – perguntou Billie, bufando e depois dando uma risadinha.

George olhou para ela de esguelha.

– Divertindo-se com a infelicidade dos outros?

– Sempre.

Ele sorriu mesmo a contragosto. Era difícil se ofender quando ele mesmo passara a última semana divertindo-se com – não, encorajando – a frustração do irmão mais novo.

Billie mudou de posição com cautela, dobrando as pernas para poder descansar o queixo nos joelhos.

– Cuidado com o pé – disse George, quase distraidamente.

Ela assentiu, e juntos ficaram em silêncio. George olhava para a frente, mas podia sentir cada movimento de Billie ao seu lado. Ela tirou um fio de cabelo que caía sobre os olhos e esticou um braço à frente, o cotovelo rangendo como uma velha cadeira de madeira. Então, com a tenacidade que exibia em todos os aspectos de sua vida, retomou a conversa:

– Ainda assim, ele pode ter aceitado uma carona.

Ele quase sorriu.

– Pode.

Ela ficou quieta por mais alguns segundos, então falou:

– Não parece que vai chover.

Ele olhou para o céu. Estava nublado, mas nem tanto. As nuvens estavam claras demais para conter muita água.

– E com certeza sentirão nossa falta.

Ele se permitiu um sorriso cínico.

– A minha, pelo menos.

Ela lhe acertou com o cotovelo. Com força. O suficiente para fazê-lo rir.

– Você é uma pessoa terrível, George Rokesby.

Mas Billie sorriu ao dizer isso.

Ele riu novamente, surpreso com a sensação boa e leve em seu peito. Não tinha certeza se ele e Billie podiam se considerar amigos um do outro – haviam se desentendido vezes demais para tanto –, mas tinham alguma intimidade. Isso nem sempre fora uma coisa boa, mas naquele momento...

Era.

– Bem – anunciou ela –, suponho que não haja ninguém mais com quem eu preferisse estar presa em um telhado.

Ele virou a cabeça em direção a ela.

– Ora, ora, Srta. Bridgerton, isso foi um elogio?

– Não ficou claro?

– Vindo de você? – rebateu ele.

Ela sorriu de lado, carinhosamente.

– Suponho que eu mereça isso. Mas, sabe, você é muito confiável.

– Confiável – repetiu ele.

Ela assentiu.

– Muito.

George sentiu ter franzido a testa, embora, por tudo que havia de mais sagrado, não soubesse direito o motivo.

– Se eu não tivesse machucado o tornozelo – continuou Billie descontraidamente –, tenho certeza de que teria encontrado uma forma de descer.

Ele a encarou com claro ceticismo. E também avaliou que isso não tinha nada a ver com sua confiabilidade...

– Você não disse que era alto demais para pular?

– Bem, sim – concordou ela, acenando a mão em frente ao rosto como quem não dá muita importância –, mas eu teria pensado em algo.

– É claro – retrucou ele, principalmente porque lhe faltava energia para falar qualquer outra coisa.

– A questão é que, desde que eu esteja aqui com *você*...

O rosto dela ficou pálido de repente. Até mesmo os olhos, normalmente de uma tonalidade insondável de castanho, pareceram ficar um pouco menos vívidos.

O coração de George parou. Nunca, *jamais* em sua vida, tinha visto Billie Bridgerton com aquela expressão no rosto.

Ela estava apavorada.

– O que foi? – perguntou ele.

Ela virou em sua direção.

– Você não acha...

Ele esperou, mas ela parecia não saber o que dizer.

– *O quê?*

O rosto pálido dela adquiriu um tom esverdeado.

– Não acha que alguém pode pensar que você... Que nós... – Billie engoliu em seco e então continuou: – Que nós desaparecemos... *juntos?*

O mundo inteiro de George deu uma guinada.

– *Meu Deus*, não! – disse ele, imediatamente.

– Eu sei – concordou ela com igual diligência. – Quero dizer, você. E eu. É ridículo.

– Absurdo.

– Qualquer um que nos conheça...

– Saberia que nós nunca...

– Mas mesmo assim...

Desta vez, não só Billie parou de falar; suas palavras perderam a força e transformaram-se em um sussurro desesperado.

Ele lançou a ela um olhar impaciente.

– O quê?

– Se Andrew não aparecer como esperamos... E se derem pela sua falta... E pela minha... – Ela o encarou, os olhos arregalados e horrorizados. – Uma hora, alguém vai perceber que nós dois sumimos.

– E com isso você quer dizer... ? – disparou ele.

Ela se virou para encará-lo.

– Por que alguém não presumiria...?

– Qualquer pessoa que tenha cérebro não presumiria – rebateu ele. – Ninguém jamais pensaria que eu estaria com você *de propósito*.

Ela se afastou.

– Ah, bem, *muito obrigada*.

– Está dizendo que gostaria que alguém *pensasse* isso? – retrucou ele.

– Não!

Ele revirou os olhos. *Mulheres*. E, no entanto, aquela era Billie. A mulher menos feminina que conhecia.

Ela soltou o ar longamente para se acalmar.

– Independentemente do que pensa de mim, *George*...

Como ela conseguia fazer seu nome soar como um insulto?

– ... tenho minha reputação a zelar. E, embora minha família me conheça bem o bastante, e... – sua voz assumiu um tom hesitante – ... e embora eu possa dizer que confio em *você* o suficiente para saber que nossos desaparecimentos simultâneos não significam nada de impróprio...

Suas palavras foram se perdendo e Billie mordeu o lábio, parecendo desconfortável e ligeiramente enjoada, para falar a verdade.

– O restante do mundo pode não ser tão gentil – concluiu ele por ela.

Billie olhou para George por um instante e disse:

– Exatamente.

– Se não formos encontrados até amanhã de manhã... – falou George, principalmente para si mesmo.

Billie concluiu a temível frase:

– Você terá que se casar comigo.

CAPÍTULO 3

– O que está fazendo? – perguntou Billie, praticamente gritando.

George levantara-se com uma velocidade *altamente* imprudente, e agora espiava da beirada do telhado com a sobrancelha erguida, como se estivesse concentrado, calculando.

Na verdade, parecia efetuar equações matemáticas complexas.

– Tentando sair do maldito telhado – grunhiu ele.

– Você vai se matar.

– Talvez eu devesse – concordou ele de forma sombria.

– Ah, faz com que eu me sinta muito especial, realmente – retrucou Billie.

Ele virou, encarando-a com ar de superioridade.

– Está dizendo que *quer* se casar comigo?

Ela estremeceu.

– Nunca.

No entanto, nenhuma dama gostaria de pensar que um homem preferiria se atirar de um telhado só para evitar essa possibilidade.

– Nisso estamos de acordo – disse George.

E aquilo doeu. Ah, como doeu... Que ironia. Billie não se *importava* que George Rokesby não quisesse se casar com ela. Na maior parte do tempo ela nem sequer gostava dele. E sabia que, quando ele se dignasse a escolher uma noiva, a dama tão agraciada não seria nada parecida com *ela*.

Mas, ainda assim, doeu.

A futura lady Kennard seria delicada, feminina. Teria sido educada para administrar uma casa grandiosa, não uma propriedade produtora. Usaria roupas da última moda, seu cabelo viveria coberto de pó e em penteados elaborados, e, mesmo que por dentro fosse feita de aço, esconderia isso sob uma aura distinta de desamparo.

Homens como George adoravam se achar fortes e viris.

Ela o observou colocar as mãos nos quadris. Muito bem, ele *era* forte e viril. Mas era como os demais – desejaria o tipo de mulher que flerta sobre a borda do leque. Imagine se ele se casaria com uma mulher talentosa.

– Isso é um desastre – disparou ele.

Billie resistiu por pouco ao desejo de rosnar.

– Você só percebeu isso agora?

A resposta igualmente imatura de George foi fechar a cara.

– Por que você não consegue ser *gentil*? – perguntou Billie.

– Gentil? – repetiu ele.

Ah, meu Deus, por que tinha dito aquilo? Agora teria que explicar.

– Como o restante de sua família – esclareceu ela.

– Gentil – disse ele novamente.

George então balançou a cabeça, como se não acreditasse na audácia dela.

– Gentil – repetiu pela terceira vez.

– *Eu* sou gentil – disse ela.

E se arrependeu ao dizê-lo, porque ela não era gentil. Pelo menos não o tempo todo, e tinha a sensação de que não estava sendo particularmente gentil naquele momento. No entanto, com certeza poderia ser perdoada, porque ele era George Rokesby e ela não podia evitar.

Nem ele, ao que parecia.

– Alguma vez já lhe ocorreu – começou ele com uma voz definitivamente marcada pela falta de gentileza – que sou gentil com todos exceto você?

Também doeu. Não deveria, é claro, já que os dois nunca haviam se gostado e, maldição, não deveria ter doído porque ela *não queria* que doesse.

Mas Billie nunca deixaria isso transparecer.

– *Acho* que você tentou me insultar – disse ela, escolhendo desdenhosamente as palavras.

George olhou para Billie, esperando que ela continuasse, mas ela apenas deu de ombros.

– Mas...? – insistiu ele.

Ela repetiu o gesto, fingindo olhar para as unhas. E com isso de fato olhou para as unhas, que estavam imundas.

Mais uma coisa que não tinha em comum com a futura lady Kennard.

Contou em silêncio até cinco, esperando que ele exigisse uma explicação daquele jeito incisivo que aperfeiçoara antes de ter idade suficiente para se barbear. Mas George não disse uma palavra e, por fim, foi ela quem perdeu qualquer que fosse a disputa idiota entre eles, e levantou a cabeça.

George nem sequer estava olhando para ela.

Maldito fosse.

E maldita fosse ela também, porque simplesmente não conseguia evitar. Billie sabia que qualquer pessoa com um mínimo de prudência saberia quando segurar a língua, mas ela não... Teve de abrir a boca estúpida e dizer:

– Se você não é capaz de reunir a...

– Não diga isso – advertiu ele.

– ... generosidade de espírito para...

– Estou avisando, Billie.

– Está? – rebateu ela. – Parece que está me ameaçando.

– E vou – disse ele, furioso –, se você não se *calar*...

George se interrompeu com uma imprecação abafada, virando a cabeça em outra direção.

Billie ficou remexendo em um fio solto de sua meia, a boca contraída em um biquinho zangado e trêmulo. Não devia ter dito nada. Percebera isso no momento em que falava porque, por mais pomposo e irritante que George Rokesby fosse, era culpa dela que ele estivesse preso no telhado, e ela não tinha o direito de provocá-lo tanto.

Mas havia algo a respeito dele – algum talento especial que só ele possuía – que a fazia se esquecer de anos de experiência e maturidade e agir como uma criança de 6 anos. Se ele fosse outra pessoa – *qualquer* outra –, ela seria enaltecida como a mulher mais razoável e prestativa na história da cristandade. Correriam histórias – quando finalmente saíssem do telhado – sobre a bravura e a inteligência dela. Billie Bridgerton... tão engenhosa, tão sensata... Seria o que todos diriam. Seria o que todos teriam motivos para dizer, porque ela *era* engenhosa e sensata.

Só que não com George Rokesby.

– Sinto muito – murmurou ela.

Ele virou lentamente a cabeça, como se nem seus músculos pudessem acreditar no que tinham ouvido.

– Eu disse que sinto muito – repetiu ela, mais alto desta vez.

Foi um martírio, mas era o certo a fazer. Mas que Deus se apiedasse de George se ele a fizesse dizer aquilo novamente, porque havia um limite para o orgulho que Billie era capaz de engolir sem engasgar. E George devia saber.

Porque era exatamente igual.

Os olhos dele encontraram os dela, então os dois olharam para baixo e, após alguns instantes, George disse:

– Nenhum de nós está em seu melhor momento agora.

Billie engoliu em seco. Pensou que talvez devesse dizer algo mais, mas seu bom senso não a ajudara até ali, então em vez disso ela simplesmente assentiu, jurando que ficaria calada até...

– Andrew? – sussurrou George.

Billie despertou de seu devaneio e ficou atenta.

– Andrew! – berrou George.

Os olhos de Billie varreram freneticamente as árvores na ponta do campo e, de fato...

– Andrew! – gritou ela, começando a se levantar por reflexo antes de se lembrar do tornozelo. – Ai! – gemeu, caindo de volta sobre o traseiro.

George nem olhou para ela. Estava muito ocupado à beira do telhado, agitando os braços em movimentos amplos e vigorosos.

Andrew não tinha como deixar de vê-los, os dois ali gritando como assombrações enlouquecidas, mas, se ele tinha acelerado o passo, Billie não conseguia notar. Andrew era assim. Provavelmente deveria ficar feliz por ele não ter caído de tanto rir da situação difícil em que estavam.

Ele nunca deixaria nenhum dos dois esquecer aquele momento.

– Olá! – gritou Andrew, quando já estava a meio caminho deles.

Billie olhou para George. Só conseguia vê-lo de perfil, mas ele parecia aliviado com a chegada do irmão. E também estranhamente aborrecido. Não, não era nem um pouco estranho, ela percebeu. Qualquer que fosse a provocação que teria de aguentar de Andrew, George sofreria cem vezes mais.

Andrew se aproximou com um passo animado apesar da tipoia no braço.

– Dentre todas as mais agradáveis surpresas... – declarou ele, um sorriso largo no rosto. – Nem se eu pensasse, pensasse e pensasse...

Ele parou, estendendo com elegância o dedo indicador, o sinal universal, percebeu Billie, de quem pede um instante de pausa. Então inclinou a cabeça como se voltasse à questão e continuou:

– e *pensasse*...

– Ah, pelo amor de Deus – grunhiu George.

– Tudo isso ao longo de anos... – disse Andrew, rindo. – Ainda assim não teria me ocorrido nada tão...

– Só nos tire do maldito telhado – falou George.

Billie sentiu-se solidária ao tom dele.

– Sempre achei que vocês dois formariam um par esplêndido – comentou Andrew com ar travesso.

– Andrew – rosnou Billie.

Ele a recompensou franzindo os lábios em um sorriso.

– Sinceramente, não precisavam ter ido tão longe para ter um momento de privacidade. Todos nós teríamos ficado mais do que satisfeitos em lhes conceder um.

– Pare! – ordenou Billie.

Andrew olhou para cima, rindo mesmo enquanto fingia fechar a cara.

– Quer mesmo usar esse tom, cabritinha? Quem está em *terra firme* sou *eu*.

– Por favor, Andrew – disse ela, esforçando-se ao máximo para ser razoável e civilizada. – Agradeceríamos muito se pudesse nos ajudar.

– Bem, já que pediu tão gentilmente... – murmurou Andrew.

– Eu vou matar seu irmão – disse ela em voz baixa a George.

– E *eu* vou quebrar o outro braço dele – resmungou ele.

Billie abafou uma risada. Não havia como Andrew ter ouvido os dois, mas ainda assim ela olhou em sua direção. Foi quando percebeu que ele franzia a testa e repousava a mão boa sobre o quadril.

– O que foi agora? – perguntou George.

Andrew olhava fixamente para a escada, a boca repuxada de um jeito curioso.

– Não sei se já ocorreu a algum dos dois, mas este não é o tipo de coisa fácil de se fazer com apenas uma mão.

– Tire o braço da tipoia – sugeriu George, mas suas últimas palavras foram abafadas pelo grito de Billie: "Não tire o braço da tipoia!"

– Quer mesmo continuar aqui no telhado? – sibilou George.

– E fazê-lo machucar novamente o braço? – rebateu ela.

Eles podiam ter brincado sobre quebrar o braço bom de Andrew, mas *sinceramente*... O homem era da Marinha, afinal. Era essencial que seu osso se recuperasse.

– Você se casaria comigo pelo bem do braço dele?

– Não vou me casar com você – disparou ela. – Andrew sabe onde estamos. Ele pode buscar ajuda.

– Quando ele voltar com um homem apto, já teremos ficado aqui sozinhos por várias horas.

– E suponho que você tenha sua própria virilidade em tão alta conta a ponto de achar que as pessoas acreditariam que conseguiu me desonrar em cima de um telhado.

– Pode acreditar em mim – sibilou George –, qualquer homem com um pingo de bom senso saberia que é impossível desonrá-la.

Billie ergueu as sobrancelhas, confusa por um instante. Ele estava elogiando sua retidão moral ou... *Ah!*

– Você é desprezível – disse ela, fervendo de raiva, já que essa era sua única opção de resposta.

De alguma forma, desconfiava de que dizer "*Você* não faz ideia de quantos homens gostariam de *me desonrar*" não faria com que ganhasse pontos por dignidade e inteligência.

Ou honestidade.

– Andrew – chamou George com sua voz arrogante de *eu sou o irmão mais velho* –, eu lhe dou cem libras para tirar a tipoia e colocar a escada no lugar.

Cem libras?

Billie virou para ele completamente chocada.

– Você está *louco*?

– Eu não sei – ponderou Andrew. – Ver vocês dois se matarem pode de fato ser melhor que ganhar cem libras.

– Não seja um cretino – atalhou George, lançando-lhe um olhar furioso.

– Você nem herdaria o título – ressaltou Billie.

Não que Andrew algum dia tivesse desejado suceder o pai como conde de Manston. Ele gostava muito de sua vida descompromissada para assumir tal tipo de responsabilidade.

– Ah, sim, Edward – falou Andrew com um suspiro exagerado, referindo-se ao segundo filho dos Rokesbys, um ano mais velho do que ele. – Isso é mesmo um inconveniente. Pareceria terrivelmente suspeito para ele se vocês dois perecessem em circunstâncias curiosas.

Fez-se um instante constrangedor de silêncio enquanto todos percebiam que talvez Andrew tivesse dado tão pouca importância a algo sério que estava ali fazendo gracejos despreocupados. Edward Rokesby seguira a rota mais admirável dos segundos filhos e tornara-se capitão do 54º Regimento de Infantaria de Sua Majestade. Fora enviado às colônias americanas mais de um ano antes e servira bravamente na Batalha de Quaker Hill. Permanecera em Rhode Island por vários meses antes de ser transferido para o quartel-general britânico em Nova York. Notícias de sua saúde e seu bem-estar eram raras demais para tranquilizarem qualquer um.

– Se Edward perecer – disse George rispidamente –, não creio que as circunstâncias poderiam ser descritas como "curiosas".

– Ah, vamos – disse Andrew, revirando os olhos para o irmão mais velho –, deixe de ser tão sério o tempo todo.

– Seu irmão arrisca a vida pelo rei e pelo país – lembrou George, e, realmente, pensou Billie, sua voz soava tensa, até mesmo para ele.

– Assim como eu – rebateu Andrew com um sorriso descontraído. Ele inclinou o braço ferido em direção ao telhado, o membro dobrado preso pela tipoia que ia até o ombro, e completou: – Ou pelo menos alguns ossos meus.

Billie engoliu em seco e olhou para George com hesitação, tentando avaliar sua reação. Como era comum para os terceiros filhos, Andrew não fizera faculdade e fora direto para a Marinha Real como aspirante. No ano anterior, fora promovido a tenente. Andrew não se via em situação de risco com tanta frequência quanto Edward, mas, ainda assim, usava seu uniforme com orgulho.

George, por outro lado, não tivera permissão de entrar para as Forças Armadas; como herdeiro do condado, fora considerado valioso demais para se atirar diante das balas dos mosquetes americanos. E Billie se perguntou... será que isso o incomodava? Que seus irmãos servissem ao país e ele não? Será que algum dia quisera lutar?

Então ela se perguntou... por que nunca havia refletido sobre a questão? Era verdade que não dedicava muita atenção a George Rokesby, a menos que ele estivesse diante dela, mas as vidas dos Rokesbys e Bridgertons estavam totalmente entrelaçadas. Parecia estranho que ela não soubesse isso.

Seus olhos se moveram lentamente de um irmão para o outro. Eles não falaram nada por algum tempo. Andrew ainda olhava para cima, os olhos azul-claros com ar de desafio, e George o encarava de volta com... bem, não era raiva exatamente. Pelo menos não mais. Mas também não era arrependimento. Nem orgulho. Nem qualquer coisa que ela conseguisse identificar.

Havia muito mais naquela conversa do que o que vinha à tona.

– Bem, *eu* arrisquei a vida e um membro por um felino ingrato – declarou Billie, ansiosa por fazer a conversa voltar para temas menos controversos, ou seja, seu resgate.

– Foi isso que aconteceu? – murmurou Andrew, curvando-se sobre a escada. – Pensei que não gostasse de gatos.

George encarou-a de um jeito que foi além da exasperação.

– Você nem sequer gosta de gatos?

– Todo mundo gosta de gatos – defendeu-se Billie rapidamente.

George estreitou os olhos. Billie sabia que ele jamais acreditaria que seu sorriso gentil tivesse algum outro objetivo além de apaziguar a realidade. Felizmente, no entanto, Andrew escolheu aquele momento para deixar escapar uma imprecação abafada, fazendo os dois voltarem sua atenção para a luta dele com a escada.

– Você está bem? – gritou Billie.

– Uma farpa – respondeu Andrew, sugando a lateral do dedo mínimo. – Maldição.

– Isso não vai matá-lo – retrucou George.

Andrew fulminou o irmão com o olhar por um instante.

George revirou os olhos.

– Ah, pelo amor de Deus.

– Não o provoque – sibilou Billie.

George emitiu um som estranho, parecendo um rosnado, mas ficou em silêncio, de braços cruzados, enquanto observava o irmão mais novo.

Billie aproximou-se um pouco mais da beirada para ver melhor Andrew, que encaixou um de seus pés na base da escada e então se inclinou para agarrar um degrau. Ele grunhiu quando puxou a escada para cima. A física da manobra estava toda errada, mas havia limites para o que um homem conseguia fazer usando apenas um braço bom.

Mas ao menos ele era um homem forte com um braço bom e, com grande esforço e linguagem bastante imprópria, conseguiu apoiar a escada na lateral da construção.

– Obrigado – disse George em voz baixa, embora, pelo seu tom, Billie não tivesse certeza se estava agradecendo ao irmão ou ao Todo-Poderoso.

Com Andrew para firmar a escada – e nenhum gato sob o pé de ninguém –, a descida foi consideravelmente mais simples do que na primeira tentativa. Mas doeu. Santo Deus, a dor no tornozelo de Billie a deixava sem ar. E não havia nada que pudesse fazer. Não podia descer os degraus pulando. A cada passo, Billie precisava colocar um pouco de peso sobre o tornozelo ferido. Quando chegou ao antepenúltimo degrau, esforçava-se ao máximo para não chorar.

Sentiu, então, mãos fortes em sua cintura.

– Peguei você – falou George com calma, e ela se deixou cair.

CAPÍTULO 4

George tivera a sensação de que Billie sentia mais dor do que deixava transparecer, mas não percebera quanto até descerem a escada. Tinha considerado descer com ela nas costas, mas pareceu mais seguro que ela fizesse isso sozinha. Ele desceu três degraus antes que ela colocasse o pé bom no primeiro degrau, então a observou apoiar cautelosamente o pé ferido. Billie ficou imóvel por um instante, provavelmente considerando a melhor maneira de prosseguir.

– Eu colocaria primeiro o pé que está bom – disse ele calmamente – e seguraria na escada com força para absorver um pouco do peso.

Ela assentiu com ar tenso e seguiu suas instruções, soltando o ar em um silvo angustiante quando, uma vez seguro e firme o pé bom, ela pôde levantar o ferido do degrau de cima.

Billie prendeu a respiração. Ele não a culpava.

Ele esperou que se recompusesse, sabendo bem que precisava ficar apenas alguns degraus à frente; se ela caísse – o que poderia acontecer; ele via que o tornozelo dela era bem frágil –, ele tinha de estar perto o suficiente para impedir que fosse ao chão.

– Talvez se eu tentar do outro jeito... – falou ela, respirando com dificuldade em meio à dor.

– Eu não faria isso.

George manteve a voz propositalmente calma e humilde. Billie nunca fora o tipo que encara bem ter alguém lhe dizendo o que fazer. George supunha entender isso melhor do que ninguém.

– Não vai querer que seu pé mais baixo seja o que está fraco – apontou ele. – Sua perna poderia ceder...

– Claro – disse ela, tensa.

Não com raiva, só tensa. Ele conhecia aquele tom. Era o tom de alguém que cedia e que *de fato* não queria maiores esclarecimentos sobre o assunto.

Era um tom que ele próprio usava com bastante frequência.

Bem, ao menos sempre que se dignava a ceder em alguma coisa.

– Sei que dói – falou ele –, mas a senhorita consegue.

– Dói mesmo – admitiu ela.

Ele sorriu. Não sabia bem por quê, mas estava feliz por ela não poder ver seu rosto.

- Não vou deixá-la cair.

- Tudo bem aí em cima? - gritou Andrew.

- Diga a ele para calar a boca - grunhiu Billie.

George riu, mesmo sem querer.

- A Srta. Bridgerton está pedindo para você calar a maldita boca! - berrou ele.

Andrew deu uma risada meio latida.

- Vejo que ela está bem, então.

- Eu não diria *bem* - resmungou Billie, ficando sem ar ao descer outro degrau.

- Está quase na metade do caminho - falou George, procurando encorajá-la.

- É mentira, mas agradeço o apoio.

Ele sorriu, e desta vez soube o motivo. Billie podia ser irritante na maior parte do tempo, mas sempre tivera um grande senso de humor.

- Está a meio caminho da metade do caminho, então - observou ele.

- Tão otimista... - murmurou ela.

Ela desceu outro degrau sem incidentes, e George percebeu que a conversa estava se provando uma boa distração.

- Você consegue, Billie - garantiu ele.

- Você já disse isso.

- Vale a pena repetir.

- Eu acho... - sibilou ela, então respirou fundo enquanto descia outro degrau.

Ele esperou que Billie se ajeitasse; o corpo dela inteiro tremia enquanto se equilibrava por um instante no pé bom.

- Eu acho - disse ela novamente, a voz mais cuidadosamente modulada, como se estivesse determinada a pronunciar a frase de maneira pacífica - que este deve ser o comportamento mais amável que você já teve em minha presença.

- Posso dizer o mesmo - observou ele.

Ela chegou à metade do caminho.

- Touché.

- Nada é tão revigorante quanto um oponente hábil - disse ele, pensando em todas as vezes que tinham duelado verbalmente.

Billie nunca fora facilmente superada em uma conversa, e por isso era sempre delicioso quando conseguia tal feito.

– Não sei bem se isso é válido no cam... ai!

George esperou que ela cerrasse os dentes e continuasse.

– ... no campo de batalha – completou ela, depois de inspirar bastante irritada. – Meu Deus, isso dói – murmurou.

– Eu sei – disse ele, ainda em tom de encorajamento.

– Não, não sabe.

Ele sorriu outra vez.

– Não, não sei.

Ela assentiu brevemente e desceu outro degrau. Então, porque ela era Billie Bridgerton e, portanto, incapaz de deixar de lado uma questão inacabada, disse:

– No campo de batalha, penso que acharia inspirador ter um oponente hábil.

– Inspirador? – questionou ele, ansioso para mantê-la falando.

– Exato, não revigorante.

– Uma coisa levaria à outra – disse ele, não que tivesse experiências pessoais para comprovar.

Suas únicas batalhas tinham acontecido em salões de esgrima e ringues de boxe, onde o que mais corria o risco de sair ferido era o orgulho de um dos oponentes. Ele desceu outro degrau, dando a Billie espaço para manobrar, então espiou Andrew por cima do ombro. O irmão parecia assobiar enquanto esperava.

– Posso ajudar? – perguntou Andrew, captando seu olhar.

George fez que não com a cabeça, depois olhou de volta para Billie.

– Está quase no fim – disse a ela.

– Por favor, me diga que não está mentindo desta vez.

– Não estou.

E não estava. Ele saltou para o chão, pulando os dois últimos degraus, e esperou que ela se aproximasse o suficiente para segurá-la. Um instante depois, Billie estava ao seu alcance e ele a envolveu em seus braços.

– Peguei você – murmurou ele.

George sentiu que Billie desmoronava um pouco, pelo menos uma vez na vida permitindo que outra pessoa cuidasse dela.

– Muito bem – disse Andrew alegremente, aproximando a cabeça. – Você está bem, cabritinha?

Billie assentiu, mas não parecia nada bem. Sua mandíbula ainda estava cerrada e, pelos movimentos da garganta, ficava claro que estava se esforçando ao máximo para não chorar.

– Sua tola – murmurou George.

E nesse instante ele teve certeza de que ela não estava bem, porque deixou o comentário passar sem uma palavra de protesto. Na verdade, ela se desculpou, o que, de tão atípico, era quase alarmante.

– Hora de ir para casa – determinou George.

– Vamos dar uma olhada nesse pé – disse Andrew, seu tom de voz ainda de um otimismo insolente diante do quadro.

Andrew tirou a meia de Billie e deixou escapar um assobio baixo antes de comentar, admirado:

– Minha nossa, Billie, o que arrumou aí? Está horrível.

– Cale a boca – ralhou George.

Andrew simplesmente deu de ombros.

– Não parece quebrado...

– Não está – interrompeu Billie.

– Ainda assim, não vai poder apoiá-lo por uma semana, pelo menos.

– Talvez não tanto tempo – rebateu George.

Apesar da negativa, achava que Andrew tinha estimado corretamente. Ainda assim, não havia sentido em debater a condição dela. Não estavam dizendo nada que Billie já não soubesse.

– Vamos? – propôs.

Billie fechou os olhos e assentiu.

– Devíamos guardar a escada – murmurou ela.

George firmou mais os braços em volta dela e seguiu para o leste, em direção a Aubrey Hall, onde Billie morava com os pais e três irmãos mais novos.

– Faremos isso amanhã.

Ela assentiu.

– Obrigada.

– Pelo quê?

– Tudo.

– Isso abrange muita coisa – disse ele em um tom seco. – Tem certeza de que quer ficar com toda essa dívida?

Ela olhou para ele com olhos cansados, mas sábios.

– Você é cavalheiro demais para me cobrar depois.

George riu do comentário. Ela estava certa, achava, embora nunca tivesse tratado Billie Bridgerton como qualquer outra mulher que conhecia. Mas que diabo, ninguém tratava.

– Você conseguirá ir ao jantar esta noite? – perguntou Andrew a Billie, andando a passos largos ao lado de George.

Ela virou-se distraidamente para ele.

– O quê?

– Certamente não se esqueceu – disse ele, colocando a mão de forma dramática sobre o coração. – O clã dos Rokesbys dará um jantar de boas-vindas para seu filho pródigo...

– Você não é o filho pródigo – disse George. – Santo Deus.

– *Um* filho pródigo – corrigiu Andrew com bom humor. – Estou longe há meses, até mesmo anos.

– Não anos – corrigiu George.

– Não anos. Embora pareça, não é mesmo? – retrucou Andrew, inclinando-se perto o suficiente de Billie para cutucá-la de leve. – Sentiu minha falta, não sentiu, cabritinha? Vamos, admita.

– Dê a ela um pouco de espaço – pediu George, irritado.

– Ah, Billie não se importa.

– *Eu* quero um pouco de espaço.

– Aí já é um assunto completamente diferente – disse Andrew com uma risada.

George começou a franzir a testa, mas então ergueu a cabeça.

– *Do que* você acabou de chamá-la?

– Ele frequentemente me compara a uma cabra – explicou Billie no tom casual de alguém que já desistira de se ofender.

George olhou para ela, depois para Andrew, então apenas balançou a cabeça. Nunca entendera o senso de humor dos dois. Ou talvez fosse apenas por nunca ter participado daquelas piadas. Desde crianças, George sempre se sentira muito isolado do restante dos Rokesbys e Bridgertons. Principalmente em razão de sua idade – era cinco anos mais velho do que Edward, que era o próximo depois dele –, mas também por sua posição. Ele era o primogênito, o herdeiro. Tinha, como seu pai o lembrava sempre que possível, responsabilidades. Não podia se divertir pelo campo o dia inteiro, escalando árvores e se arriscando a quebrar ossos.

Edward, Mary e Andrew Rokesby tinham nascido em rápida sucessão, com cerca de apenas um ano de intervalo. Eles, e mais Billie, que era quase da mesma idade de Mary, acabaram formando um pequeno bando que fazia tudo junto. A casa dos Rokesbys e a dos Bridgertons ficavam a apenas cerca de cinco quilômetros entre si, e as crianças frequentemente se encontravam em algum lugar no meio do caminho: junto ao riacho que separava as propriedades ou na casa de árvore que lorde Bridgerton mandara construir, por insistência de Billie, no antigo carvalho perto do tanque de trutas. Na maioria das vezes, George não sabia que travessuras eles aprontavam, mas os irmãos costumavam voltar para casa sujos, famintos e extremamente bem-humorados.

Ele não sentia ciúmes. De verdade. Eles eram mais irritantes do que qualquer outra coisa. Quando voltava da escola, a última coisa que queria era andar por aí com um bando de moleques bagunceiros cuja média de idade nem sequer chegava perto dos dois dígitos.

Ainda assim, vez ou outra ficara um pouco triste. Como teria sido ter um grupo tão próximo de companheiros? Não tivera nenhum amigo da sua idade até partir para Eton, aos 12 anos. Simplesmente não havia ninguém com quem fazer amizade.

Mas isso não importava muito agora. Todos tinham crescido, Edward estava no Exército, Andrew na Marinha e Mary casada com Felix Maynard, um grande amigo de George. Billie também alcançara a maioridade, embora continuasse sendo a mesma Billie, ainda se divertindo pela propriedade do pai, montando seu cavalo impetuoso demais, como se seus ossos fossem feitos de aço, e abrindo seu sorriso largo por todo o vilarejo, onde todos a adoravam.

E quanto a George... Ele acreditava ainda ser o mesmo, também. Ainda o herdeiro, ainda se preparando para assumir responsabilidades, mesmo que seu pai não abrisse mão de resolver coisa alguma, ainda sem fazer absolutamente nada enquanto seus irmãos pegavam em armas e lutavam pelo Império.

Olhou para os próprios braços, que no momento carregavam Billie de volta para casa. Era possivelmente a coisa mais útil que havia feito em anos.

– Devíamos levá-la a Crake – disse Andrew a Billie. – É mais perto, e então poderá ficar para jantar.

– Ela está machucada – lembrou George.

– *Pfff*. Quando isso já foi motivo para detê-la?

– Bem, ela não está vestida apropriadamente – argumentou George.

Tinha soado arrogante e ele sabia disso, mas George sentia-se inexplicavelmente irritado e não podia descontar em Billie enquanto ela estava machucada.

– Tenho certeza de que ela pode encontrar algo para vestir no guarda-roupa de Mary – falou Andrew despreocupadamente. – Ela não levou tudo quando se casou, não é?

– Não – disse Billie, sua voz abafada contra o peito de George.

Era engraçado, pensou ele, como era possível *sentir* o som através do corpo de alguém.

– Ela deixou bastante coisa para trás – completou Billie.

– Então está resolvido – afirmou Andrew. – Você fica para o jantar, passa a noite em nossa casa e estará tudo certo com o mundo.

George encarou-o por cima do ombro.

– Fico para o jantar – concordou Billie, movendo a cabeça para que sua voz corresse pelo ar em vez de através do corpo de George –, mas depois vou para casa, ficar com minha família. Prefiro dormir na minha cama, se não se importam.

George tropeçou.

– Você está bem? – perguntou Andrew.

– Não foi nada – murmurou George. E então, por nenhuma razão que pudesse identificar, sentiu-se compelido a acrescentar: – Só uma dessas coisas quando a perna da gente fica fraca por um instante e dobra um pouco.

Andrew lançou-lhe um olhar curioso.

– Ah, sim, só uma dessas coisas...

– Cale a boca.

O que só fez Andrew rir ainda mais.

– Eu tenho essas coisas – disse Billie, olhando para George com um sorriso discreto. – Quando estamos cansados e nem nos damos conta. Aí a perna nos surpreende.

– Exatamente.

Ela sorriu de novo, um sorriso de afinidade, e ocorreu a ele – embora não pela primeira vez, percebeu com alguma surpresa – que ela era realmente muito bonita.

Os olhos de Billie eram adoráveis – de um tom castanho-escuro sempre caloroso e acolhedor, independentemente de quanta ira pudessem guardar lá no fundo. E sua pele era incrivelmente clara para alguém que passava tanto tempo ao ar livre, embora exibisse algumas poucas sardas pelo nariz e pelas bochechas. George não conseguia lembrar se existiam desde que era menina. Não vinha realmente prestando atenção às sardas de Billie Bridgerton.

Na verdade, não vinha prestando atenção nela, ou pelo menos era o que tentava fazer. Billie era – e sempre fora – bastante difícil de se evitar.

– O que você está olhando? – perguntou ela.

– Suas sardas – respondeu ele, não vendo razão para mentir.

– Por quê?

Ele deu de ombros.

– Porque estão aí.

Ela contraiu os lábios, e ele pensou que seria o fim da conversa. Mas então ela disse abruptamente:

– Não tenho muitas.

Ele ergueu as sobrancelhas.

– Sessenta e duas – completou ela.

Ele quase parou de andar.

– Você contou?

– Em um dia em que eu não tinha mais nada para fazer. O clima estava horrível e eu não podia sair.

George sabia bem que não adiantava perguntar por que ela não se ocupara com bordados, aquarelas ou qualquer uma das diversas atividades caseiras comumente praticadas pelas damas que conhecia.

– Provavelmente tenho mais algumas agora – admitiu Billie. – Tem sido uma primavera extraordinariamente ensolarada.

– Sobre o que estamos falando? – perguntou Andrew.

Ele andara um pouco à frente de George e Billie, que haviam acabado de alcançá-lo.

– Sobre as minhas sardas – informou Billie.

Ele piscou.

– Meu Deus, você é entediante.

– Ou estou entediada – rebateu Billie.

– Ou as duas coisas.

– Deve ser a companhia.

– Sempre achei George meio maçante – comentou Andrew.

George revirou os olhos.

– Eu me referia a *você* – disse Billie.

Andrew apenas riu.

– Como está o pé?

– Doendo.

– Doendo mais? Menos?

Billie pensou na questão por um instante.

– Igual. Não, menos, creio, já que não estou colocando peso sobre ele – falou ela, olhando de volta para George. – Obrigada. Mais uma vez.

– Não há de quê – replicou ele, mas sua voz soou brusca.

Realmente não tinha lugar na conversa deles. Nunca tivera.

Quando chegaram a uma bifurcação, George virou para a direita, em direção a Crake. Era de fato mais perto e, com o braço de Andrew em uma tipoia, teria que carregar Billie o caminho inteiro.

– Sou muito pesada? – perguntou ela, parecendo um pouco sonolenta.

– Na verdade não importaria se fosse.

– *Santo Deus*, George, não é de admirar que você careça tanto de companhia feminina – disse Andrew, a voz saindo em um gemido. – Isso foi um convite claro a dizer: "Claro que não. Você é uma delicada pétala de feminilidade."

– Não, não foi – discordou Billie.

– Foi – disse Andrew firmemente. – Você só não percebeu.

– Não careço tanto assim de companhia feminina – afirmou George.

Porque *realmente...*

– Ah, sim, é claro que não – disse Andrew com grande sarcasmo. – Você tem Billie nos braços.

– Acho que você acabou de me insultar – disse ela.

– Não mesmo, minha querida. Estava só constatando um fato.

Ela franziu a testa, as sobrancelhas castanhas descendo furiosamente em direção aos olhos.

– Quando você volta para o mar?

Andrew encarou-a com ar provocador.

– Vai sentir minha falta.

– Duvido.

Mas todos sabiam que ela estava mentindo.

– Você terá George, em todo caso – considerou Andrew, estendendo a mão e batendo em um galho baixo. – Vocês dois formam um excelente par.

– Cale a boca – disse Billie, o que foi muito mais gentil do que aquilo que tinha saído da boca de George.

Andrew riu, e os três continuaram em direção à Crake House, caminhando em um agradável silêncio enquanto o vento assobiava suavemente através das folhas recém-brotadas.

– Você não é muito pesada – falou George de repente.

Billie bocejou, movendo-se ligeiramente em seus braços enquanto olhava para o rosto dele.

– O que disse?

– Você não é muito pesada.

Ele deu de ombros. Por algum motivo, parecera importante dizer.

– Ah, sim – disse Billie, e então piscou algumas vezes, os olhos castanhos igualmente perplexos e satisfeitos. – Obrigada.

Mais à frente, Andrew riu, embora George não soubesse por quê.

– Sim – falou Billie.

– Perdão?

– Sim – disse ela novamente, respondendo à pergunta que George não achava que tinha feito –, ele está rindo de nós.

– Tive essa impressão.

– Ele é um idiota – disse ela.

E então Billie suspirou no peito de George. Um suspiro afetuoso, no entanto; nunca as palavras *ele é um idiota* tinham sido imbuídas de mais amor e carinho.

– Mas é bom tê-lo em casa – admitiu George em voz baixa.

E era. George passara anos sendo importunado pelos irmãos mais novos, principalmente Andrew, mas agora que tinham crescido e seguiam suas vidas além de Kent e Londres, sentia falta deles.

Quase tanto quanto sentia inveja.

– É bom, não é? – Billie abriu um sorriso melancólico, então acrescentou: – Não que algum dia eu vá dizer isso a ele.

– Ah, não. Definitivamente não.

Billie riu da piada compartilhada, então deixou escapar um bocejo.

– Desculpe – murmurou ela, sem conseguir cobrir direito a boca com os braços ao redor do pescoço dele. – Se importa se eu fechar os olhos?

George sentiu algo estranho e incomum em seu peito. Uma sensação quase protetora.

– Claro que não – disse ele.

Ela sorriu – um sorriso sonolento e feliz – e continuou:

– Nunca tenho problemas para adormecer.

– Nunca?

Ela fez que não com a cabeça, e seus cabelos, que havia muito já tinham desistido de qualquer tentativa de permanecerem presos, deslizaram e fizeram cócegas no queixo dele.

– Consigo dormir em qualquer lugar – disse ela com um bocejo.

Billie cochilou pelo resto do caminho para casa, e George não se importou nem um pouco.

CAPÍTULO 5

Billie nascera apenas dezessete dias depois de Mary Rokesby e, de acordo com os pais de ambas, tinham sido melhores amigas desde o momento em que foram colocadas no mesmo berço, quando lady Bridgerton fizera sua costumeira visita de quinta de manhã a lady Manston.

Billie não sabia bem por que sua mãe levara consigo um bebê de dois meses quando havia uma babá perfeitamente habilitada em Aubrey Hall, mas desconfiava que tivesse algo a ver com o fato de que ela rolasse de um lado para o outro mesmo com a pouca idade.

Ladies Bridgerton e Manston eram amigas devotas e leais, e Billie tinha certeza de que as duas dariam a vida uma pela outra (ou pelos filhos uma da outra), mas era preciso dizer que sempre houvera uma forte competição em seu relacionamento.

Billie também suspeitava de que sua impressionante habilidade na arte de rolar quando bebê tinha menos a ver com gênio inato e mais com a ponta do dedo indicador da mãe cutucando seu ombro, mas, como sua mãe ressaltava, não havia testemunhas.

Mas o que *fora* testemunhado – tanto pelas mães das duas quanto por uma criada – foi o momento em que Billie, colocada no espaçoso berço de Mary, estendera o braço e pegara a minúscula mão do outro bebê. E, quando suas mães tentaram separá-las, as duas começaram a uivar como assombrações.

A mãe de Billie lhe contara que ficara tentada a deixá-la passar a noite lá em Crake House; era a única maneira de manter os dois bebês calmos.

Aquela primeira manhã fora certamente um sinal do que estava por vir. Billie e Mary eram, como diziam suas babás, duas ervilhas em uma vagem. Duas ervilhas muito diferentes, mas que gostavam muito uma da outra.

Enquanto Billie era destemida, Mary era cuidadosa. Tímida não, apenas cuidadosa. Do tipo que sempre olhava antes de pular. Billie também olhava; só costumava fazer isso de maneira um pouco mais superficial.

E então pulava alto e distante, muitas vezes superando Edward e Andrew, que tinham sido um tanto forçados a fazerem amizade com ela depois de perceberem que Billie iria segui-los até os confins da terra, só que ela provavelmente chegaria lá antes.

Com Mary – depois de uma cuidadosa avaliação dos perigos em vista – vindo logo atrás.

E então se tornaram um quarteto. Três crianças impetuosas e uma voz da razão.

Eles ouviam Mary vez ou outra. Ouviam mesmo. E provavelmente era o único motivo pelo qual todos os quatro tinham atingido a idade adulta sem sequelas.

Mas, como todas as coisas boas, essa época havia chegado ao fim e, alguns anos depois que Edward e Andrew saíram de casa, Mary se apaixonara, se casara e se mudara. Ela e Billie trocavam cartas regularmente, mas não era a mesma coisa. Ainda assim, Billie sempre chamaria Mary de melhor amiga. Quando se viu em Crake House com um tornozelo torcido e nada para vestir além de calças masculinas e uma camisa e um casaco bem empoeirados, portanto, não hesitou em examinar o guarda-roupa da amiga à procura de um traje adequado para um jantar em família. A maioria dos vestidos tinha saído de moda havia alguns anos, mas isso não incomodava Billie. Para falar a verdade, ela nem teria notado se a criada que a estava ajudando a se vestir para o jantar não tivesse se desculpado por isso.

E com certeza eram mais elegantes do que qualquer coisa que possuía no próprio armário.

Billie achava que o maior problema seria o comprimento, ou melhor, o excesso dele. Mary era cerca de oito centímetros mais alta do que ela. Isso sempre irritara Billie (e divertira Mary) imensamente; sempre *parecera* que Billie deveria ser a mais alta das duas. Mas, como Billie no momento nem podia andar, a questão da altura não representava um grande problema.

Os vestidos de Mary também ficavam um pouco largos no peito. Mas de cavalo dado não se olha os dentes, e Billie colocara dois fichus extras no corpete, grata por encontrar ali um vestido relativamente simples e rodado cujo verde-floresta Billie gostava de pensar que combinava com seu tom de pele.

A criada terminava de prender o cabelo de Billie quando ouviram alguém bater à porta do antigo quarto de Mary, onde se instalara.

– George – disse ela, surpresa, ao ver seu grande porte preencher a entrada.

Ele estava elegantemente vestido com um paletó azul-escuro que Billie desconfiava que realçaria os olhos dele se o usasse durante o dia. Botões dourados cintilavam à luz das velas, contribuindo para sua aparência já bastante nobre.

– Milady – murmurou ele, curvando-se ligeiramente. – Vim ajudá-la a descer até a sala de estar.

– Ah.

Billie não sabia direito por que estava surpresa.

Andrew não poderia ajudá-la, e o pai dela, que certamente já estava lá embaixo, não era mais tão forte quanto costumava ser.

– Se preferir – acrescentou George –, podemos chamar um criado.

– Não, não, é claro que não – respondeu Billie.

Seria muito estranho que um criado fizesse isso. Pelo menos ela *conhecia* George. E ele já a carregara uma vez.

Ele entrou no quarto e entrelaçou as mãos nas costas quando chegou perto dela.

– Como está o tornozelo?

– Ainda bastante dolorido – admitiu Billie –, mas o envolvi com uma fita larga, e isso parece estar ajudando.

Os lábios dele se curvaram, e seus olhos adquiriram um brilho indicando que achava graça.

– Fita?

Para o horror da criada, Billie ergueu a saia excessivamente longa e mostrou o pé, revelando o tornozelo envolto em uma festiva fita cor-de-rosa.

– Muito elegante – comentou George.

– Não justificaria rasgar um lençol se isso aqui serviu perfeitamente bem.

– Sempre prática.

– Gosto de pensar que sim – disse Billie, o tom alegre dando lugar a uma expressão um tanto fechada quando lhe ocorreu que isso talvez não tivesse sido um elogio. – Bem – prosseguiu, tirando uma poeira invisível do braço –, são seus lençóis, de qualquer forma. Deveria me agradecer.

– Com certeza agradeço.

Ela estreitou os olhos.

– Estou brincando com você – continuou ele. – Mas só um pouco.

Billie sentiu o queixo se erguer alguns centímetros.

– Desde que seja apenas um pouco...

– Não me atreveria a nada diferente disso – replicou ele, inclinando-se ligeiramente. – Ao menos não na sua presença.

Billie olhou de relance para a criada, que parecia completamente escandalizada com a conversa dos dois.

– Mas falando sério agora, Billie – continuou George, provando que em algum lugar de seu peito batia um coração compassivo –, tem certeza de que está bem o suficiente para jantar?

Ela colocou um brinco. Também de Mary.

– Preciso comer. Que eu faça isso em boa companhia, então.

Ele sorriu.

– Já fazia muito tempo que não nos reuníamos todos... Bem, ao menos não tantos quanto esta noite.

Billie assentiu, sentindo-se melancólica. Quando era criança, os Rokesbys e os Bridgertons jantavam juntos várias vezes por mês. Com nove filhos somadas as duas famílias, os jantares – ou almoços, ou qualquer data que decidissem celebrar – não tinham como não ser reuniões ruidosas e agitadas.

Mas um por um os meninos partiram para Eton, primeiro George, depois Edward e então Andrew. Os dois irmãos mais novos de Billie, Edmund e Hugo, estavam lá agora, juntamente com o mais novo dos Rokesbys, Nicholas. Mary encontrara o amor e se mudara para Sussex, e agora as únicas que ainda estavam morando ali em tempo integral eram Billie e a irmã mais nova, Georgiana, que, aos 14 anos, era perfeitamente agradável, mas não tinha como ser a melhor amiga de uma mulher adulta de 23 anos.

E George, é claro, mas, como cavalheiro solteiro e bom partido que era, dividia seu tempo entre Kent e Londres.

– Uma moeda por seus pensamentos – disse George, cruzando o quarto até a penteadeira, onde Billie estava sentada.

Ela fez que não com a cabeça.

– Receio que nem isso valha. Estou só um pouco melancólica.

– Você? Melancólica? Preciso saber mais a respeito.

Ela olhou para ele e então disse:

– Somos tão poucos agora... Costumávamos ser muitos.

– Ainda somos – ressaltou ele.

– Eu sei, mas nos reunimos raramente, e isso me deixa triste.

Ela mal podia acreditar que estava falando tão francamente com George, mas o dia tinha sido muito estranho e cansativo. Talvez isso a estivesse fazendo baixar a guarda.

– Vamos reunir todo mundo novamente – disse ele de maneira entusiasmada. – Tenho certeza disso.

Billie ergueu uma sobrancelha.

– Mandaram você aqui para me animar?

– Sua mãe me ofereceu três libras.

– *O quê?*

– Estou brincando.

Ela franziu a testa, mas não estava de fato irritada.

– Venha, agora vamos descer. Vou carregá-la até lá embaixo.

George se curvou para pegá-la nos braços, mas, quando se moveu para a direita, ela se moveu para a esquerda, e os dois bateram a cabeça.

– Ai, perdão – murmurou ele.

– Não, a culpa foi minha.

– Vamos lá, eu vou...

Ele fez menção de passar os braços por trás das costas dela e sob as pernas, mas havia algo de terrivelmente constrangedor nisso, o que era muito estranho, já que a carregara por mais de um quilômetro poucas horas antes.

Ele a ergueu no ar, e a criada, que ouvira atentamente em silêncio toda a conversa, saiu depressa do caminho quando as pernas de Billie giraram em um arco.

– Um pouco menos de pressão no meu pescoço, se puder – pediu George.

– Ah, sinto muito. – Billie se ajeitou. – É a mesma que fiz à tarde.

Ele saiu para o corredor.

– Não é, não.

Talvez não fosse, Billie admitiu para si mesma. Sentira-se muito à vontade quando George a carregara pelo bosque. Muito mais à vontade do que tinha qualquer direito de se sentir nos braços de um homem que não era seu parente. Agora a situação parecia muito constrangedora. Billie estava excruciantemente ciente da proximidade, da onda de calor e segurança que emanava do corpo de George através das roupas. A gola do paletó que usava era alta, mas, quando Billie roçou o dedo por sua borda, uma pequena mecha do cabelo castanho-claro dele enroscou-se em sua pele.

– Algum problema? – perguntou ele quando chegaram ao topo da escada.

– Não – disse ela rapidamente, depois pigarreou. – Por que acha isso?

– Você não parou de se mexer desde que a peguei no colo.

– Ah. – Billie não conseguiu pensar em nada para dizer. – É só que meu pé está doendo.

Não, aparentemente, ela *conseguia* pensar em algo. Pena que eram coisas irrelevantes.

Ele fez uma pausa, encarando-a com preocupação.

– Tem certeza de que quer ir jantar?

– *Tenho* – respondeu Billie, soltando o ar com exasperação. – Pelo amor de Deus, já estou aqui. Seria ridículo ficar de quarentena no quarto de Mary.

– Não é uma quarentena.

– Pareceria uma quarentena – murmurou ela.

Ele a observou com uma expressão curiosa.

– Você não gosta de ficar sozinha, não é mesmo?

– Não quando o resto do mundo está se divertindo sem mim – retrucou ela.

George ficou quieto por um instante, a cabeça inclinada para o lado apenas o suficiente para indicar que achara curiosas as palavras dela.

– E quanto ao restante do tempo?

– Perdão?

– Quando o mundo não está se reunindo sem você – disse ele com um tom vagamente condescendente. – Você se importa de ficar sozinha?

Ela sentiu as sobrancelhas se juntarem enquanto olhava para ele. Mas que diabo poderia estar levando a tal sondagem?

– Não é uma pergunta difícil – continuou ele, um tom um tanto provocativo reduzindo o volume da voz a um murmúrio.

– Não, é claro que não me importo de ficar sozinha.

Billie pressionou os lábios um contra o outro, sentindo-se importunada. E irritada. Mas ele estava lhe fazendo perguntas que ela mesma nunca se fizera. Então, antes de perceber que planejava falar, ela se ouviu dizer:

– Eu não gosto...

– O quê?

Ela balançou a cabeça.

– Deixe para lá.

– Não, me diga.

Ela soltou um suspiro. George não desistiria.

– Não gosto de ficar confinada. Posso passar o dia inteiro sozinha se estiver ao ar livre. Ou mesmo na sala de estar, onde as janelas são altas e deixam entrar bastante luz.

Ele assentiu lentamente, como se concordasse com ela.

– Você também é assim, então? – perguntou ela.

– Não mesmo – disse ele.

Bem, Billie definitivamente não conseguia interpretar os gestos dele.

– Gosto muito da minha companhia – continuou o rapaz.

– Tenho certeza de que sim.

Ele abriu um meio sorriso.

– Pensei que não nos insultaríamos esta noite.

– *Não?*

– Estou carregando você escada abaixo. Seria bom ser gentil comigo.

– Entendido – aquiesceu ela.

George deu a volta no patamar da escada. Billie estava justamente pensando que a conversa havia terminado quando ele disse:

– Choveu outro dia... o dia inteiro, sem parar.

Billie inclinou a cabeça de lado. Sabia de que dia ele estava falando. Tinha sido horrível. Ela havia planejado levar sua égua Argo para inspecionar as cercas no extremo sul das terras de seu pai. E talvez parar junto aos arbustos de morango. Ainda estava muito cedo para ter alguma fruta, mas as flores deviam estar começando a aparecer, e ela estava curiosa para ver se haveria muitas.

– Fiquei dentro de casa, é claro – continuou George. – Não havia motivo para sair.

Ela não tinha muita certeza sobre aonde ele estava indo com aquilo, mas perguntou:

– E como se ocupou?

– Eu li um livro – disse ele, parecendo bastante satisfeito consigo mesmo. – Me sentei no escritório e li um livro inteiro do início ao fim. Foi o dia mais agradável dos últimos tempos.

– Você precisa sair mais – opinou ela.

Ele ignorou completamente o comentário.

– Só estou querendo dizer que passei o dia todo confinado, como você diz, e foi um prazer.

– Bem. Isso prova meu ponto.

– Estávamos tentando provar pontos?

– Estamos sempre tentando provar pontos, George.

– E sempre contando a pontuação? – murmurou ele.

Sempre. Mas ela não disse isso em voz alta. Pareceria infantil. E mesquinho. E pior, que estava tentando muito ser algo que não era. Ou melhor, algo que ela *era*, mas que a sociedade nunca permitiria que fosse. Ele era o lorde Kennard, e ela, a Srta. Sybilla Bridgerton, e, embora a qualquer momento ela pudesse comparar alegremente sua força interior com a dele, não era tola. Entendia como o mundo funcionava. Ali, em seu cantinho de Kent, Billie era a rainha de seu domínio, mas em qualquer disputa realizada fora do pequeno círculo em torno de Crake e Aubrey Hall...

George Rokesby ganharia. Sempre. Ou, se não, pareceria que tinha ganhado.

E não havia nada que ela pudesse fazer a respeito.

– Você ficou estranhamente séria de repente – disse ele, pisando no parquê polido do saguão do térreo.

– Estava pensando sobre *você* – disse ela com sinceridade.

– Sei reconhecer um desafio quando ouço um. – George alcançou a porta aberta para a sala de estar, e seus lábios se aproximaram da orelha dela. – E não vou aceitá-lo.

A língua dela tocou o alto da boca, preparando uma resposta, mas, antes que pudesse emitir algum som, George cruzou a entrada da sala de estar de Crake House.

– Boa noite a todos – disse ele, de forma imponente.

Qualquer esperança que Billie tivesse de fazer uma entrada discreta foi imediatamente por terra quando percebeu que eles tinham sido os últimos a chegar. Sua mãe estava sentada ao lado de lady Manston no longo sofá. Georgiana, em uma cadeira próxima, parecia um pouco entediada. Os homens haviam se reunido junto à janela. Lordes Bridgerton e Manston conversavam com Andrew, que aceitava alegremente um copo de conhaque de seu pai.

– Billie! – exclamou a mãe dela, levantando-se quase de um pulo. – Na mensagem você escreveu que era apenas uma torção.

– E *é* apenas uma torção – replicou Billie. – Estarei novinha em folha até o final da semana.

George bufou. Billie o ignorou.

– Não foi nada, mamãe – assegurou. – Certamente já sofri coisas piores.

Andrew bufou. Ela também não deu atenção.

– Com uma bengala, ela teria conseguido descer sozinha – disse George enquanto a colocava sentada no sofá –, mas demoraria três vezes mais, e nenhum de nós tem paciência para isso.

O pai de Billie, que estava de pé junto à janela com um copo de conhaque, soltou uma gargalhada.

Billie encarou-o, irritada, o que só o fez rir com mais vigor.

– Esse vestido é de Mary? – perguntou lady Bridgerton.

Billie assentiu.

– Eu estava de calça.

A mãe suspirou, mas não fez nenhum comentário. Era uma discussão interminável entre elas, e a trégua era mantida apenas pela promessa de Billie de sempre se vestir adequadamente para o jantar. E quando tivessem convidados. E na igreja.

Na verdade, havia uma lista bem longa de eventos para os quais precisava se vestir segundo as especificações da mãe. Mas, com relação a Billie usar calça enquanto estivesse cuidando de assuntos pela propriedade, lady Bridgerton tinha dado o braço a torcer.

Para Billie, parecera uma vitória. Como havia explicado à mãe – inúmeras vezes –, só precisava de permissão para se vestir de maneira razoável quando tivesse de resolver as coisas por ali. Os arrendatários certamente a consideravam mais do que excêntrica, mas sabia que gostavam dela. E a respeitavam.

O carinho viera naturalmente; de acordo com a mãe de Billie, ela já saíra do útero sorrindo e, desde criança, sempre fora a preferida dos arrendatários.

O respeito, no entanto, tinha sido conquistado, e, por essa razão, estimava-o ainda mais.

Billie sabia que Edmund, seu irmão mais novo, um dia herdaria Aubrey Hall e todas as terras, mas ele ainda era criança, sete anos mais novo do que ela, e passava a maior parte do tempo na escola. Seu pai não estava ficando mais jovem, e alguém tinha de aprender a gerenciar adequadamente uma propriedade grande como aquela. Além disso, Billie tinha um dom natural para isso; era o que todos diziam.

Ela fora filha única por muitos anos. Houvera dois bebês entre o nascimento dela e o de Edmund, mas nenhum sobrevivera por muito tempo. Durante aqueles anos de orações, esperanças e votos por um herdeiro, Billie tornara-se uma mascote para os arrendatários, um símbolo vivo e sorridente do futuro de Aubrey Hall.

Ao contrário da maioria das filhas de família nobre, Billie sempre acompanhara os pais em seus deveres pela propriedade. Quando sua mãe levava cestos de comida para os necessitados, ela estava lá com maçãs para as crianças. Quando seu pai estava pelo campo, inspecionando a propriedade, ela frequentemente era vista aos seus pés, escavando a terra atrás de minhocas enquanto explicava por que achava que o centeio seria uma escolha muito melhor do que a cevada em um campo tão carente de sol.

No começo, Billie fora uma fonte de diversão – a enérgica menina de 5 anos que insistia em avaliar os grãos enquanto o dinheiro dos arrendamentos era coletado. Mas acabara se tornando um componente daquela dinâmica e agora esperava-se que cuidasse das necessidades da propriedade. Se o telhado de uma cabana estivesse com um buraco, era ela que garantia que fosse consertado. Se uma colheita fosse fraca, ela tentava descobrir o motivo.

Billie era, para todos os efeitos, o filho mais velho de seu pai.

Outras jovens liam poesia romântica e tragédias de Shakespeare. Billie lia tratados sobre gestão agrícola. E adorava. De verdade. Eram excelentes leituras para ela.

Era difícil imaginar uma vida que se adequasse melhor a ela, e era preciso dizer: ficava mais fácil de se conduzir sem um espartilho.

Por mais que sua mãe sofresse com isso.

– Eu estava checando a irrigação – explicou Billie. – Teria sido impraticável fazer isso de vestido.

– Eu não falei nada – disse lady Bridgerton, embora todos soubessem que era o que estava pensando.

– Sem falar que teria dificultado subir naquela árvore – intrometeu-se Andrew.

Isso chamou a atenção da mãe dela.

– Ela estava subindo em uma árvore?

– Para salvar um gato – explicou Andrew.

– Podemos presumir – disse George, a voz cheia de autoridade – que, se estivesse de vestido, ela não teria tentado subir na árvore.

– O que aconteceu com o gato? – perguntou Georgiana.

Billie olhou para a irmã. Quase tinha esquecido que ela estava ali. E definitivamente tinha esquecido o gato.

– Eu não sei.

Georgiana inclinou-se para a frente, os olhos azuis impacientes.

– Tudo bem, mas você o salvou?

– Se salvei – disse Billie –, foi inteiramente contra o desejo dele.

– Era um felino muito ingrato – acrescentou George.

O pai de Billie riu com a descrição e deu-lhe um tapa viril nas costas.

– George, meu garoto, precisamos preparar-lhe uma bebida. Deve estar precisando de uma depois da provação que enfrentou.

Billie ficou boquiaberta.

– Que *enfrentou*?

George riu, mas ninguém mais notou, maldito fosse.

– O vestido de Mary ficou lindo em você – disse lady Bridgerton, conduzindo a conversa para assuntos mais amenos.

– Obrigada – replicou Billie. – Gosto muito dessa tonalidade de verde.

Seus dedos correram para a renda ao longo do decote arredondado. Caía-lhe realmente muito bem.

Sua mãe a encarou em choque.

– Gosto de vestidos bonitos – insistiu Billie. – Só não gosto de usá-los quando não é prático.

– O *gato* – insistiu Georgiana.

Billie lançou-lhe um olhar impaciente.

– Já lhe disse, não sei. Sinceramente, era uma criaturinha terrível.

– Concordo – falou George, erguendo o copo em saudação.

– Não posso acreditar que estão brindando à possível morte de um gato – disse Georgiana.

– *Eu* não estou – retrucou Billie, olhando para ver se alguém poderia lhe trazer uma bebida. – Mas gostaria.

– Está tudo bem, querida – murmurou lady Bridgerton, abrindo um sorriso reconfortante para a filha mais nova. – Não se preocupe tanto.

Billie olhou de volta para Georgiana. Se a mãe usasse um tom compassivo assim com ela, provavelmente ficaria maluca. Mas Georgiana fora uma criança doente, e lady Bridgerton nunca aprendera a tratá-la sem ser com apreensiva preocupação.

– Tenho certeza de que o gato sobreviveu à provação – disse Billie a Georgiana. – Era um sujeitinho bem arisco, mas tinha um olhar de sobrevivente.

Andrew aproximou-se e se curvou junto ao ombro de Georgiana.

– Eles sempre caem de pé.

– Ah, não me venha com essa!

Georgiana afastou Andrew, mas ficou claro que não tinha se zangado com a piada. Ninguém ficava irritado com Andrew. Não por muito tempo, pelo menos.

– Alguma notícia de Edward? – perguntou Billie a lady Manston.

Os olhos de lady Manston se enevoaram enquanto balançava a cabeça.

– Nenhuma desde a última carta. Aquela que recebemos mês passado.

– Tenho certeza de que ele está bem – disse Billie. – É um soldado muito talentoso.

– Não sei bem até que ponto o talento pode interferir quando alguém está apontando uma arma para o seu peito – falou George, de forma sombria.

Billie fuzilou-o com o olhar.

– Não dê ouvidos a ele – disse ela a lady Manston. – George nunca foi um soldado.

Lady Manston sorriu para ela, numa expressão que era triste, doce e amorosa ao mesmo tempo.

– Mas creio que ele gostaria de ter sido – observou ela, olhando para o filho mais velho. – Não é, George?

CAPÍTULO 6

George forçou a expressão até torná-la uma máscara impassível. Sua mãe tinha boas intenções; sempre tinha. Mas era mulher. Nunca poderia entender o que significava lutar por seu rei e seu país. Nunca poderia entender o que significava *não* fazer isso.

– Não importa o que eu gostaria – disse George, com rispidez. Então tomou um grande gole de seu conhaque. Depois outro. – Eu era necessário aqui.

– Pelo que sou muito grata – declarou a mãe.

Em seguida, ela se virou para as outras damas com um sorriso determinado, mas seus olhos brilhavam de preocupação.

– Não preciso que *todos* os meus filhos saiam para a guerra. Se Deus quiser essa loucura acabará antes que Nicholas tenha idade para entrar para as Forças Armadas.

A princípio, ninguém falou nada. A voz de lady Manston soara um pouco alta demais, as palavras ligeiramente estridentes. Era um daqueles momentos estranhos que ninguém sabia como disfarçar. George finalmente tomou um pequeno gole de bebida e disse em voz baixa:

– Sempre haverá loucura entre os homens.

Isso pareceu dissipar um pouco a tensão do ambiente e, de fato, Billie olhou para ele inclinando o queixo em tom de desafio.

– Nós, mulheres, faríamos um trabalho muito melhor se pudéssemos governar.

A resposta de George foi um sorriso tranquilo. Ela estava tentando provocá-lo. Ele se recusava a satisfazê-la.

O pai de Billie, no entanto, mordeu a isca.

– Tenho certeza de que *você* faria – disse ele em um tom conciliador o suficiente para que todos soubessem que não falava sério.

– *Nós* faríamos – insistiu Billie. – Certamente haveria menos guerras.

– Nesse ponto tenho de concordar com ela – observou Andrew, erguendo o copo em sua direção.

– Isso é discutível – disse lorde Manston. – Se Deus quisesse que as mulheres governassem e lutassem, ele as teria feito fortes o suficiente para empunhar espadas e mosquetes.

– Eu sei atirar – informou Billie.

Lorde Manston olhou para ela e piscou.

– Sim – disse ele, quase como se estivesse contemplando uma estranha curiosidade científica –, é provável que saiba.

– Billie acertou um veado no inverno passado – contou lorde Bridgerton, dando de ombros como se fosse algo normal.

– É mesmo? – perguntou Andrew com admiração. – Muito bem.

Billie sorriu.

– Estava uma delícia.

– Não acredito que você a deixa caçar – comentou lorde Manston com lorde Bridgerton.

– Você acha mesmo que eu conseguiria impedi-la?

– Ninguém é capaz de deter Billie – murmurou George.

E então virou abruptamente e cruzou a sala para pegar outra bebida.

Fez-se um longo silêncio. Do tipo desconfortável. George decidiu que desta vez ele não se importava.

– Como vai Nicholas? – perguntou lady Bridgerton.

George sorriu para o copo em sua mão. Ela sempre soubera como desviar uma conversa de assuntos delicados. E, de fato, seu sorriso social perfeito estava evidente na voz quando acrescentou:

– Comportando-se melhor do que Edmund e Hugo, tenho certeza.

– Tenho certeza de que *não* – replicou lady Manston com uma risada.

– Nicholas não iria... – começou a dizer Georgiana.

Mas a voz de Billie se sobrepôs à dela:

– É difícil imaginar alguém que seja suspenso mais vezes do que Andrew.

Andrew levantou a mão.

– Eu detenho o recorde.

Georgiana arregalou os olhos.

– Entre os Rokesbys?

– Entre todos.

– Isso não pode ser verdade – zombou Billie.

– Eu lhe asseguro que é. Há uma razão para eu ter saído cedo de lá, sabe? Calculo que, se eu aparecesse para uma visita, não me deixariam passar pelo portão.

Billie aceitou com gratidão a taça de vinho que o criado enfim lhe trouxe e então a ergueu em direção a Andrew em uma saudação cética.

– Isso só mostra que o diretor deve ser aplaudido por seu grande bom senso.

– Andrew, deixe de exagero – disse lady Manston, revirando os olhos ao tornar a se dirigir a lady Bridgerton. – Ele, de fato, foi suspenso de Eton mais de uma vez, mas lhe asseguro que não foi banido.

– Não foi por falta de tentativa – brincou Billie.

George soltou um longo suspiro e voltou para a janela, olhando para a escuridão lá fora. Talvez ele fosse um pedante insuportável – um pedante insuportável que, por acaso, nunca fora suspenso de Eton *ou* Cambridge –, mas realmente não estava com vontade de ouvir as provocações intermináveis de Andrew e Billie.

Aquilo nunca mudava. Billie fazia algum comentário encantadoramente inteligente, Andrew bancava o espertinho e, em seguida, Billie dizia algo para desmerecê-lo, e então Andrew ria e piscava, e então todos riam e piscavam, e era sempre, *sempre* a mesma maldita coisa.

George estava muito cansado de tudo aquilo.

Olhou rápido para Georgiana, sentada melancolicamente na cadeira que, em sua opinião, era a menos confortável da casa. Como era possível ninguém notar que ela fora deixada fora da conversa? Billie e Andrew alegravam a sala com sua inteligência e sua vivacidade, e a pobre Georgiana não conseguia dizer uma palavra. Não que parecesse estar tentando, mas, aos 14 anos, como podia esperar competir?

George levantou-se de um salto, cruzou a sala até ela e se curvou.

– Eu vi o gato – contou ele, suas palavras sumindo em direção aos cabelos ruivos dela. – Ele correu para o bosque.

Não era verdade, é claro. Ele não fazia ideia do que havia acontecido com o gato. Algo envolvendo enxofre e a ira do diabo, se houvesse justiça no mundo.

Georgiana se assustou, depois virou para ele com um sorriso largo que era desconcertantemente parecido com o da irmã.

– Você viu? Ah, *obrigada* por me contar.

George olhou para Billie ao se levantar. Ela o encarava com um olhar aguçado, repreendendo-o em silêncio por mentir. Ele retribuiu a expressão com igual insolência, a sobrancelha arqueada desafiando-a a desmenti-lo.

Mas ela não falou nada. Em vez disso, não lhe deu muita importância e apenas ergueu o ombro, tão rápido que ninguém além dele poderia ter percebido. Então, com seu brilho e seu charme habituais, virou de novo para Andrew. George voltou sua atenção para Georgiana, que era uma garota mais inteligente do que ele imaginava. Ela assistia à cena com curiosidade crescente, seus olhos se movendo de um lado para outro entre todos eles, como se fossem jogadores em campo.

George deu de ombros. Bom para ela. Ficava feliz que ela tivesse um cérebro. Com aquela família, com certeza iria precisar.

Ele tomou outro gole do conhaque, perdendo-se em pensamentos até a conversa parecer apenas um zumbido. Sentia-se inquieto aquela noite, mais do que o normal. Ali estava, cercado por pessoas que conhecia e amava, e tudo o que queria...

Ele olhou para a janela, procurando uma resposta. Tudo o que ele queria era...

Não sabia.

Esse era o problema. Ele não sabia o que queria, apenas que não era exatamente aquilo.

Sua vida, percebera, havia alcançado um novo patamar de banalidade.

– George? George?

Ele piscou. Era a mãe chamando seu nome.

– Lady Frederica Fortescue-Endicott ficou noiva do conde de Northwick – disse ela. – Você ficou sabendo?

Ah. Então essa seria a conversa daquela noite. Terminou de tomar sua bebida.

– Não.

– A filha mais velha do duque de Westborough – disse lady Manston a lady Bridgerton. – Uma jovem muito encantadora.

– Ah, claro, adorável. Cabelo escuro, não é?

– E lindos olhos azuis. Canta como um pássaro.

George conteve um suspiro.

O pai dele bateu em suas costas.

– O duque dará um excelente dote a quem se casar com ela – falou ele, indo direto ao ponto. – Vinte mil *e* uma propriedade.

– Uma vez que já perdi minha chance – observou George com um sorriso diplomaticamente impassível –, não há necessidade de catalogarem os muitos atributos dela.

– Verdade – disse a mãe dele. – Agora já é tarde. Mas se você tivesse me dado ouvidos na primavera passada...

O gongo do jantar soou – *graças a Deus* –, e sua mãe deve ter concluído que não adiantava insistir nos argumentos de casamenteira, porque as palavras seguintes que saíram de sua boca tinham a ver com o menu da noite e a falta de bons peixes no mercado naquela semana.

George voltou para o lado de Billie.

– Posso? – murmurou ele, estendendo os braços.

– Ah! – exclamou ela, embora ele não conseguisse entender de forma alguma sua surpresa.

Nada havia mudado nos últimos quinze minutos; quem mais a levaria para a sala de jantar?

– Como você é cavalheiro, George – comentou a mãe dele, pegando a mão do marido e permitindo que ele a conduzisse pela sala.

George abriu um sorriso seco.

– Confesso que é uma sensação inebriante ter Billie Bridgerton dependendo de mim.

Lorde Bridgerton riu.

– Aproveite enquanto pode, filho. Essa aí não gosta de perder.

– Alguém gosta? – retrucou Billie.

– Claro que não – respondeu o pai dela. – É mais uma questão de com quanta elegância a pessoa encara isso.

– Sou elegantís...

George a pegou nos braços.

– Tem certeza de que deseja terminar essa frase? – murmurou ele.

Porque todos eles sabiam. Billie Bridgerton raramente era elegante na derrota.

Billie fechou a boca, irritada.

– Dois pontos pela honestidade – disse ele.

– O que seria necessário para ganhar três? – rebateu ela.

Ele riu.

– E, de qualquer maneira – falou Billie ao pai, incapaz de deixar um assunto de lado –, eu não *perdi* nada.

– Você perdeu o gato – lembrou Georgiana.

– E a dignidade – acrescentou Andrew.

– Isso, sim, merece três pontos – disse George.

– Eu torci o tornozelo!

– Nós sabemos, querida – atalhou lady Bridgerton, batendo de leve no braço da filha. – Logo, logo, estará melhor. Você mesma disse.

Quatro pontos, George começou a dizer, mas Billie olhou fixamente para ele com um olhar assassino.

– Não se atreva – grunhiu ela.

– Mas você torna tudo tão *fácil*.

– Estamos implicando com Billie? – perguntou Andrew, alcançando-os quando chegaram ao corredor. – Porque, se estivermos, quero que saibam que estou chateado por terem começado sem mim.

– *Andrew* – rosnou Billie.

Andrew levou a mão boa ao peito, fingindo afronta.

– Estou muito, muito chateado.

– Será que vocês poderiam parar com isso? – perguntou Billie com a voz exasperada. – Só por uma noite?

– Acho que sim – disse Andrew –, mas George não é tão divertido.

George estava prestes a dizer algo, mas então captou algo no rosto de Billie. Ela estava cansada. E com dor. O que Andrew tomara como parte da brincadeira habitual tinha sido, na verdade, um pedido de trégua de Billie.

George levou os lábios à orelha dela e murmurou:

– Tem certeza de que está bem para jantar?

– É claro! – retrucou ela, visivelmente constrangida por ele ter perguntado. – Estou ótima.

– Mas está se sentindo bem?

Os lábios dela se contraíram. Então tremeram.

George desacelerou o ritmo, deixando Andrew mais à frente deles.

– Não há vergonha em precisar de um descanso, Billie.

Ela virou para ele, o olhar quase triste.

– Estou com fome – disse.

Ele assentiu.

– Posso pedir para colocarem um pequeno pufe sob a mesa para que você mantenha a perna para cima.

Billie olhou para ele, surpresa, e por um instante ele podia jurar ter ouvido o som da respiração dela passando pelos lábios.

– Isso seria excelente – falou ela. – Muito obrigada.

– Considere feito. – George fez uma pausa antes de prosseguir: – A propósito, você está encantadora nesse vestido.

– *O quê?*

Ele não fazia ideia de por que dissera aquilo. E, a julgar pela expressão perplexa de Billie, nem ela.

Ele deu de ombros, desejando estar com uma das mãos livre para ajeitar a gravata. Parecia inexplicavelmente apertada. E não era estranho fazer um elogio ao vestido dela; não era isso que os cavalheiros faziam? Além disso, ela parecia precisar de uma injeção de ânimo. E de fato o vestido lhe caía muito bem.

– É uma cor bonita – improvisou George; sabia ser encantador às vezes. – Ela, hã... realça seus olhos.

– Meus olhos são castanhos.

– Ainda assim.

Ela parecia ligeiramente alarmada.

– Santo Deus, George. Alguma vez você já fez um elogio a uma dama?

– Alguma vez você já *recebeu* um?

Ele só percebeu tarde demais como aquilo soara horrível, e gaguejou algo que pretendia se aproximar de uma desculpa, mas Billie já estava dando uma gargalhada.

– Ah, me desculpe – disse ela, ofegante, secando os olhos no próprio ombro já que as mãos estavam em torno do pescoço dele. – É que isso foi engraçado. Seu rosto...

Por incrível que pareça, George se pegou sorrindo.

– Eu estava tentando perguntar se a senhorita já *aceitou* algum elogio – sentiu-se compelido a dizer. – Obviamente, já recebeu *alguns*.

– Ah, com certeza.

Ele balançou a cabeça.

– Realmente sinto muito.

– Você é muito cavalheiro – provocou ela.

– Isso a surpreende?

– De jeito nenhum. Acho que você morreria antes de insultar uma dama, mesmo que sem querer.

– Tenho certeza de que já a insultei em algum momento da nossa história.

Ela acenou como se não desse importância.

– Se insultou, eu não estava prestando atenção.

– Devo admitir – continuou ele – que esta noite você está parecendo uma dama mais do que de costume.

Ela encarou George com ar astuto.

– Há um insulto aí em algum lugar, tenho certeza.

– *Ou* um elogio.

– Não – falou ela, fingindo pensar seriamente –, acho que não.

Ele riu com toda a vontade, e foi só quando a gargalhada diminuiu, dando lugar a uma leve risada, que ele percebeu como aquilo lhe parecera pouco familiar. Fazia muito tempo que ele não se entregava a uma risada como essa, do tipo que sacode o corpo inteiro.

Era muito diferente das risadas contidas que se viam por Londres.

– Já recebi elogios antes – falou Billie, enfim, suavizando a voz ao acrescentar –, mas confesso que não sou muito boa em aceitá-los. Pelo menos não com relação à cor do meu vestido.

George desacelerou o passo mais uma vez ao dobrar uma esquina e ver a porta da sala de jantar.

– Você nunca participou de uma temporada social em Londres, não é mesmo?

– Você sabe que não.

Ele se perguntou por quê. Mary participara, e ela e Billie costumavam fazer tudo juntas. Mas não parecia educado perguntar, ao menos não naquele momento em que o jantar estava prestes a começar.

– Eu não quis – continuou Billie.

George não comentou que não havia pedido uma explicação.

– Eu teria sido péssima nisso.

– Você teria sido um sopro de ar fresco – mentiu ele.

Ela *teria* sido péssima, sim, e então George teria sido recrutado para ser seu salvador nos eventos sociais, certificando-se de que ao menos metade do cartão de dança dela estivesse preenchida e defendendo sua honra cada vez que um jovem lorde imbecil presumisse que Billie não tinha a moral muito rígida por ser um pouco agitada e livre demais.

Teria sido cansativo.

– Com licença – murmurou ele, fazendo uma pausa para pedir a um criado que lhe trouxesse o pufe. – Devo segurá-la até ele voltar?

– Segurar? – ecoou ela, como se de repente tivesse perdido o domínio do idioma.

– Algum problema? – perguntou a mãe dele, observando-os pela porta aberta com indisfarçada curiosidade.

Ela, lady Bridgerton e Georgiana já estavam em seus lugares. Os cavalheiros, de pé, estavam à espera de que Billie se sentasse.

– Sentem-se, por favor – falou George a eles. – Pedi a um criado para trazer algo para colocarmos sob a mesa, para que Billie possa manter o pé para cima.

– Muito gentil de sua parte, George – comentou lady Bridgerton. – Eu devia ter pensado nisso.

– Já torci o tornozelo antes – atalhou ele, levando Billie para a sala.

– Eu não, embora seja de imaginar que sou uma especialista a esta altura – disse lady Bridgerton, e então olhou para Georgiana: – Acho que você deve ser a única dos meus filhos que ainda não quebrou um osso ou torceu uma articulação.

– É minha habilidade especial – falou Georgiana com voz monótona.

– Devo dizer que vocês dois formam um par e tanto – comentou lady Manston, olhando para George e Billie com um sorriso enganosamente plácido.

George fulminou a mãe com o olhar. *Não.* Tudo bem que ela quisesse vê-lo casado, mas que não tentasse *isso*.

– Não alimente esperanças – disse Billie, com o tom certo de repreensão carinhosa para pôr um fim àquela linha de pensamento. – Quem mais me carregaria se não George?

– Infelizmente, com meu membro fraturado... – murmurou Andrew.

– Como você conseguiu isso? – perguntou Georgiana.

Ele se inclinou para a frente, os olhos brilhantes como o mar.

– Lutando com um tubarão.

Billie bufou.

– Não – disse Georgiana, nem um pouco impressionada –, o que aconteceu de verdade?

Andrew deu de ombros.

– Escorreguei.

Fez-se um pequeno instante de silêncio. Ninguém esperava nada tão banal.

– A história do tubarão é melhor – falou Georgiana por fim.

– É, não é? A verdade raramente é tão glamourosa quanto gostaríamos.

– Pensei que você tivesse caído do mastro, ao menos – observou Billie.

– O convés estava escorregadio – disse Andrew casualmente. E, enquanto todos ponderavam a total banalidade daquilo, ele acrescentou: – É normal. Por causa da água.

O criado voltou com um pequeno pufe de matelassê. Não era tão alto quanto George gostaria, mas ele ainda achava que seria melhor do que se Billie ficasse com o pé pendurado.

– Fiquei surpresa que o almirante McClellan tenha permitido que se recuperasse em casa – disse lady Manston enquanto o criado se agachava sob a mesa para colocar o pufe no lugar. – Não que eu esteja reclamando. É maravilhoso ter você em Crake, que é o seu lugar.

Andrew abriu um sorriso meio de lado para a mãe.

– Um marinheiro de um braço só não serve para muita coisa.

– Mesmo com todos esses piratas com perna de pau? – brincou Billie enquanto George a colocava no lugar. – Pensei que não ter um dos membros fosse praticamente um pré-requisito para estar ao mar.

Andrew inclinou a cabeça, pensativo.

– Nosso cozinheiro não tem uma orelha.

– Andrew! – exclamou a mãe dele.

– Que horror – disse Billie, os olhos brilhando com um deleite macabro. – Você estava lá quando aconteceu?

– Billie! – exclamou a mãe dela.

Billie virou a cabeça para encarar a mãe, protestando:

– A senhora não pode esperar que eu fique sabendo sobre um marinheiro sem orelha e *não* faça perguntas.

– De qualquer forma, não é uma conversa apropriada para um jantar em família.

As reuniões entre os clãs Rokesby e Bridgerton sempre foram classificadas como familiares, mesmo não havendo uma gota de sangue compartilhada entre os dois. Pelo menos não nos últimos cem anos.

– Não consigo imaginar onde seria mais apropriado – comentou Andrew –, a menos que todos nós possamos ir até a taberna.

– Infelizmente – disse Billie –, não tenho permissão para ir a esta hora da noite.

Andrew abriu um sorriso insolente.

– Razão de número setecentos e trinta e oito pela qual agradeço por não ter nascido mulher.

Billie revirou os olhos.

– Você pode ir lá durante o dia? – perguntou Georgiana a ela.

– Claro – respondeu Billie, mas George notou que a mãe dela não parecia feliz com isso.

Nem Georgiana. Seus lábios estavam contraídos, a expressão fechada, e ela estava com uma mão sobre a mesa, o dedo indicador batendo de forma impaciente na toalha.

– A Sra. Bucket faz uma torta de carne suína deliciosa – falou Billie. – Toda quinta-feira.

– Eu tinha me esquecido – disse Andrew, estremecendo ligeiramente com a deliciosa lembrança culinária.

– Como diabo se esquece de algo assim? É o paraíso sob uma crosta.

– Concordo. Devíamos ir lá juntos. Que tal ao meio...

– As mulheres são sanguinárias – despejou Georgiana.

Lady Bridgerton deixou cair o garfo.

Billie virou-se para a irmã com uma expressão cautelosa de surpresa.

– Perdão?

– As mulheres também podem ser sanguinárias – disse Georgiana, seu tom se aproximando da truculência.

Billie não estava entendendo nada. Normalmente, George estaria gostando do seu desconforto, mas a conversa tinha mudado de forma tão abruptamente bizarra que ele não conseguia sentir nada além de compaixão.

E alívio por não ser ele a indagar a jovem.

– O que você disse anteriormente – continuou Georgiana. – Sobre as mulheres e que travaríamos menos guerras do que os homens. Não acho que seja verdade.

– Ah – disse Billie, parecendo bastante aliviada.

A verdade era que George também estava aliviado. Porque a única outra explicação para as mulheres serem sanguinárias culminaria em uma conversa que ele *não* queria ter à mesa de jantar.

Nem em qualquer outro lugar, aliás.

– Mas e a rainha Mary? – continuou Georgiana. – Ninguém poderia chamá-la de pacifista.

– Ela não ficou conhecida como Rainha Sangrenta à toa – disse Andrew.

– Exatamente! – concordou Georgiana, assentindo com entusiasmo. – E a rainha Elizabeth afundou uma armada inteira.

– Os *homens* dela afundaram a armada – corrigiu lorde Bridgerton.

– Quem deu as ordens foi *ela* – rebateu Georgiana.

– Georgiana tem razão – falou George, feliz por lhe dar o devido crédito.

Georgiana lançou-lhe um olhar de gratidão.

– Fato – disse Billie com um sorriso.

Ao ouvir isso, Georgiana pareceu incrivelmente satisfeita.

– Não quis dizer que as mulheres não podem ser violentas – esclareceu Billie, agora que Georgiana encerrara seu argumento. – É claro que podemos, com a devida motivação.

– Estremeço só de pensar – murmurou Andrew.

– Se alguém que eu amo estivesse em perigo – continuou Billie de modo sereno, mas intenso –, com certeza eu poderia ser violenta.

Durante anos, George pensaria sobre aquele momento. Alguma coisa mudou. Algo na atmosfera foi abalado e se transformou. O ar crepitou com eletricidade, e todos – cada um dos Rokesbys e Bridgertons à mesa – pareceram suspensos no tempo, como se à espera de algo que nenhum deles entendia.

Nem mesmo Billie.

George observou o rosto dela. Não era difícil imaginá-la como uma guerreira, agindo de maneira feroz e protetora com relação às pessoas que amava. Ele estaria entre os eleitos? Preferiria pensar que sim. Qualquer um com seu sobrenome estaria sob a proteção dela.

Ninguém falou nada. Ninguém sequer respirou até a mãe dele deixar escapar uma risada não muito diferente de um suspiro, e então declarou:

– Que assunto mais deprimente.

– Eu discordo – falou George suavemente.

Ele achou que Billie não o tivesse ouvido. Mas ouvira. Os lábios dela se entreabriram, e seus olhos escuros encontraram os dele com curiosidade e surpresa. E talvez até um pouco de gratidão.

– Não entendo por que estamos falando de tais coisas – continuou a mãe dele, decidida a trazer a conversa de volta a assuntos mais leves.

Porque é importante, pensou George. Porque isso significa alguma coisa. Porque durante anos nada tivera significado, ao menos não para aqueles que haviam sido deixados para trás. George estava cansado de ser inútil, de fingir que era mais valioso do que os irmãos por ser o primogênito.

Ele olhou para a sopa. Perdera o apetite. E claro que foi então que lady Bridgerton exclamou:

– Devíamos dar uma festa!

CAPÍTULO 7

Uma festa?

Billie baixou o guardanapo com cuidado, uma vaga preocupação tomando conta dela.

– Mãe?

– Uma recepção de alguns dias em nossa casa – explicou a mãe, como se fosse *isso* que estivessem querendo saber.

– Nesta época do ano? – perguntou lorde Bridgerton, a colher de sopa pairando brevemente a caminho da boca.

– Por que não nesta época do ano?

– Geralmente fazemos uma no outono.

Billie revirou os olhos. Que argumento mais masculino. Não que ela discordasse. A última coisa que queria em Aubrey Hall naquele momento era uma recepção de vários dias. Era sua casa. Todos aqueles estranhos perambulando. Sem falar no tempo que gastaria desempenhando o papel da filha obediente da anfitriã. Teria de ficar de vestido o dia todo, sem poder se dedicar aos seus reais deveres de cuidar da propriedade.

Tentou chamar a atenção do pai. Com certeza ele sabia que aquilo era uma má ideia, independentemente da estação. Mas ele estava alheio a tudo que não fosse a esposa. E sua sopa.

– Andrew não estará aqui no outono – ressaltou lady Bridgerton. – E devemos comemorar agora.

– Eu adoro uma festa – disse Andrew.

Era verdade, mas Billie tinha a sensação de que ele dissera aquilo mais para aliviar a tensão à mesa. Porque o clima estava mesmo tenso. E estranhamente estava claro para ela que ninguém sabia por quê.

– Está decidido, então – disse a mãe dela. – Faremos uma recepção em casa. Será pequena.

– Defina pequena – pediu Billie com cautela.

– Ah, não sei. Cerca de dez convidados, talvez? – disse lady Bridgerton para Lady Manston. – O que você acha, Helen?

Lady Manston não surpreendeu ninguém ao responder:

– Acho ótimo. Mas é bom começarmos a cuidar logo de tudo, antes que Andrew retorne ao posto. O almirante deixou bem claro que a licença seria apenas pelo tempo de sua recuperação, e nem um minuto a mais.

– É claro – murmurou lady Bridgerton. – Que tal em... uma semana?

– Uma semana? – perguntou Billie. – Não é possível arrumar a casa em uma semana.

– Ah, é claro que dá – disse sua mãe, lançando-lhe um olhar de divertido desdém. – Eu nasci para esse tipo de coisa.

– Isso é verdade, minha querida – falou o pai de Billie carinhosamente.

Ele não ajudaria em nada, percebeu ela. Se queria colocar um fim àquela loucura, teria de fazer isso sozinha.

– Mas já pensou nos convidados, mamãe? – insistiu ela. – Certamente você deveria ter avisado com mais antecedência. Todos têm a vida muito ocupada. Devem ter planos.

A mãe acenou como se não fosse nada importante.

– Não estou planejando mandar convites por todo o país. Temos tempo suficiente para entrar em contato com os amigos dos condados vizinhos. Ou de Londres.

– Quem você vai convidar? – perguntou lady Manston.

– Vocês, é claro. Diga que ficarão lá em casa conosco. Será muito mais divertido ter todos sob o mesmo teto.

– Não me parece necessário – disse George.

– Verdade – concordou Billie.

Pelo amor de Deus, eles moravam a apenas cinco quilômetros de distância.

George a encarou fixamente.

– Ah, por favor – disse ela com impaciência. – Você não pode ter ficado ofendido com isso.

– Mas *eu* posso – falou Andrew com um sorriso. – Na verdade, acho que vou mesmo me ofender, só por diversão.

– Mary e Felix – lembrou lady Bridgerton. – Não podemos ter uma comemoração sem eles.

– Seria bom ver Mary – admitiu Billie.

– Que tal os Westboroughs? – perguntou lady Manston.

George gemeu.

– Mãe, esse navio certamente já zarpou. Não foi a senhora mesma quem disse que lady Frederica ficou noiva?

– Sim.

A mãe dele fez uma pausa, levando delicadamente a colher de sopa aos lábios.

– Mas ela tem uma irmã mais nova.

Billie deixou escapar uma risada abafada, então logo ficou séria outra vez quando George a encarou, furioso.

Lady Manston abriu um sorriso enorme.

– E uma prima.

– É claro que tem – disse George em voz baixa.

Billie teria expressado algum tipo de solidariedade, mas a própria mãe havia escolhido, é claro, aquele *exato* momento para dizer:

– Precisamos convidar alguns bons rapazes também.

Os olhos de Billie se arregalaram de horror. Ela devia saber que sua vez chegaria.

– Mãe, *não* – advertiu.

Advertiu? Estava mais para *ordenou*.

Não que isso tivesse afetado de alguma forma o entusiasmo da mãe.

– Teremos um número desigual de cavalheiros e damas se não fizermos isso – disse a mãe. – Além disso, você está envelhecendo.

Billie fechou os olhos e contou até cinco. Era isso ou pular no pescoço da mãe.

– Felix tem um irmão, não tem? – perguntou lady Manston.

Billie se conteve. Lady Manston sabia perfeitamente bem que Felix Maynard tinha um irmão. Ele era casado com sua única filha. Lady Manston provavelmente soubera o nome e a idade de todos os seus primos de primeiro grau antes mesmo de a tinta secar na certidão de casamento.

– George? – indagou a mãe dele. – Não tem?

Billie olhou para lady Manston com um misto de fascinação e assombro. Sua determinação deixaria orgulhoso um general do Exército. Seria algum tipo de característica inata? As mulheres já saíam do útero com esse impulso de combinar homens e mulheres em pares perfeitos? E, em caso afirmativo, como era possível que *ela* não fosse assim?

Porque Billie não tinha o menor interesse em formar casais, fosse para si mesma ou para qualquer outra pessoa. Se isso fazia dela algum tipo de aberração, que fosse. Ela preferiria estar andando em seu cavalo. Ou pescando no lago. Ou subindo em uma árvore.

Ou qualquer outra coisa, na verdade.

Não era a primeira vez que Billie se perguntava em que o Pai Celestial estava pensando quando a fizera nascer menina. Ela era claramente a garota menos feminina na história da Inglaterra. Graças a Deus seus pais não a haviam obrigado a debutar em Londres quando Mary fora. Teria sido horrível. *Ela* teria sido um desastre.

E ninguém teria se interessado por ela.

– George? – chamou lady Manston novamente, a impaciência se fazendo notar em sua voz.

George se assustou, e Billie percebeu que ele tinha passado aqueles momentos olhando para ela. Nem podia imaginar o que ele vira em seu rosto... o que ele *pensara* ter visto.

– Tem, sim – confirmou George, virando para a mãe. – Henry. É dois anos mais novo do que Felix, mas ele...

– Excelente! – exclamou lady Manston, batendo palmas.

– Mas ele o quê? – perguntou Billie.

Ou melhor, exigiu. Porque era do seu tormento em potencial que estavam falando.

– Está praticamente noivo – respondeu George a ela. – Ou pelo menos foi o que ouvi.

– Não conta até que seja oficial – disse a mãe dele, dando de ombros.

Billie olhou para ela, incrédula. Estava ouvindo isso da mulher que planejara o casamento de Mary desde a primeira vez que Felix beijara sua mão.

– E vocês gostam de Henry Maynard? – perguntou lady Bridgerton.

– Gostamos – afirmou lady Manston.

– Pensei que lady Manston nem sequer sabia que Felix tinha um irmão – disse Billie.

Ao seu lado, George riu, e ela o sentiu aproximar a cabeça da dela.

– Aposto dez libras que ela já sabia todos os detalhes da corte dele antes mesmo de mencionar o nome – murmurou.

Os lábios de Billie esboçaram um sorriso discreto.

– Eu não entraria nessa aposta.

– Garota esperta.

– Sempre.

George riu, depois parou. Billie seguiu seu olhar ao percorrer a mesa. Andrew os observava com uma expressão estranha, a cabeça um pouco inclinada e a sobrancelha erguida, com um ar pensativo.

– O que foi? – perguntou ela, enquanto suas mães continuavam com os planos.

Andrew balançou a cabeça.

– Nada.

Billie franziu a testa. Conhecia Andrew como a palma da mão. Ele estava tramando algo.

– Não gostei da expressão dele – murmurou ela.

– Eu nunca gosto da expressão dele – disse George.

Ela olhou para ele. Como era estranha aquela cumplicidade com George.

Geralmente era com Andrew que trocava essas brincadeirinhas murmuradas. Ou com Edward. Mas não com George.

Nunca com George.

E, embora imaginasse que isso fosse uma coisa boa – não havia razão para ela e George estarem *de fato* em constante desavença –, aquilo ainda a fazia se sentir estranha. Fora de prumo.

A vida era melhor quando transcorria sem surpresas. Realmente era.

Billie virou para a mãe, determinada a escapar daquela crescente sensação de desconforto.

– Nós realmente *temos* de fazer uma festa? Com certeza Andrew pode sentir que sua presença está sendo celebrada e comemorada sem uma mesa com doze pratos e arco e flecha no gramado.

– Não se esqueça dos fogos de artifício e do desfile – acrescentou Andrew. – E posso querer ser carregado em uma liteira.

– Você realmente quer encorajar *isso*? – perguntou Billie, apontando para ele de forma exasperada.

George bufou em direção à sopa.

– Eu vou poder participar? – perguntou Georgiana.

– Não à noite – disse a mãe dela –, mas certamente em alguns dos entretenimentos à tarde.

Georgiana recostou-se com um sorriso de criança na noite de Natal.

– Então acho que é uma excelente ideia.

– *Georgie* – disse Billie à irmã.

– *Billie* – zombou ela.

Os lábios de Billie se entreabriram de surpresa. O mundo inteiro estava saindo do eixo? Desde quando sua irmã mais nova falava com ela *assim*?

– Está resolvido, Billie – disse sua mãe em um tom que não permitia ser contrariado. – Vamos dar uma festa e você estará presente. De vestido.

– Mãe! – gritou Billie.

– Creio que não seja um pedido fácil – disse a mãe dela, olhando para as pessoas da mesa em busca de cúmplices.

– Eu *sei* como me comportar em uma recepção.

Santo Deus, o que a mãe dela achava que faria? Apareceria para jantar com botas de equitação sob o vestido? Faria os cães correrem pela sala de estar?

Ela conhecia as regras. É claro que sim. E não se importava com elas dependendo das circunstâncias. Mas a própria mãe achá-la tão incapaz... E dizer isso na frente de todas as pessoas com as quais Billie se importava...

Doeu mais do que poderia ter imaginado.

Mas então a coisa mais estranha do mundo aconteceu. A mão de George encontrou a dela e a apertou. Sob a mesa, onde ninguém podia ver. Billie levantou a cabeça para olhar para ele – não conseguiu evitar –, mas ele já havia soltado sua mão e dizia algo a seu pai sobre o preço do conhaque francês.

Billie olhou para a sopa no prato.

Que dia.

Mais tarde naquela noite, depois que os homens saíram para tomar vinho do porto e as damas se reuniram na sala de estar, Billie saiu furtivamente para a biblioteca, querendo apenas um lugar para ficar tranquila e em paz. No entanto, não tinha exatamente certeza de que poderia chamar sua saída de *furtiva,* já que precisara pedir a um criado para levá-la.

Ainda assim, sempre gostara da biblioteca de Crake House. Era menor que a deles em Aubrey Hall, e parecia menos imponente. Era quase acolhedora. Lorde Manston tinha o hábito de adormecer no sofá de couro macio, e, assim que Billie se acomodou nas almofadas, entendeu o motivo. Com a lareira acesa e uma manta de tricô sobre as pernas, era o lugar perfeito para descansar os olhos até seus pais estarem prontos para voltar para casa.

Mas não estava com sono. Apenas cansada. Tinha sido um dia longo, e seu corpo inteiro doía por causa da queda. Além disso, sua mãe tinha sido incrivelmente insensível e Andrew nem sequer tinha notado que ela não estava se sentindo bem. George *tinha* notado, mas então Georgiana havia se transformado em alguém que ela não reconhecia, e...

E, e, e. Foram vários *es* naquela noite, e a soma era cansativa.

– Billie?

Ela deixou escapar um grito um tanto assustado enquanto endireitava o corpo na poltrona. George estava parado junto à porta aberta, a expressão insondável em razão da luz fraca e tremeluzente das velas.

– Perdão – disse Billie, fechando os olhos com força enquanto recuperava o fôlego. – Você me assustou.

– Me desculpe. Não era minha intenção. – George se apoiou contra o batente da porta. – Por que está aqui? – perguntou ele.

– Precisava de um pouco de silêncio. – Ela ainda não conseguia ver seu rosto claramente, mas podia imaginar seu semblante confuso, então acrescentou: – Até eu preciso de silêncio de vez em quando.

Ele abriu um fraco sorriso.

– Não se sente confinada?

– Nem um pouco.

Ela inclinou a cabeça, mostrando que entendera a réplica.

Ele pensou por um instante, então perguntou:

– Quer ficar sozinha?

– Não, tudo bem – disse Billie, surpreendendo-se com sua resposta.

A presença de George era estranhamente tranquilizadora, de uma forma que a de Andrew, de sua mãe ou de qualquer um dos outros nunca fora.

– Você está com dor – falou ele, finalmente entrando na sala.

Como ele sabia? Ninguém mais tinha percebido. Mas, por outro lado, George sempre fora desconfortavelmente observador.

– Estou – disse ela.

Não havia por que fingir.

– Muita?

– Não. Mas também não é pouca.

– Você deveria ter descansado esta noite.

– Talvez. Mas me diverti, e acho que valeu a pena. Foi maravilhoso ver sua mãe tão feliz.

George virou a cabeça de lado.

– Achou que ela estava feliz?

– Você não?

– Por ver Andrew, talvez, mas, de certa forma, a presença dele só serve como um lembrete de que Edward não está aqui.

– Suponho que sim. Quero dizer, é claro que ela preferiria ter dois filhos em casa, mas a lembrança da ausência de Edward certamente é superada pela presença alegre de Andrew, não?

Os lábios de George se curvaram ironicamente de um dos lados.

– Ela *tem* dois filhos em casa no momento. – Billie olhou para ele por um instante antes de... – Nossa! Eu sinto muito, George. É claro que sim. Estava pensando nos filhos que normalmente não estão em casa. Eu... Meu Deus, me desculpe.

Seu rosto ficou quente de vergonha. Graças a Deus a penumbra escondeu seu rubor.

George deu de ombros.

– Tudo bem.

Mas ainda assim ela ficou chateada. Mesmo que George não deixasse transparecer qualquer coisa, ela não deixava de pensar que tinha ferido seus sentimentos. O que era loucura; George não se importava com a opinião dela a ponto de se incomodar com qualquer comentário de sua parte.

Mas, ainda assim, havia algo no rosto dele...

– Isso incomoda você? – perguntou ela.

Ele deu mais alguns passos para dentro da biblioteca, parando ao lado da prateleira onde guardavam o conhaque bom.

– O *quê* me incomoda?

– Ser deixado para trás. – Ela mordeu o lábio. Tinha de haver uma maneira melhor de dizer isso. – Ter ficado em casa – corrigiu ela – quando todos os outros foram embora.

– Você está aqui – ressaltou ele.

– Sim, mas dificilmente sou um conforto. Para você, quero dizer.

Ele riu. Bem, não exatamente, mas deixou escapar um pouco de ar pelo nariz e pareceu achar graça.

– Até Mary foi para Sussex – disse Billie, mudando de posição para poder observá-lo sobre o encosto do sofá.

George serviu-se de um pouco de conhaque, pousando o copo enquanto devolvia a tampa à garrafa.

– Não posso me ressentir por minha irmã ter um casamento feliz. Com um dos meus amigos mais próximos, ainda por cima.

– Claro que não. Nem eu. Mas ainda assim sinto falta dela. E você é o único Rokesby que continua aqui.

Ele levou o copo aos lábios, mas quase não bebeu.

– Você tem mesmo um jeito de ir direto ao ponto, não é?

Billie se conteve.

– Isso incomoda *você*? – perguntou ele.

Ela fingiu não ter entendido a pergunta.

– Nem todos os meus irmãos já saíram de casa. Georgiana ainda está aqui.

– E você tem várias coisas em comum com ela, não é mesmo? – disse ele em um tom seco.

– Bem, mais do que eu costumava pensar – retrucou Billie.

Era verdade. Por ter passado a infância toda doente, seus pais viviam preocupados e Georgiana ficava presa dentro de casa enquanto o resto das crianças corria livremente pelo campo.

Billie nunca deixara de gostar da irmã mais nova, mas, ao mesmo tempo, não a achava muito interessante. Na maioria das vezes, esquecia-se de que ela estava presente. Nove anos separavam as duas. Sério, o que poderiam ter em comum?

Mas então todos os outros foram embora, e agora Georgiana finalmente chegava perto o suficiente da idade adulta para se tornar interessante.

Era a vez de George falar, mas ele pareceu não ter notado, e o silêncio se estendeu por tempo suficiente para se tornar um pouco perturbador.

– George? – murmurou Billie.

Ele olhava para ela de uma maneira muito estranha. Como se ela fosse um enigma – não, não era isso. Era como se ele estivesse pensando profundamente, e ela por acaso estivesse no caminho de seus olhos.

– George? – repetiu ela. – Você está...

Ele ergueu os olhos de repente.

– Você deveria tratá-la melhor. – E então, como se não tivesse dito algo tão estarrecedor, fez sinal para o conhaque e perguntou: – Gostaria de um copo?

– Sim – respondeu Billie, embora soubesse bem que a maioria das mulheres teria recusado –, e que raios você quis dizer com isso de que eu deveria tratá-la melhor? Quando foi que a tratei mal?

– Nunca – concordou ele, servindo o conhaque em um copo –, mas você a ignora.

– Não ignoro.

– Tudo bem, esquece que ela existe – corrigiu ele. – O que dá no mesmo.

– Ah, e você dá tanta atenção a Nicholas...

– Nicholas está em Eton e eu aqui. Não seria possível.

George entregou o conhaque a Billie. Ela notou que seu copo estava consideravelmente menos cheio do que o dele antes.

– Eu não ignoro Georgiana – murmurou Billie.

Ela não gostava de ser repreendida, muito menos por George Rokesby. Principalmente quando ele estava certo.

– Tudo bem – disse ele, surpreendendo-a com sua súbita gentileza. – Tenho certeza de que é diferente quando Andrew não está aqui.

– O que Andrew tem a ver com isso?

Ele virou para ela com uma expressão que era um misto de surpresa e achar graça.

– Sério?

– Não sei do que você está falando. Que homem louco.

George tomou um grande gole, e então, sem sequer se virar para ela, conseguiu lançar-lhe um olhar condescendente.

– Ele deveria se casar com você de uma vez e acabar logo com isso.

– O quê?

A surpresa dela não foi fingida. Não com relação a ela se casar com Andrew. Sempre achara que um dia se casaria com ele. Ou com Edward. Realmente não se importava com qual dos dois seria; dava no mesmo para ela. Mas ouvir George falar sobre isso daquela maneira...

Billie não gostou.

– Tenho certeza de que você sabe – retrucou ela, recuperando rapidamente a compostura – que Andrew e eu não temos nada acertado.

Ele descartou as palavras de Billie, revirando os olhos.

– Você poderia arrumar coisa pior.

– Ele também – disse ela.

George riu.

– É verdade.

– Não vou me casar com Andrew – falou ela.

Não ainda, pelo menos. Mas se ele lhe pedisse...

Ela provavelmente diria que sim. Era o que todos esperavam.

George tomou um gole de seu conhaque, observando-a sobre a borda do copo com um olhar enigmático.

– A última coisa que eu gostaria – disse Billie, incapaz de ficar em silêncio – seria ficar noiva de alguém que vai virar as costas e ir embora.

– Ah, eu não sei – retrucou George, franzindo a testa, pensativo. – Muitas esposas de militares acompanham o marido. E você é mais arrojada do que a maioria.

– Gosto daqui.

– Da biblioteca do meu pai? – brincou ele.

– De Kent – disse ela de maneira impertinente. – De Aubrey Hall. Sou necessária.

Ele deixou escapar um som condescendente. E ela continuou:

– Sou, sim!

– Tenho certeza de que é.

Ela endireitou o corpo. Se seu tornozelo não estivesse latejando, provavelmente teria se levantado.

– Você não tem ideia de todas as coisas que eu faço.

– Por favor, não me diga.

– O quê?

Ele fez um movimento desdenhoso com a mão.

– Você está com aquele olhar.

– Que olh...

– Aquele que diz que está prestes a se lançar em um discurso muito longo.

Os lábios dela se entreabriram de espanto. De todos os arrogantes, presunçosos... Então ela viu a expressão de George. Ele estava achando graça!

É claro que estava. Ele vivia para espezinhá-la. Parecia uma agulha espetando-a. Uma agulha cega e enferrujada.

– Ah, pelo amor de Deus, Billie – disse ele, apoiando-se em uma estante de livros enquanto ria. – Não aguenta uma provocação? Eu sei que você ajuda seu pai de vez em quando.

De vez em quando? Ela *administrava* aquela maldita propriedade! Aubrey Hall desmoronaria sem sua supervisão. Seu pai tinha deixado os livros contábeis praticamente a cargo dela e o administrador há muito desistira de protestar por ter de responder a uma mulher. Para todos os efeitos, Billie fora criada como um filho mais velho. Exceto pelo fato de que não poderia herdar nada. E, algum dia, Edmund cresceria e assumiria seu lugar de direito. Seu irmão mais novo não era idiota; aprenderia rapidamente o que fazer e, quando isso acontecesse... quando Edmund mostrasse a todos em Aubrey como era competente, todos respirariam aliviados e diriam algo sobre a restauração da ordem natural das coisas.

Billie seria supérflua.

Substituída.

Os livros contábeis seriam tirados furtivamente de suas mãos. Ninguém lhe pediria para inspecionar as cabanas ou resolver disputas. Edmund se tornaria o lorde da propriedade, e ela seria a irmã que estava ficando velha, aquela de quem as pessoas teriam pena e zombariam pelas costas.

Meu Deus, talvez ela *devesse* se casar com Andrew.

– Tem certeza de que não está se sentindo mal? – perguntou George.

– Estou bem – disse ela de forma brusca.

Ele deu de ombros.

– Você me pareceu mal de repente.

Porque de fato sentira-se mal de repente. Seu futuro finalmente se mostrara diante dela, e não havia nada de bonito nele.

Billie tomou de uma vez o restante do conhaque.

– Cuidado – advertiu George, mas ela já estava tossindo, porque não estava acostumada a sentir tanta ardência na garganta. – É melhor beber devagar – acrescentou ele.

– Eu *sei* – grunhiu ela, sabendo que soava como uma idiota.

– É claro que sabe – murmurou ele, e de repente ela se sentiu melhor.

George Rokesby estava sendo um cretino pretensioso. Tudo estava de volta ao normal. Ou quase normal.

Normal o suficiente.

CAPÍTULO 8

Lady Bridgerton começou a planejar sua incursão à temporada social logo na manhã seguinte. Billie entrou mancando na pequena sala de jantar para tomar café da manhã, totalmente preparada para ser recrutada para o serviço, mas, para seu alívio e surpresa, sua mãe disse que não precisava de ajuda com os preparativos. Só queria que Billie escrevesse uma mensagem convidando Mary e Felix. Billie concordou, agradecida. Isso ela podia fazer.

– Georgiana se ofereceu para me ajudar – disse lady Bridgerton enquanto fazia sinal para um criado preparar um prato de café da manhã.

Billie era ágil com as muletas, mas nem mesmo ela conseguia se servir do aparador enquanto se equilibrava em um par de bastões.

Olhou para a irmã mais nova, que parecia bastante satisfeita com aquela ideia.

– Será muito divertido – falou Georgiana.

Billie engoliu uma resposta. Não conseguia pensar em muita coisa que seria *menos* divertida, mas não precisava insultar a irmã dizendo isso. Se Georgiana queria passar a tarde escrevendo convites e planejando menus, que ficasse à vontade.

Lady Bridgerton preparou uma xícara de chá para Billie.

– Como planeja passar o seu dia?

– Não tenho certeza – respondeu Billie, anuindo em agradecimento ao criado quando ele colocou o prato à sua frente.

Ela olhou de forma melancólica pela janela. O sol começava a surgir entre as nuvens, e dentro de uma hora o orvalho da manhã já teria evaporado. Um dia perfeito para estar ao ar livre. A cavalo. Sendo útil.

E tinha tanto a fazer... Um dos arrendatários estava reformando o telhado de sua cabana, e, embora seus vizinhos soubessem que deveriam oferecer ajuda, Billie ainda desconfiava que John e Harry Williamson tentariam tirar o corpo fora. Alguém precisava se certificar de que os irmãos fariam sua parte, assim como de que os campos a oeste estavam sendo devidamente cultivados e o jardim de rosas havia sido podado segundo as especificações exatas de sua mãe.

Alguém precisava fazer tudo isso, e Billie não tinha ideia de quem, se não fosse ela.

Mas não, ela estava presa dentro de casa com um maldito pé inchado, e nem era culpa dela. Tudo bem, talvez fosse um pouco, mas com certeza era mais culpa do gato, e doía como o diabo – o pé dela, no caso, não o gato, embora não tirasse da cabeça a esperança de que a terrível criatura também estivesse mancando.

Ela parou para pensar nisso. No final das contas...

– Billie? – murmurou sua mãe, olhando-a por cima da xícara de chá de porcelana.

– Acho que não sou uma pessoa muito amável – ponderou Billie.

Lady Bridgerton engasgou de um jeito que fez o chá sair pelo seu nariz. Foi uma cena e tanto, que Billie nunca esperara ver na vida.

– Eu poderia ter lhe dito isso – disse Georgiana.

Billie franziu a testa para a irmã, que era, levando-se tudo em consideração, bastante imatura.

– Sybilla Bridgerton – veio a voz decidida da mãe. – Você é uma pessoa perfeitamente amável.

Billie abriu a boca, mas não tinha nada inteligente a dizer.

– Se não fosse – continuou a mãe, sem deixá-la falar, num tom de "não se atreva a me contradizer" –, isso teria um reflexo negativo em *mim*, e me recuso a acreditar que sou uma mãe tão negligente assim.

– Claro que não é – disse Billie rapidamente.

Muito rapidamente.

– Portanto, vou repetir minha pergunta – afirmou a mãe.

Então tomou um pequeno gole de chá e olhou para a filha mais velha com notável impassibilidade.

– O que planeja fazer hoje?

– Bem... – protelou Billie.

Ela olhou para a irmã, mas Georgiana não ajudou. Simplesmente deu de ombros de um jeito que poderia significar qualquer coisa desde *Não tenho ideia do que há com ela* até *Estou me divertindo muito com seu desconforto.*

Billie franziu a testa. Não seria ótimo se as pessoas simplesmente dissessem o que pensam?

Virou de volta para a mãe, que ainda a observava com uma expressão enganadoramente plácida.

– Bem... – disse Billie, mais uma vez adiando. – Talvez eu leia um livro...

– Um livro – repetiu a mãe, e bateu de leve no canto da boca com o guardanapo. – Que agradável.

Billie observou-a com cautela. Várias respostas sarcásticas vieram à sua cabeça, mas, apesar do comportamento sereno da mãe, havia um brilho em seus olhos que dizia a Billie que era melhor ficar de boca fechada.

Lady Bridgerton estendeu a mão para o bule de chá. Ela sempre tomava mais chá no café da manhã do que todos da família juntos.

– Posso recomendar algum, se quiser – sugeriu a Billie.

Também lia mais do que todos da família juntos.

– Não, está tudo bem – replicou Billie, cortando sua linguiça em rodelas. – Papai comprou o último volume da *Enciclopédia de Agricultura de Prescott* quando esteve em Londres no mês passado. Eu já deveria ter começado, mas o clima tem estado tão bom que eu ainda não tinha tido chance.

– Você pode ler lá fora – sugeriu Georgiana. – Podemos colocar um cobertor no chão. Ou levar uma espreguiçadeira.

Billie assentiu dando de ombros enquanto espetava uma rodela de linguiça.

– Seria melhor do que ficar aqui dentro, creio.

– Você poderia me ajudar a planejar os entretenimentos para nossa recepção aqui em casa – sugeriu Georgiana.

Billie lançou-lhe um olhar condescendente.

– Acho que não.

– Por que não, querida? – interferiu lady Bridgerton. – Pode ser divertido.

– A senhora acabou de me dizer que eu não precisava participar do planejamento.

– Só porque pensei que você não quisesse.

– Eu não quero.

– É claro que não – disse sua mãe com calma –, mas *quer* passar um tempo com sua irmã.

Ah, mas que diabo. A mãe era *boa* nisso. Billie forçou um sorriso.

– Georgie e eu não podemos fazer outra coisa?

– Se conseguir convencê-la a ler o tratado agrícola por sobre seu ombro... – disse a mãe, a mão flutuando com delicadeza pelo ar.

Delicada como uma flecha, pensou Billie.

– Vou ajudar com *parte* do planejamento – concedeu ela.

– Ah, que ótimo! – exclamou Georgiana. – E será muito útil. Você tem muito mais experiência com esse tipo de coisa do que eu.

– Na verdade, não – disse Billie, falando francamente.

– Mas já *esteve* nessas recepções feitas em casa.

– Bem, sim, mas...

Billie não se preocupou em terminar a frase. Georgiana parecia muito feliz. Dizer que odiava ser arrastada para essas recepções com a mãe seria como chutar um cachorrinho. Ou se ódio fosse uma palavra muito forte, certamente poderia dizer que não achava divertido. Billie não gostava mesmo de viajar. Aprendera isso a respeito de si.

E não gostava da companhia de desconhecidos. Ela não era tímida, de forma alguma. Só preferia estar entre as pessoas que conhecia.

Pessoas que *a* conheciam.

A vida era muito mais fácil assim.

– Veja da seguinte maneira – disse lady Bridgerton a Billie. – Você não quer uma recepção em casa. Você não gosta de recepções em casa. Mas sou sua mãe, e decidi dar uma. Portanto, você não tem escolha senão participar. Por que não aproveitar a oportunidade para transformar o evento em algo de que possa realmente gostar?

- Mas eu não vou gostar.

- Se encarar as coisas com essa atitude, com certeza não.

Billie esperou um instante para se recompor. E para conter o desejo de sustentar seu ponto de vista e se defender, e de dizer à mãe que não queria que falassem com ela como se fosse uma criança...

- Ficarei feliz em ajudar Georgiana desde que eu tenha algum tempo para ler meu livro - disse Billie com firmeza.

- Eu nem pensaria em afastá-la de sua leitura - murmurou a mãe.

Billie encarou-a, irritada.

- A senhora não deveria zombar disso. Foi exatamente esse tipo de livro que me capacitou para aumentar a produtividade em Aubrey Hall em dez por cento. Isso sem falar nas melhorias nas fazendas dos arrendatários. Todos estão comendo melhor agora que...

Ela se interrompeu. Engoliu em seco. Tinha acabado de fazer exatamente o que tinha dito a si mesma para não fazer.

Sustentar seu ponto de vista.

Defender-se.

Agir como criança.

Colocou na boca o máximo de comida que conseguiu em trinta segundos, então se levantou e pegou as muletas, que estavam apoiadas na mesa.

- Estarei na biblioteca se alguém precisar de mim - avisou, e então acrescentou, para Georgiana: - Por favor, avise-me quando o chão estiver seco o suficiente para estendermos um cobertor.

Georgiana assentiu.

- Mãe - disse Billie a lady Bridgerton.

Optou por apenas assentir em vez de fazer a breve mesura habitual ao sair. Mais uma coisa que não era possível fazer de muletas.

- Billie - falou a mãe, a voz num tom conciliador e talvez um pouco frustrado. - Gostaria que você não...

Billie esperou que ela terminasse a frase, mas a mãe apenas balançou a cabeça.

- Não importa - falou ela.

Billie assentiu de novo, pressionando uma muleta contra o chão para se equilibrar enquanto girava no pé bom. As muletas batiam no chão com um ruído surdo, depois Billie projetava o corpo entre elas, os ombros firmes e aprumados enquanto ia repetindo o movimento até a porta.

Usando muletas, era absurdamente difícil fazer uma saída digna.

George ainda não sabia bem como Andrew lhe convencera a acompanhá--lo a Aubrey Hall para uma visita no fim da manhã, mas ali estava ele, parado à grandiosa entrada enquanto entregava seu chapéu a Thamesly, mordomo dos Bridgertons desde antes de ele nascer.

– Você está fazendo uma boa ação, meu velho – disse Andrew, batendo no ombro de George com mais força do que o necessário.

– Não me chame de meu velho.

Deus, ele odiava isso.

Mas só fez Andrew rir. É claro.

– Quem quer que você seja, ainda está fazendo uma boa ação. Billie deve estar enlouquecendo de tédio.

– Um pouco de tédio seria bom na vida dela – murmurou George.

– É verdade – admitiu Andrew –, mas me preocupo com a família. Só Deus sabe que tipo de coisas irão obrigá-la a fazer se ninguém aparecer para entretê-la.

– Você fala como se ela fosse criança.

– Criança?

Andrew virou para olhar para ele, o rosto assumindo uma serenidade enigmática que George conhecia bem o suficiente para achar suspeita.

– De modo algum.

– A Srta. Bridgerton está na biblioteca – informou-lhes Thamesly. – Podem esperar na sala de visitas enquanto anuncio vossa chegada.

– Não é necessário – avisou Andrew alegremente. – Vamos nos juntar a ela na biblioteca. A última coisa que queremos é forçar a Srta. Bridgerton a mancar pela casa mais do que o necessário.

– Muito gentil de sua parte, senhor – murmurou Thamesly.

– Ela está com muita dor? – perguntou George.

– Eu não saberia lhe dizer – respondeu o mordomo com diplomacia –, mas convém notar que o tempo está muito agradável e a Srta. Bridgerton está na biblioteca.

– Então, ela está infeliz.

– Profundamente, milorde.

George imaginou que fora por isso que deixara Andrew tirá-lo da reunião semanal com o administrador do pai. Sabia que o tornozelo de Billie não podia ter melhorado muito. Tinha inchado assustadoramente na noite anterior, apesar da maneira festiva como ela o enfaixara com aquela ridícula fita cor-de-rosa. Lesões assim não se curam da noite para o dia.

E, embora ele e Billie nunca tivessem sido exatamente amigos, sentia uma estranha responsabilidade pelo seu bem-estar, pelo menos com relação à sua situação atual. O que dizia aquele antigo provérbio chinês? Quando você salva uma vida, é responsável por ela para sempre? Ele na verdade não salvara a vida de Billie, mas ficara preso em um telhado com ela e...

E maldição, ele não fazia a menor ideia do que aquilo significava, só que achava que deveria se certificar de que ela estava se sentindo pelo menos um pouco melhor. Ainda que ela fosse a mulher *mais* exasperante que conhecia, e o irritasse profundamente na metade do tempo.

Ainda assim era a coisa certa a fazer. E isso era tudo.

– Billie!... – chamou Andrew enquanto entravam pela casa. – Nós viemos resgatá-la...

George balançou a cabeça. Como seu irmão sobrevivera na Marinha ele nunca saberia. Andrew não levava absolutamente nada a sério.

– Billie!... – chamou de novo, cantarolando de um modo ridículo. – Onde você estááá?

– Na biblioteca – lembrou-o George.

– Ah, mas é claro que sim – disse Andrew com um sorriso esfuziante –, mas assim não é mais divertido?

Naturalmente, não esperou pela resposta.

– Billie! – chamou outra vez. – Ô *Billiebilliebilliebill...*

– Pelo amor de Deus! – A cabeça de Billie surgiu à porta da biblioteca. Seus cabelos castanhos haviam sido presos no penteado frouxo e casual de uma dama sem planos de socializar. – Estão fazendo barulho suficiente para acordar os mortos. O que estão fazendo aqui?

– Isso são modos de receber um velho amigo?

– Eu vi você ontem à noite.

– É verdade. – Andrew inclinou-se e deu-lhe um beijo fraterno no rosto. – Mas já teve de passar muitas horas longe. Precisa se reabastecer.

– Da sua companhia? – perguntou Billie com ar duvidoso.

Andrew deu um tapinha no braço dela.

– Que sorte a nossa que você tenha essa oportunidade.

George, que estava atrás do irmão, inclinou-se para a direita para vê-la e disse:

– Devo estrangulá-lo ou deixo isso com você?

Ela o recompensou com um sorriso travesso.

– Ah, deve ser um esforço conjunto, não acha?

– Para compartilharem a culpa também? – brincou Andrew.

– Para compartilharmos a alegria – corrigiu Billie.

– Assim você me magoa.

– O que me faz feliz, posso garantir. – Ela se deslocou mancando para a esquerda e olhou para George. – O que o traz aqui nesta bela manhã, lorde Kennard?

Ele encarou-a seriamente à menção ao título. Os Bridgertons e os Rokesbys não faziam questão disso a sós. Mesmo naquele momento, ninguém sequer piscara pelo fato de Billie estar sozinha com dois cavalheiros solteiros na biblioteca. Mas não era o tipo de coisa que seria permitida durante a recepção que dariam em breve. Todos sabiam bem que seus costumes casuais não seriam apropriados quando houvesse mais gente em casa.

– Fui arrastado pelo meu irmão – admitiu George. – Havia um certo receio pela segurança de sua família.

Ela estreitou os olhos.

– Mesmo?

– Ora, ora, Billie – disse Andrew. – Todos sabemos que você não fica bem quando está presa dentro de casa.

– Eu vim pela segurança *dele* – atalhou George acenando em direção a Andrew. – Embora acredite que qualquer dano que você possa lhe causar seria justificado.

Billie deu uma gargalhada, jogando a cabeça para trás.

– Venham, juntem-se a mim na biblioteca. Preciso me sentar.

Enquanto George se recuperava da visão inesperadamente maravilhosa que fora observar Billie em estado de plena alegria, ela mancou de volta até a mesa de leitura mais próxima, segurando a saia azul-clara acima dos tornozelos para se locomover mais facilmente.

– Deveria usar suas muletas – disse George a ela.

– Não vale a pena para um trajeto tão curto – replicou ela, sentando-se de volta na cadeira. – Além disso, elas caíram e daria trabalho demais pegá-las de volta.

George seguiu o olhar dela até onde as muletas estavam caídas no chão, uma em cima da outra. Ele se abaixou e pegou-as, apoiando-as delicadamente na mesa da biblioteca.

– Se precisava de ajuda – falou ele em tom tranquilo –, era só pedir.

Ela olhou para ele e piscou.

– Eu não precisava de ajuda.

George pensou em lhe dizer para não ficar tão na defensiva, mas depois percebeu que ela *não estava* na defensiva. Estava simplesmente constatando um fato. Um fato como *ela* o via.

Ele balançou a cabeça. Billie às vezes era irritantemente literal.

– O que foi isso? – perguntou ela.

Ele deu de ombros. Não tinha ideia de sobre o que ela estava falando.

– O que você ia dizer? – insistiu ela.

– Nada.

Os lábios dela se contraíram.

– Não é verdade. Você ia dizer algo.

Literal *e* persistente. Uma combinação assustadora.

– Dormiu bem? – perguntou ele de forma educada.

– É claro – disse ela, arqueando a sobrancelha apenas o suficiente para lhe mostrar que sabia que ele havia mudado de assunto. – Eu lhe falei ontem. Nunca tenho problemas para dormir.

– Você disse que nunca tinha dificuldade para pegar no sono – corrigiu ele, um pouco surpreso por ter se lembrado desse detalhe.

Ela deu de ombros.

– É praticamente a mesma coisa.

– A dor não acordou você no meio da noite?

Ela olhou para o pé como se tivesse esquecido que estava ali.

– Aparentemente não.

– Se me permitem interromper – disse Andrew, fazendo uma mesura para Billie com um aceno ridículo do braço –, estamos aqui para oferecer nossa assistência e nosso socorro da maneira que julgar necessária.

Ela lançou a Andrew o tipo de olhar que George normalmente reservava a crianças pequenas e teimosas.

– Tem certeza de que quer oferecer algo tão abrangente?

George inclinou-se até seus lábios estarem na altura da orelha dela.

– Por favor, lembre-se de que ele usa "nós" de maneira pomposa, não como um pronome plural.

Ela sorriu.

– Em outras palavras, você não quer fazer parte disso?

– De maneira alguma.

– Você insulta a dama – disse Andrew sem qualquer tom de protesto na voz.

Então se esparramou em uma das elegantes poltronas dos Bridgertons, as longas pernas esticadas, os calcanhares das botas encostando no tapete.

Billie encarou-o com ar exasperado antes de virar de novo para George.

– Por que estão aqui?

George sentou-se diante dela, do outro lado da mesa.

– Para o que ele disse, mas sem a hipérbole. Achamos que podia precisar de companhia.

– Ah. – Ela recuou um pouco, claramente surpreendida por sua franqueza. – Obrigada. É muito gentil de sua parte.

– *Obrigada, é muito gentil de sua parte?* – ecoou Andrew. – Quem é você?

Ela virou a cabeça para encará-lo.

– Eu deveria fazer uma reverência?

– Teria sido bom – observou ele.

– Impossível com essas muletas.

– Bem, se é *esse* o caso...

Billie virou-se de novo para George.

– Ele é um idiota.

George ergueu as mãos.

– Não tenho o que discutir.

– O drama do filho mais novo – disse Andrew com um suspiro.

Billie revirou os olhos, inclinando a cabeça em direção a Andrew enquanto dizia a George:

– Não o encoraje.

– Ser atacado assim – prosseguiu Andrew –, nunca ser respeitado...

George esticou o pescoço, tentando ler o título do livro de Billie.

– O que está lendo?

– E aparentemente ignorado também – continuou Andrew.

Billie virou o livro para que George pudesse ver as letras douradas do título.

– *Enciclopédia de Agricultura de Prescott.*

– Volume quatro – disse ele com ar de aprovação.

Ele tinha os três primeiros volumes na biblioteca pessoal.

– Sim, foi publicado recentemente – confirmou Billie.

– Deve ter sido muito recentemente mesmo, ou eu teria comprado da última vez que estive em Londres.

– Meu pai trouxe quando voltou da viagem mais recente. Posso emprestar quando eu terminar, se quiser.

– Ah, não, tenho certeza de que vou precisar de um exemplar só para mim.

– Para consulta – disse ela, acenando com ar de aprovação.

– Esta deve ser a conversa mais entediante que já presenciei – disse Andrew por trás deles.

Eles o ignoraram.

– Você costuma ler livros grossos assim? – perguntou George, indicando o livro de Prescott.

Ele sempre pensara que as damas preferissem pequenos volumes de poesia ou peças de Shakespeare e Marlowe. Eram o que sua irmã e sua mãe gostavam.

– Claro – respondeu ela, fechando a cara como se ele a tivesse insultado só por perguntar.

– Billie ajuda o pai com a administração das terras – contou Andrew, aparentemente cansado de debochar deles.

Em seguida, levantou-se e caminhou até as estantes, escolhendo um livro ao acaso. Folheou algumas páginas, franziu a testa e colocou-o de volta.

– Sim, você mencionou que o ajuda – disse George, olhando para Billie. – Muito singular de sua parte.

Ela estreitou os olhos.

– Isso não foi um insulto – continuou George rapidamente antes que ela pudesse abrir sua boca imprudente –, apenas uma observação.

Ela não pareceu convencida.

– Deve admitir que a maioria das jovens não auxilia os pais dessa forma – disse ele gentilmente. – Por isso mencionei sua singularidade.

– George – chamou Andrew, erguendo os olhos do livro que estava folheando –, até fazendo um elogio você soa como um idiota presunçoso.

– Eu vou matar você – murmurou George.

– Terá de entrar na fila – observou Billie, mas então baixou a voz. – Mas há uma certa verdade no que Andrew falou.

Ele recuou.

– Perdão?

– Você soou um pouco... – Ela acenou a mão no ar para não ter de terminar a frase.

– Como um idiota? – completou George.

– Não! – disse ela de maneira tão rápida e convicta que ele acreditou nela. – Só um pouco...

Ele esperou.

– Estão falando de mim? – perguntou Andrew, sentando-se de volta na cadeira com um livro na mão.

– Não – responderam em uníssono.

– Se for um elogio, eu não me importo – murmurou ele.

George o ignorou, mantendo os olhos em Billie. Ela estava franzindo a testa. Duas pequenas linhas se formaram entre suas sobrancelhas, curvando-se uma contra a outra como uma ampulheta, e seus lábios se contraíram em um biquinho curioso, quase como se estivesse prevendo um beijo.

Ele nunca a observara pensar, percebeu.

Então notou como essa constatação era surpreendentemente estranha.

– Você soou um *pouco* presunçoso – murmurou finalmente Billie, apenas para os ouvidos dos dois. – Mas acho que é compreensível?

Compreensível? Ele se inclinou para a frente.

– Por que disse isso como se fosse uma pergunta?

– Eu não sei.

Ele se recostou e cruzou os braços, erguendo uma sobrancelha para mostrar que esperava que ela continuasse.

– Está bem – disse ela, de modo nada gracioso. – Você é o mais velho, o herdeiro... o brilhante, o belo conde de Kennard... Ah, e não devemos esquecer o fato de ser um bom partido.

George sentiu um sorriso lento se espalhar pelo rosto.

– Você me acha bonito?

– É exatamente disso que estou falando!

– E brilhante também – sussurrou George. – Eu não fazia ideia.

– Está agindo como Andrew – murmurou Billie.

Por algum motivo, isso o fez rir.

Billie estreitou os olhos, irritada.

O sorriso de George se abriu ainda mais. Por Deus, era divertido provocá-la.

Ela se inclinou para a frente e, naquele momento, ele percebeu como as pessoas conseguiam falar bem com os dentes cerrados.

– Eu estava tentando ser agradável – grunhiu ela.

– Sinto muito – disse George de imediato.

Ela pressionou os lábios.

– Você me fez uma pergunta. Eu estava tentando lhe dar uma resposta sincera e ponderada. Pensei que merecia isso.

Bem, *agora sim* ele se sentia um idiota.

– Sinto muito – repetiu ele, e desta vez foi mais do que apenas por educação.

Billie deixou escapar um suspiro, e mordeu o lábio inferior. Estava pensando novamente, percebeu George. Como era interessante ver outra pessoa pensar... Será que todos eram assim tão expressivos enquanto ponderavam suas ideias?

– Tem a ver com o modo como foi criado – disse ela por fim. – Você não tem culpa... – Billie soltou o ar outra vez, mas George era paciente. Ela encontraria as palavras certas. E, depois de alguns momentos, de fato encontrou. – Você foi criado... – Mas desta vez ela se deteve.

– Para ser presunçoso? – disse ele tranquilamente.

– Para ser confiante – corrigiu ela, mas George tinha a sensação de que a palavra usada por ele estava muito mais próxima da descrição que Billie omitira. – Não é culpa sua – acrescentou ela.

– Quem está sendo condescendente agora?

Ela abriu um sorriso irônico.

– Eu, tenho certeza. Mas é verdade. Você não pode evitar assim como eu não posso evitar ser... – Ela gesticulou novamente, o que aparentemente era um hábito seu quando falava qualquer coisa estranha para ser dita em voz alta.

– O que eu sou – finalmente concluiu ela.

– O que você é – disse ele suavemente.

Disse porque tinha de dizer, mesmo que não soubesse por quê.

Billie ergueu os olhos para ele. O rosto dela permaneceu ligeiramente inclinado para baixo, e George teve a estranha sensação de que, se não a correspondesse, ela voltaria seu olhar para as mãos firmemente cerradas e o momento se perderia para sempre.

– O que você é? – sussurrou ele.

Ela balançou a cabeça.

– Não faço a menor ideia.

– Alguém está com fome? – perguntou Andrew.

George piscou, tentando se desprender de qualquer que fosse o feitiço que fora lançado sobre ele.

– Porque eu estou – continuou Andrew. – Faminto. Completamente. Só tomei um café da manhã hoje.

– *Um* café da manhã? – começou a dizer Billie, mas Andrew já estava de pé, aproximando-se dela.

Ele apoiou as mãos na mesa, inclinando-se para murmurar:

– Eu esperava ser convidado para tomar chá.

– É claro que está convidado para tomar chá – disse Billie, mas sentia-se tão desnorteada quanto George. Ela franziu a testa. – Mas é um pouco cedo.

– Nunca é cedo demais para chá – declarou Andrew. – Não se sua cozinheira tiver feito biscoito amanteigado. Ele virou para George e acrescentou: – Não sei o que ela coloca no biscoito, mas fica divino.

– Manteiga – falou Billie. – Muita manteiga.

Andrew inclinou a cabeça para o lado.

– Bem, faz sentido. Tudo fica melhor com muita manteiga.

– Devíamos chamar Georgiana para se juntar a nós – disse Billie, pegando as muletas. – Eu deveria ajudá-la a planejar os entretenimentos para a recepção aqui em casa. – Billie revirou os olhos antes de acrescentar: – Ordens da minha mãe.

Andrew deixou escapar uma risada.

– Sua mãe *conhece* você?

Billie lançou um olhar irritado para ele por cima do ombro.

– Sério, cabritinha, o que irá sugerir? Que os convidados sigam até o gramado ao sul para plantar cevada?

– Pare – disse George.

Andrew virou-se de um salto.

– O que foi isso?

– Deixe-a em paz.

Andrew olhou para ele por tanto tempo que George não pôde deixar de se perguntar se falara em alguma língua desconhecida.

– É a Billie – concluiu Andrew por fim.

– Eu sei. E você deveria deixá-la em paz.

– Posso me defender sozinha, George – falou Billie.

Ele olhou para ela.

– É claro que pode.

Os lábios de Billie se entreabriram, mas ela parecia não saber como responder.

Andrew olhou de um para o outro antes de fazer uma ligeira mesura para Billie.

– Queira me desculpar.

Billie assentiu, sem graça.

– Talvez eu possa ajudar no planejamento – sugeriu Andrew.

– Certamente será melhor nisso do que eu – observou Billie.

– Bem, isso nem é necessário dizer.

Ela o cutucou na perna com uma de suas muletas.

E assim, percebeu George, estava tudo de volta ao normal.

Só que não estava. Não para ele.

CAPÍTULO 9

Quatro dias depois

Era notável – não, *inspirador* –, concluiu Billie, a rapidez com que ela se livrara das muletas. Era claro que estava tudo na mente.

Força. Coragem.

Determinação.

Além disso, era bastante útil a habilidade de ignorar a dor.

Não doía *tanto* assim, ponderou ela. Sentia só umas fisgadas. Ou talvez algo mais próximo de um prego sendo martelado em seu tornozelo a intervalos correspondentes à velocidade com que dava seus passos.

Mas não um prego muito grande. Um pequeno. Um alfinete, na verdade.

Ela era forte. Todos diziam isso.

De qualquer forma, a dor não era tão ruim quanto o atrito sob os braços, causado pelas muletas. E ela não planejava fazer uma caminhada de oito quilômetros. Só queria poder andar pela casa com os próprios pés.

No entanto, seus passos estavam consideravelmente mais lentos do que o habitual quando se dirigiu à sala de estar algumas horas depois do café da manhã. Thamesly lhe informara que Andrew a aguardava. Não era bem uma surpresa; Andrew a visitara todos os dias desde que se machucara.

Era muito gentil da parte dele.

Eles vinham construindo castelos de cartas, uma escolha um tanto perversa para Andrew, cujo braço dominante ainda estava imobilizado em uma tipoia. Ele dissera que, já que estava indo ali para lhe fazer companhia, podia muito bem fazer algo útil.

Billie não se importou em ressaltar que construir um castelo de cartas podia muito bem ser a definição de algo *nada* útil.

Por ter que trabalhar usando apenas uma mão, Andrew precisava de ajuda para equilibrar as primeiras cartas, mas, depois disso, conseguia colocar as outras tão bem quanto Billie.

Até melhor, na verdade. Billie havia esquecido como ele era incrivelmente bom em construir castelos de cartas... *e* como se tornava estranhamente obcecado durante o processo. O dia anterior tinha sido o pior. Assim que completaram o primeiro nível, ele a expulsara da tarefa. Então a expulsara de toda a área, alegando que ela respirava forte demais.

O que, é claro, não a deixara escolha se não espirrar.

Talvez Billie também tenha chutado a mesa.

Houvera um momento fugaz de arrependimento quando tudo caíra em um terremoto espetacular, mas o olhar de Andrew valera a pena, mesmo que ele tenha ido embora logo após o colapso.

Mas isso havia sido no dia anterior e, conhecendo bem Andrew, ele iria querer começar tudo de novo, rumo à construção de um maior e melhor, pela quinta vez. Sendo assim, Billie pegara mais dois baralhos a caminho da sala de estar. Deveria ser o suficiente para ele adicionar mais um ou dois andares à sua próxima obra-prima arquitetônica.

– Bom dia – disse ela ao entrar na sala de estar.

Ele estava de pé junto a um prato de biscoitos que alguém deixara na mesa que ficava atrás do sofá. Uma criada, provavelmente. Uma das mais tolas. Estavam sempre rindo à toa para ele.

– Vejo que abandonou as muletas – disse ele, assentindo com ar aprovador. – Parabéns.

– Obrigada.

Ela olhou em torno da sala. Ainda nada de George. Ele não a visitara desde aquela primeira manhã na biblioteca. Não que ela esperasse que ele fosse fazer isso. Não eram amigos.

Não eram *inimigos*, é claro. Apenas não eram amigos. Nunca tinham sido. Embora talvez fossem um pouco... agora.

– Qual é o problema? – perguntou Andrew.

Billie piscou.

– Nenhum.

– Você está franzindo a testa.

– Não estou franzindo a testa.

Ele a encarou de maneira condescendente.

– Você consegue ver o próprio rosto?

– Você está aqui para me animar.

– Deus do céu, é claro que não. Estou aqui pelos biscoitos amanteigados. – Andrew estendeu a mão e pegou algumas cartas da mão dela. – E talvez para construir um castelo.

– Enfim, alguma sinceridade.

Andrew riu e se jogou no sofá.

– Nunca escondi minhas motivações.

Billie piscou diante do comentário. Andrew comera uma quantidade surpreendente de biscoitos amanteigados nos últimos dias.

– Você seria mais gentil comigo – continuou ele – se soubesse como a comida em um navio é horrível.

– Em uma escala de um a dez?

– Doze.

– Sinto muito – falou ela com uma careta.

Billie sabia como Andrew gostava de doces.

– Eu sabia no que estava me metendo. – Ele fez uma pausa e franziu a testa, pensativo, antes de prosseguir: – Não, na verdade acho que não sabia.

– Não entraria na Marinha se tivesse percebido que não haveria biscoitos?

Andrew deu um suspiro profundo.

– Às vezes, um homem deve fazer os próprios biscoitos.

Várias cartas caíram da mão dela.

– *O quê?*

– Acredito que ele esteja usando biscoitos no lugar de destino – veio uma voz da porta.

– George! – exclamou Billie.

Com surpresa? Com alegria? O que era *aquilo* em sua voz? E por que justamente *ela* não conseguia entender?

– Billie – murmurou ele, curvando-se de maneira educada.

Ela olhou para ele fixamente.

– O que está fazendo aqui?

A boca dele se moveu em uma expressão seca que, com toda a sinceridade, não poderia ser chamada de sorriso.

– Sempre um exemplo de gentileza.

– Bem... – ela se abaixou para recolher as cartas que tinha deixado cair, tentando não tropeçar na beirada de renda da saia –, você ficou quatro dias sem vir me visitar.

George abriu um sorriso de fato.

– Então sentiu minha falta.

– Não! – Ela o fulminou com o olhar, estendendo a mão para pegar o valete de copas. O patife irritante tinha ido parar debaixo do sofá. – Não seja ridículo. Thamesly não falou que estava aqui. Só mencionou Andrew.

– Eu estava cuidando dos cavalos – explicou George.

Ela de imediato olhou para Andrew, a surpresa dando cor ao seu rosto.

– Veio cavalgando?

– Bem, eu tentei – admitiu Andrew.

– Viemos bem devagar – garantiu George, estreitando os olhos antes de perguntar: – Onde estão suas muletas?

– Não estou mais usando – respondeu Billie, sorrindo com orgulho.

– Isso eu posso ver.

A testa de George se franziu.

– Mas quem lhe disse que podia deixar de usá-las?

– Ninguém – disse ela, irritada.

Quem diabo ele pensava que era? Seu pai? Não, definitivamente ele não era seu pai. Isso era...

Ugh.

– Levantei da cama – disse ela com exagerada paciência –, dei um passo e decidi sozinha.

George bufou.

Ela deu um passo atrás.

– O que isso quer dizer?

– Permita-me traduzir – disse Andrew do sofá, onde ainda estava esparramado como um menino.

– Eu *sei* o que quer dizer – disparou Billie.

– Ah, Billie.

Andrew suspirou e ela se virou para encará-lo.

– Você precisa sair de casa – disse ele.

Como se ela *não* soubesse disso. Então virou de volta para George.

– Por favor, perdoe minha falta de educação. Não esperava por você hoje.

Ele ergueu as sobrancelhas, mas aceitou as desculpas com um aceno de cabeça e sentou-se depois dela.

– Precisamos alimentá-lo – falou Billie, inclinando a cabeça em direção a Andrew.

– E lhe dar água também? – murmurou George, como se Andrew fosse um cavalo.

– Estou bem aqui! – protestou Andrew.

George indicou o exemplar do *London Times*, fresquinho na mesa ao lado dele.

– Importa-se?

– Nem um pouco – respondeu Billie.

Nem de longe ela esperava que George tivesse ido até lá para entretê-la. Mesmo que tivesse sido essa a desculpa para ter aparecido. Ela se inclinou para a frente, batendo de leve no ombro de Andrew.

– Gostaria que eu começasse?

– Por favor, e depois não toque mais.

Billie olhou para George. O jornal ainda estava dobrado em seu colo, e ele observava os dois com curiosidade.

– No centro da mesa – apontou Andrew.

Billie lançou-lhe olhar irritado.

– Autoritário como sempre.

– Eu sou um artista.

– Um arquiteto – disse George.

Andrew ergueu os olhos, como se tivesse esquecido que seu irmão estava ali.

– Sim – murmurou ele. – Dos bons.

Billie deslizou da cadeira e se ajoelhou em frente à mesa baixa, ajustando seu peso para não pressionar o pé machucado. Escolheu duas cartas da pilha bagunçada perto da beirada da mesa e equilibrou-as na forma de um *V* de ponta-cabeça. Com cuidado, tirou os dedos e esperou para ver se estavam firmes.

– Muito bem – falou George.

Billie sorriu, incrivelmente satisfeita com o elogio.

– Obrigada.

Andrew revirou os olhos.

– Andrew – disse Billie, usando mais duas cartas para acrescentar outro *V* invertido ao lado do primeiro –, você se torna uma pessoa *absolutamente* irritante quando faz isso.

– Mas faço meu trabalho.

Billie ouviu George rir, depois o ruído do papel quando abriu o jornal e dobrou-o de forma a poder lê-lo. Ela balançou a cabeça, concluiu que Andrew tinha muita sorte por ela ser sua amiga e colocou mais algumas cartas no lugar.

– Isso é suficiente para o senhor começar? – perguntou a Andrew.

– Sim, obrigado. Cuidado com a mesa quando se levantar.

– Você também se comporta desse modo quando está embarcado? – perguntou Billie, mancando até o outro lado da sala para pegar seu livro antes de se acomodar novamente. – É um espanto alguém aguentá-lo.

Andrew estreitou os olhos – em direção à construção de cartas, não a ela – e colocou uma carta no lugar.

– Faço meu trabalho – repetiu ele.

Billie virou-se para George. Ele observava o irmão com algo peculiar em suas feições. A testa estava franzida, mas a expressão não estava exatamente fechada. Os olhos estavam muito brilhantes e curiosos para isso. Toda vez que piscava, seus cílios se moviam como um leque, graciosos e...

– Billie?

Ah, meu Deus, George a pegara olhando para ele.

Bem, mas *por que* ela estava olhando para ele?

– Perdão – murmurou ela. – Estava perdida em pensamentos.

– Espero que pensando em algo interessante.

Ela engasgou antes de falar:

– Na verdade, não.

Então se sentiu uma pessoa horrível, insultando-o sem que ele soubesse. E sem sequer pretender.

– Ele está diferente – disse ela, indicando Andrew. – Acho isso muito desconcertante.

– Nunca o viu assim antes?

– Não, já vi. – Ela olhou da cadeira para o sofá e escolheu o sofá. Andrew agora estava no chão, e provavelmente não retomaria seu lugar de volta tão cedo. Ela se sentou, apoiando-se no braço e estendendo as pernas. Sem nem pensar no que estava fazendo, pegou o cobertor que estava dobrado nas costas do sofá e abriu-o sobre elas. – E ainda assim acho desconcertante.

– É surpreendente que ele seja tão preciso – disse George.

Billie ponderou aquilo.

– Surpreendente porque...?

George deu de ombros e apontou para o irmão.

– Quem imaginaria que ele é capaz de algo assim?

Billie pensou por um instante, então concluiu que concordava.

– Estranhamente, faz sentido.

– Ainda consigo ouvi-los, vocês sabem, certo? – disse Andrew.

Colocara mais umas dez cartas no lugar e se afastara alguns centímetros para examinar o castelo de vários ângulos.

– Creio que não estávamos tentando ser discretos – disse George de forma tranquila.

Billie sorriu para si mesma e deslizou o dedo para o ponto certo em seu livro. Era um desses volumes que vinham com uma fita para se usar como marcador.

– Só para você saber – disse Andrew, caminhando para o outro lado da mesa –, vou matá-lo se derrubar isso.

– Irmão – disse George com seriedade –, mal estou respirando.

Billie conteve uma risadinha. Raramente via esse lado de George, seco e provocador. Normalmente, irritava-se tanto com Billie, Andrew e todo o resto ao redor que aparentava não ter nenhum senso de humor.

– É o *Prescott*? – perguntou George.

Billie virou para olhar para ele por cima do ombro.

– Sim.

– Está fazendo um bom progresso.

– Mesmo sem muita vontade, posso garantir. É muito árido.

Andrew não ergueu os olhos, mas disse:

– Está lendo uma enciclopédia da agricultura e está reclamando que é muito árida?

– O volume anterior é brilhante – protestou Billie. – Eu mal conseguia parar de ler.

Mesmo estando de costas, era óbvio que Andrew revirava os olhos.

Billie voltou sua atenção para George, que, justiça seja feita, nem uma vez a criticara por suas escolhas de leitura.

– Acho que é por conta do tema. Ele parece focar muito no adubo desta vez.

– Adubo é importante – disse George, os olhos brilhando em um rosto impressionantemente sério.

Ela o encarou com a mesma seriedade. E talvez com os lábios um pouco repuxados.

– Adubo é adubo.

– Meu Deus, vocês dois me fazem querer arrancar meus cabelos – grunhiu Andrew.

Billie bateu no ombro dele.

– Você sabe que nos ama.

– Não me toque – advertiu ele.

Ela olhou de volta para George.

– Ele é cheio de não me toques.

– Péssimo trocadilho, Billie – ralhou Andrew.

Ela deixou escapar uma risada discreta e voltou para o livro.

– De volta ao adubo.

Billie tentou ler. Tentou mesmo. Mas aquele *Prescott* era muito entediante, e, toda vez que George se movia, o jornal dele fazia barulho e Billie *tinha* de erguer os olhos.

Mas então *ele* erguia os olhos. E ela precisava fingir que estava observando Andrew. E, então, de fato observava Andrew, porque era estranhamente fascinante ver um homem construir um castelo de cartas usando apenas uma mão.

De volta ao *Prescott*, repreendeu-se ela. Por mais entediante que fosse ler sobre adubo, tinha de seguir em frente. E conseguiu, de alguma forma. Uma hora se passou em meio ao agradável silêncio, ela no sofá com o livro, George na cadeira com o jornal e Andrew no chão com as cartas. Passou pela parte de cobertura orgânica feita de palha, e depois de turfa. Até que, em dado momento, simplesmente não suportava mais continuar com aquilo.

Ela suspirou, e não de maneira elegante.

– Estou muito entediada.

– Exatamente a coisa certa a dizer a alguém que lhe faz companhia – brincou Andrew.

Ela olhou para ele meio de lado.

– Você não conta como companhia.

– George conta?

George ergueu os olhos do jornal.

Ela deu de ombros.

– Suponho que não.

– Eu conto – disse George.

Billie piscou. Não tinha percebido que ele estava prestando atenção.

– Eu conto – repetiu, e, se Billie não estivesse olhando para ele, não acreditaria que a fala tinha vindo dali.

E teria perdido o fogo no olhar dele quente e intenso, ardendo por menos de um segundo antes que o abafasse e voltasse a atenção para o jornal.

– Você trata Andrew como a um irmão – disse George, virando uma página com movimentos lentos e deliberados.

– E você eu trato...

Ele olhou para ela.

– Não como a um irmão.

Os lábios de Billie se entreabriram. Ela não conseguia desviar o olhar. E então *precisou* desviar o olhar, porque se sentia muito estranha, e de repente tornou-se imperativo que voltasse para os adubos.

Mas George fez um barulho, ou talvez apenas tenha respirado, e ela não pôde se controlar: estava olhando para ele de novo.

Ele tinha um cabelo bonito, pensou. Ficava feliz por ele não cobri-lo de pó, pelo menos não todos os dias. Era espesso e levemente ondulado, e parecia que ficaria cacheado se crescesse mais. Ela bufou baixinho. Sua criada não adoraria um cabelo assim? Billie geralmente só prendia o cabelo em uma trança, mas às vezes tinha de se arrumar mais. Haviam tentado tudo – pinças quentes, fitas molhadas –, mas ele simplesmente não cacheava.

Também gostava da cor do cabelo de George. Era de um tom caramelo, vivo e lustroso, com pontas douradas. Podia apostar que ele às vezes se esquecia de usar chapéu ao sol. Ela era assim também.

Era interessante como todos os Rokesbys tinham os olhos exatamente da mesma cor, mas os cabelos variavam em tons de castanho. Ninguém era loiro ou ruivo, mas, apesar de serem todos morenos, ninguém tinha a mesma cor.

– Billie? – chamou George, parecendo achar tudo engraçado e confuso ao mesmo tempo.

Ah, mas que diabo, George a pegara olhando para ele novamente. Billie abriu um discreto sorriso.

– Estava pensando em como você e Andrew se parecem – disse ela.

Não deixava de ser um pouco verdade.

Andrew levantou a cabeça ao ouvir isso.

– Acha mesmo?

Não, pensou ela, mas respondeu:

– Bem, os dois têm olhos azuis.

– Assim como a metade da Inglaterra – disse Andrew secamente.

Então deu de ombros e voltou ao trabalho, a língua entre os dentes enquanto ponderava o próximo passo.

– Minha mãe sempre fala que temos orelhas iguais – comentou George.

– *Orelhas?*

A mandíbula de Billie se abriu ligeiramente.

– Nunca ouvi falar de ninguém que comparasse orelhas.

– Até onde sei, ninguém compara, além da minha mãe.

– Lóbulos soltos – interferiu Andrew.

Não olhou para Billie, mas usou a mão boa para beliscar o próprio lóbulo.

– Os da nossa mãe são presos.

Billie tocou o próprio lóbulo. Agora não havia como deixar de fazer isso.

– Eu nunca tinha percebido que havia mais de um tipo.

– O seu também é preso – falou Andrew sem olhar para cima.

– Já tinha notado?

– Observo orelhas – contou ele sem constrangimento. – Não posso evitar agora.

– Nem eu – admitiu George. – Culpa da nossa mãe.

Billie piscou algumas vezes, ainda segurando o lóbulo.

– Eu simplesmente não...

Ela franziu a testa e virou as pernas para longe do sofá.

– Cuidado! – disparou Andrew.

Ela lançou-lhe um olhar profundamente irritado, não que ele estivesse prestando atenção, e se inclinou para a frente.

Andrew virou lentamente.

– Está examinando minhas orelhas?

– Só estou tentando ver a diferença. Como falei, nunca tinha percebido que havia mais de um tipo.

Ele gesticulou em direção ao irmão.

– Examine a de George, se quiser. Aqui você está muito perto da mesa.

– Eu preciso dizer, Andrew – falou ela, afastando-se cuidadosamente para o lado até ficar longe do espaço entre o sofá e a mesa –, esse castelo é como uma doença para você.

– Alguns homens procuram a bebida... – disse ele com ar travesso.

George levantou-se, vendo que Billie estava de pé.

– Ou as cartas – completou ele com um meio sorriso.

Billie deu uma risada.

– Quantos andares acha que ele já construiu? – perguntou George.

Billie inclinou-se para a direita; Andrew estava bloqueando sua visão. Um, dois, três, quatro...

– Seis – respondeu ela.

– Realmente impressionante.

Billie curvou os lábios em um sorriso.

– É isso que é preciso para impressioná-lo?

– Provavelmente.

– Parem de falar – disparou Andrew.

– Movemos o ar com nossa respiração – explicou Billie, dando à declaração uma seriedade desnecessária.

– Entendo.

– Ontem, eu espirrei.

George virou-se para ela, completamente admirado.

– Excelente.

– Preciso de mais cartas – avisou Andrew.

Ele se afastou lentamente da mesa, deslizando pelo tapete como um caranguejo até ficar longe o bastante para se levantar sem arriscar derrubar nada.

– Não tenho – disse Billie. – Quero dizer, tenho certeza de que temos, mas não sei onde estão. Eu lhe trouxe os dois últimos baralhos da sala de jogos.

– Não é suficiente – murmurou Andrew.

– Pergunte ao Thamesly – sugeriu ela. – Se alguém sabe onde encontrar mais cartas, esse alguém é ele.

Andrew assentiu devagar, como se estivesse assimilando tudo na mente. Então virou-se e disse:

– Vocês terão de sair de onde estão.

Ela olhou para ele.

– Perdão?

– Não podem ficar aqui. Estão perto demais.

– Andrew, você enlouqueceu – falou ela com franqueza.

– Mas se continuarem aí vão derrubá-lo...

– Apenas vá – pediu Billie.

– Se vocês...

– Vá logo! – gritaram juntos ela e George.

Andrew fulminou os dois com o olhar e saiu da sala.

Billie olhou para George. Ele olhou para ela.

Os dois caíram na gargalhada.

– Não sei quanto a você – começou Billie –, mas eu vou para o outro lado da sala.

– Ah, mas então está admitindo a derrota.

Ela lhe lançou um olhar sobre o ombro enquanto se afastava.

– Prefiro pensar nisso como autopreservação.

George riu e seguiu-a até as janelas.

– A ironia é que Andrew é péssimo em jogos de cartas – comentou ele.

– Jura?

Billie franziu a testa. Era estranho, mas achava que nunca tinha jogado cartas com Andrew.

– Em todos os jogos de azar, na verdade – prosseguiu George. – Se algum dia precisar ganhar dinheiro de alguém, jogue contra ele.

– Infelizmente, não me arrisco.

– Com cartas – rebateu ele.

Billie teve a sensação de que ele quisera soar engraçado, mas, para os seus ouvidos, soara condescendente ao extremo. Ela franziu a testa.

– O que quis dizer com isso?

George olhou para ela como se estivesse ligeiramente surpreso com a pergunta.

– Só que você arrisca sua vida com alegria o tempo todo.

Ela contraiu o queixo.

– Isso é um absurdo.

– Billie, você caiu de uma árvore.

– Em cima de um *telhado*.

Ele quase riu.

– E isso contraria meu argumento *de que forma*?

– Você teria feito o mesmo que eu – insistiu ela. – Na verdade, fez.

– Ah, é?

– Eu subi na árvore para salvar um gato – disse ela, e então o cutucou no ombro com o dedo indicador. – Você, para me salvar.

– Em primeiro lugar, não subi na árvore – rebateu ele. – E, em segundo, está se comparando a um gato?

– Sim. Não!

Pela primeira vez, ela agradeceu por estar com o pé machucado. Ou o teria batido com força no chão.

– O que teria feito se eu não tivesse aparecido? – perguntou ele. – Sério, Billie. O que teria feito?

– Eu teria ficado bem.

– Tenho certeza de que sim. Você tem uma sorte do diabo. Mas sua família teria ficado desesperada e, provavelmente, todos da região teriam sido chamados para procurá-la.

Maldição. George estava certo, e isso só piorava as coisas.

– Acha que não sei disso? – indagou ela, baixando a voz até estar sibilando.

Ele olhou para ela apenas por tempo suficiente para deixá-la desconfortável.

– Não, não acho.

Ela respirou fundo.

– Tudo o que eu faço é pelas pessoas daqui. Minha vida inteira... tudo. Estou lendo uma maldita enciclopédia de agricultura – observou ela, acenando em direção ao livro em questão. – Volume *quatro*. Quem mais você conhece que...

As palavras foram sufocadas de repente, e passaram-se vários instantes antes que ela continuasse:

– Realmente acredita que me importo tão pouco assim?

– Não – disse George, a voz devastadoramente baixa e tranquila. – Acho você imprudente.

Ela recuou.

– Não posso acreditar que pensei que estivéssemos nos tornando amigos.

Ele não disse nada.

– Você é uma pessoa terrível, George Rokesby. É impaciente, intolerante e...

Ele agarrou o braço dela.

– Pare com isso.

Billie puxou o braço de volta, mas os dedos dele estavam firmemente colados à sua pele.

– Por que se deu ao trabalho de vir? Você só olha para mim para encontrar defeitos.

– Não seja tola – zombou ele.

– É verdade – rebateu ela. – Você não se vê quando está perto de mim. Tudo o que faz é franzir a testa e repreender e... e... tudo com relação a você. Sua maneira de agir, suas expressões. É muito reprovador.

– Está sendo ridícula.

Ela balançou a cabeça. Sentiu-se quase revelando algo.

– Você desaprova tudo que tem a ver comigo.

Ele caminhou em direção a ela, apertando a mão em torno do seu braço.

– Isso está tão longe da verdade que chega a ser risível.

Billie ficou boquiaberta.

Então percebeu que George parecia tão chocado com as próprias palavras quanto ela.

E que ele estava muito próximo.

Ela ergueu o queixo, fitando os olhos dele.

E ficou sem ar.

– Billie – sussurrou ele, e levantou a mão como se para tocar o rosto dela.

CAPÍTULO 10

Ele quase a beijou.

Santo Deus, ele quase beijou Billie Bridgerton.

Tinha de sair logo dali.

– Está tarde – disparou George.

– O quê?

– Está tarde. Preciso ir.

– Não está tarde – disse ela.

Billie piscava rapidamente. Parecia confusa.

– Do que você está falando?

Eu não sei, George quase respondeu.

Ele quase a beijara. Seus olhos haviam baixado até a boca de Billie e ele ouvira o breve sussurro da respiração dela passando pelos lábios, e sentira--se chegar mais perto, desejando...

Ardendo.

Ele rezou para que ela não tivesse percebido. Com certeza Billie nunca tinha sido beijada antes. Não devia saber o que estava acontecendo.

Mas ele a desejara. Por Deus, como a desejara... Aquilo o atingira como uma onda, avançando furtivamente a princípio e então o inundando com tanta força e rapidez que George mal conseguiu pensar direito.

O desejo ainda não tinha passado.

- George? - chamou ela. - Algum problema?

Os lábios dele se entreabriram. Ele precisava respirar.

Ela o observava com uma curiosidade quase cautelosa.

- Você estava me repreendendo - lembrou ela.

Ele estava bem certo de que seu cérebro ainda não retomara o funcionamento normal. Piscou, tentando assimilar as palavras de Billie.

- Gostaria que eu continuasse?

Ela fez que não com a cabeça.

- Na verdade, não.

Ele passou a mão pelo cabelo e tentou sorrir. Era o melhor que podia fazer.

Billie franziu a testa, preocupada.

- Tem certeza de que está bem? Está muito pálido.

Pálido? Ele sentia como se estivesse em *chamas*.

- Perdão - pediu ele. - Acho que estou um pouco... - O quê? Um pouco o quê? Cansado? Com fome? Ele pigarreou e decidiu: - Zonzo.

Ela parecia não ter acreditado nele.

- Zonzo?

- Foi de repente - respondeu ele.

Isso era verdade.

Ela foi em direção à corda da sineta.

- Devo pedir algo para comer? Quer se sentar?

- Não, não - disse ele, ainda atordoado. - Estou bem.

- Você está bem - repetiu Billie, praticamente irradiando descrença.

Ele assentiu.

- Não está mais zonzo.

- De forma alguma.

Billie o encarava como se ele tivesse enlouquecido. O que era bem possível. George não conseguia pensar em nenhuma outra explicação.

– É melhor eu ir embora – concluiu ele.

Então virou e foi caminhando até a porta. Queria sair dali quanto antes.

– George, espere!

Por pouco. Mas ele parou. Tinha de parar. Sair da sala quando uma dama o chamava seria o mesmo que cuspir na cara do rei. As regras de etiqueta estavam em seu sangue.

Ao se virar, viu que Billie havia se aproximado vários passos.

– Não acha que deveria esperar por Andrew? – perguntou ela.

George soltou o ar. Andrew. Claro.

– Ele vai precisar de ajuda, não vai? Com a montaria?

Maldição. George expirou novamente.

– Vou esperar.

Billie mordeu o lábio inferior. O lado direito. Só demonstrava preocupação com o lado direito, percebeu ele.

– Não consigo imaginar por que ele está demorando tanto – observou ela, olhando para a porta.

George deu de ombros.

– Talvez não tenha encontrado Thamesly.

Ele deu de ombros mais uma vez.

– Ou talvez minha mãe o esteja prendendo. Às vezes ela fica falando sem parar.

George começou a dar de ombros pela terceira vez, mas percebeu como parecia tolo e, em vez disso, optou por um sorriso do tipo *vai saber*.

– Bem – disse Billie, aparentemente sem mais sugestões. – Hum.

George entrelaçou as mãos atrás das costas. Olhou para a janela. Para a parede. Mas não para Billie. Para qualquer lugar, menos para Billie.

Ele ainda queria beijá-la.

Billie tossiu. George conseguiu olhar para os pés dela.

Aquilo estava sendo constrangedor.

Insano.

– Mary e Felix chegam em dois dias – contou ela.

George tentou fazer funcionar a parte do cérebro que sabia conversar.

– Os convidados todos não chegam em dois dias?

– Sim – disse Billie, parecendo um pouco aliviada por ter uma pergunta de verdade para responder –, mas os dois são os únicos com quem me importo.

George sorriu mesmo sem querer. Era a cara de Billie dar uma festa e odiar cada minuto disso. Embora, na verdade, ela não tivesse tido muita escolha; todos sabiam que a recepção tinha sido ideia de lady Bridgerton.

– Finalizaram a lista de convidados? – perguntou ele.

George sabia a resposta, é claro; tinha sido elaborada dias antes e os convites haviam sido enviados por mensageiros rápidos com ordens de aguardar a resposta.

Mas aquele silêncio precisava ser preenchido. Billie não estava mais no sofá com seu livro e nem ele na cadeira com o jornal. Não tinham acessórios, nada além deles mesmos, e, toda vez que olhava para Billie, os olhos dele recaíam sobre os lábios dela e nada... *nada* poderia estar mais errado.

Billie caminhou em direção a uma escrivaninha e bateu a mão na mesa.

– A duquesa de Westborough vai vir – falou ela. – Mamãe está muito feliz por ela ter aceitado o convite. Segundo me disseram, é uma vitória.

– Uma duquesa é sempre uma vitória – falou ele com ironia –, e geralmente uma grande chateação também.

Ela se virou e olhou para ele.

– Você a conhece?

– Fomos apresentados.

Billie pareceu melancólica.

– Imagino que tenha sido apresentado a todo mundo.

Ele pensou a respeito.

– Provavelmente – concluiu ele. – A todos que vão a Londres, pelo menos.

Como a maioria dos homens de sua posição, todos os anos George passava vários meses na capital. E costumava gostar disso. Via amigos, mantinha-se atualizado com relação a assuntos de Estado. Recentemente, vinha observando possíveis noivas; era uma empreitada muito mais tediosa do que havia previsto.

Billie mordeu o lábio.

– Ela é majestosa?

– A duquesa? Não mais majestosa do que qualquer outra duquesa.

~

– George! Sabe que não é isso que estou perguntando.

– Sim – disse ele, compadecendo-se dela –, ela é muito majestosa. Mas você vai... – Ele parou e ficou observando Billie. Com atenção. Até que por fim percebeu que os olhos dela não estavam com o brilho habitual. – Está nervosa?

Ela tirou um fio solto da manga.

– Não seja tolo.

– Porque...

– É claro que estou nervosa.

Isso o fez parar abruptamente. *Ela* estava nervosa? *Billie?*

– O quê? – perguntou ela, vendo a incredulidade no rosto dele.

Ele balançou a cabeça. O fato de Billie admitir que estava nervosa depois de todas as coisas que fizera... De todas as maluquices que aprontara com um sorriso louco no rosto... Era inconcebível.

– Você pulou de uma árvore – disse ele, enfim.

– Eu caí de uma árvore – retrucou ela com atrevimento. – E o que isso tem a ver com a duquesa de Westborough?

– Nada – admitiu ele –, só que é difícil imaginar você nervosa por causa de... – George sentiu que balançava a cabeça num movimento lento e discreto, e uma admiração relutante cresceu dentro dele. Billie não tinha medo. Sempre fora destemida. – Por causa de qualquer coisa.

Ela pressionou os lábios um contra o outro.

– Você já dançou comigo?

Ele olhou para ela, perplexo.

– O quê?

– Já dançou comigo? – repetiu ela, a voz beirando a impaciência.

– Sim? – disse George, alongando a palavra em tom de pergunta.

– Não – retrucou ela –, não dançou.

– Isso não pode ser possível – disse ele.

É claro que já tinha dançado com Billie. Ele a conhecia a vida inteira.

Ela cruzou os braços.

– Você não sabe dançar? – perguntou ele.

O olhar que Billie lançou a ele foi pura irritação.

– Mas é claro que sei dançar.

George queria matá-la.

– Não sou uma grande dançarina – continuou ela –, mas sou boa o suficiente, acredito. Essa não é a questão.

George tinha certeza de que aquela era uma questão em que *não havia* questão.

– A questão é que você nunca dançou comigo porque *não vou* a bailes – prosseguiu Billie.

– Talvez devesse.

Ela franziu a testa.

– Meu caminhar não é leve, não sei flertar e, na última vez em que tentei usar um leque, acertei o olho de alguém. – Billie cruzou os braços. – Com certeza não sei fazer um cavalheiro sentir-se mais inteligente, forte e melhor do que eu.

Ele riu.

– Estou bastante certo de que a duquesa de Westborough é uma dama.

– George!

Ele recuou, surpreso. Ela estava realmente aborrecida.

– Perdão – disse ele, observando Billie com atenção e até um pouco de cautela.

Ela parecia hesitante, mexendo nervosamente nas dobras da saia. A testa estava franzida em uma ruga forte e melancólica. Ele nunca a tinha visto assim.

Ele não conhecia aquela garota.

– Não me saio bem com pares refinados – disse Billie em voz baixa. – Eu não... não sou boa nisso.

George percebeu que não devia fazer outra piada, mas não sabia quais eram as palavras de que ela precisava. Como se conforta um furacão? Como tranquilizar a garota que fazia tudo muito bem e depois fazia tudo ao contrário só por diversão?

– Você se comporta perfeitamente bem quando janta em Crake – falou ele, embora soubesse que não era a isso que ela estava se referindo.

– Isso não conta – disse ela com impaciência.

– Quando está no povoado...

– Mesmo? Você vai comparar os aldeões a uma *duquesa*? Além disso, conheço os aldeões desde sempre. Eles *me* conhecem.

George pigarreou.

– Billie, você é a mulher mais confiante e competente que conheço.

– Eu irrito você – observou ela francamente.

– É verdade – concordou ele, embora tal irritação estivesse adquirindo uma tonalidade perturbadoramente diferente nos últimos tempos. – Mas você é uma Bridgerton – continuou, tentando organizar as palavras na ordem adequada. – Filha de um visconde. Não há razão para não manter a cabeça erguida em qualquer salão.

Billie bufou com desdém.

– Você não entende.

– Então me explique.

Para sua grande surpresa, ele percebeu que realmente queria saber.

Ela não respondeu de imediato. Nem sequer estava olhando para ele. Ainda estava apoiada na mesa e seus olhos pareciam fixos nas mãos. Então ergueu os olhos, brevemente, e ocorreu a George que ela estava tentando verificar se ele estava sendo sincero.

Ele se sentiu insultado, e depois não mais. Não estava acostumado a ter sua sinceridade questionada, mas, por outro lado, aquela era Billie. Eles tinham um longo histórico de implicâncias, de procurarem o pior ponto fraco do outro, pequeno e indefeso.

Mas isso estava mudando. *Tinha mudado* ao longo da última semana. Ele não sabia por quê; *nenhum dos dois* havia mudado.

Seu respeito por ela já não era tão dúbio. Ah, ele ainda a achava mais do que cabeça-dura e imprudente ao extremo, mas, sob tudo isso, havia um coração sincero.

George achava que sabia disso desde sempre. Só estava ocupado demais sendo provocado por ela para perceber.

– Billie? – falou suavemente, chamando-a em um tom gentil.

Ela olhou para cima, contraindo um dos cantos da boca, demonstrando desamparo.

– Não é questão de manter a cabeça erguida, sabe?

Ele se assegurou de afastar qualquer traço de impaciência da voz quando perguntou:

– Então qual é o problema?

Ela olhou para ele por um longo tempo, os lábios pressionados, antes de dizer:

– Sabia que fui apresentada na corte?

– Pensei que não tivesse ido a nenhuma temporada.

– E não fui... – Billie pigarreou – ... depois disso.

Ele estremeceu.

– O que houve?

Ela não o encarou ao falar:

– Talvez eu tenha ateado fogo ao vestido de alguém.

Ele quase perdeu o equilíbrio.

– *Você ateou fogo ao vestido de alguém?*

Ela esperou com exagerada paciência, como se já tivesse tido aquela conversa antes e soubesse exatamente quanto tempo demoraria para ele assimilar a informação.

George a encarava, perplexo.

– Você ateou fogo ao vestido de alguém – repetiu ele.

– Não foi de propósito – disparou ela.

– Bem – disse ele, impressionado, mesmo tentando evitar –, creio que se alguém tivesse de...

– Não diga isso – advertiu ela.

– Como não fiquei sabendo disso? – perguntou ele.

– Foi um foco de incêndio muito pequeno – explicou ela, com recato.

– Mas ainda assim...

– É isso mesmo? – indagou ela. – Eu coloquei fogo no vestido de alguém e sua maior dúvida é como não ficou sabendo da fofoca?

– Desculpe – disse ele imediatamente, mas então não pôde deixar de perguntar (com um pouco de cautela): – Quer que eu pergunte como você conseguiu fazer isso?

– Não – respondeu ela com irritação –, e não foi por isso que toquei no assunto.

A primeira inclinação de George foi provocá-la ainda mais, mas então ela suspirou, e o som pareceu tão cansado e desconsolado que a alegria dele se desvaneceu.

– Billie – falou ele, a voz tão gentil quanto solidária –, você não pode...

Mas ela não o deixou terminar.

– Não me encaixo nos padrões, George.

Não, ela não se encaixava. Ele não tinha pensando exatamente a mesma coisa alguns dias antes? Se Billie tivesse ido a Londres para uma temporada com a irmã dele, teria sido o mais absoluto desastre. Todas as coisas que a tornavam maravilhosa e forte teriam sido sua ruína no seleto mundo da alta sociedade.

Ela seria um alvo fácil.

Nem *todos* os lordes e ladies da alta sociedade eram cruéis, mas os que eram... Usavam palavras como armas, manejando-as como baionetas.

– Por que está me contando isso? – perguntou ele.

Os lábios dela se entreabriram, e um brilho de dor perpassou seus olhos.

– Quero dizer, por que a mim? – acrescentou ele rapidamente, para que ela não pensasse que não se importava o suficiente para ouvir. – Por que não a Andrew?

Ela não falou nada. Não de imediato. E então...

– Não sei. Eu não... Andrew e eu não conversamos sobre essas coisas.

– Mary logo estará aqui – lembrou ele de maneira prestativa.

– Pelo amor de Deus, George, se não quer conversar comigo, pode simplesmente dizer.

– Não – adiantou-se ele, agarrando o pulso de Billie antes que ela virasse e saísse. – Não foi o que eu quis dizer. Fico feliz em conversar com você – assegurou-lhe. – Fico feliz em ouvir. Só pensei que você preferiria se abrir com alguém que...

Billie olhou para ele, esperando. Mas George não conseguiu dizer as palavras que estavam na ponta da língua.

Com alguém que se importe.

Porque magoariam. E seria uma atitude mesquinha. E, acima de tudo, porque não era verdade.

Ele se importava.

Bastante...

– Eu...

A palavra ficou no ar, perdida em meio aos pensamentos confusos dela, e tudo o que ele podia fazer era olhar para ela. Olhar para ela observando-o enquanto tentava se lembrar de como falar a própria língua, enquanto tentava descobrir quais eram as palavras certas, quais seriam reconfortantes. Porque ela parecia triste. E ansiosa. E ele odiava isso.

– Se quiser – retomou ele, devagar o suficiente para ordenar melhor os pensamentos enquanto falava –, tomo conta de você.

Ela o observou com cautela.

– Como assim?

– Posso me certificar de que... – George gesticulou, não que algum dos dois soubesse o que o gesto significava. – De que você está... bem.

– De que estou bem? – ecoou ela.

– Eu não sei – respondeu ele, frustrado com sua incapacidade de formular um pensamento completo, muito menos de traduzi-lo em frases de verdade. – Só que, se precisar de um amigo, estarei lá.

Os lábios de Billie se entreabriram, e ele notou um movimento em sua garganta, todas as palavras presas ali dentro, todas as emoções sob controle.

– Obrigada – disse ela. – Isso é...

– Não diga que é muito gentil da minha parte – ordenou ele.

– Por que não?

– Porque não é gentileza. É... não sei o que é – acrescentou ele, impotente. – Mas não é gentileza.

Os lábios dela tremeram em um sorriso. Um sorriso travesso.

– Muito bem – disse ela. – Você não é gentil.

– Nunca.

– Posso chamá-lo de egoísta?

– Isso seria ir longe demais.

– Presunçoso?

Ele deu um passo na direção dela.

– Agora você está forçando a barra, Billie.

– Arrogante. – Ela correu ao redor da mesa, rindo ao deixá-la entre os dois. – Ora, vamos, George. Não pode negar que é arrogante.

Algo malicioso tomou conta dele. Malicioso e quente.

– E do que devo chamá-la?

– Brilhante?

Ele se aproximou.

– Que tal enlouquecedora?

– Ah, mas isso está nos olhos de quem vê.

– Imprudente – tentou ele.

Ela fingiu ir para a esquerda quando ele fingiu ir para a direita.

– Não é imprudência se você sabe o que está fazendo.

– Você caiu em um *telhado* – lembrou ele.

Ela sorriu de um modo travesso.

– Pensei que tivesse dito que pulei.

Ele grunhiu o nome dela e avançou, perseguindo-a enquanto ela gritava:

– Eu estava tentando salvar o gato! Estava sendo nobre!

– Eu vou mostrar o que é nobreza...

Ela berrou e deu um pulo para trás.

Bem em cima do castelo de cartas.

Não foi uma queda de cartas graciosa.

Nem a queda de Billie, para dizer a verdade. Quando a poeira assentou, ela estava sentada na mesa, os destroços da obra-prima de Andrew esparramados para todos os lados.

Ela olhou para cima e disse com voz bem discreta:

– Acho que nós dois não conseguimos erguê-lo novamente.

Em silêncio, ele fez que não com a cabeça.

Billie engoliu em seco.

– Acho que posso ter machucado novamente o tornozelo.

– Gravemente?

– Não.

– Nesse caso – disse ele –, aconselho a começar falando *disso* quando Andrew voltar.

E, é claro, foi nessa hora que ele atravessou a porta.

– Machuquei o tornozelo! – praticamente gritou Billie. – Está doendo muito.

George teve de se virar. Era a única maneira de não rir.

Andrew só ficou olhando.

– De novo – disse ele enfim. – Você destruiu tudo de novo.

– Era um castelo muito bonito – falou ela com voz fraca.

– Suponho que seja um dom – disse Andrew.

– Ah, com certeza – concordou Billie com entusiasmo. – Você é excelente nisso.

– Não, estava falando de você.

– Ah. – Billie engoliu em seco... seu orgulho, provavelmente... e abriu um sorriso. – Bem, sim. Não há razão para fazer algo se não fizermos bem, não concorda?

Andrew não disse nada. George teve o impulso de bater as mãos diante do rosto dele, só para ter certeza de que ele não estava tendo uma crise de sonambulismo.

– Sinto muito mesmo – falou Billie. – Vou recompensá-lo. – Ela se levantou com dificuldade da mesa. – Embora eu realmente não saiba como.

– Foi culpa minha – disse George.

Ela se virou para ele.

– Não precisa fazer isso.

Ele ergueu as mãos para calá-la.

– Eu estava perseguindo Billie.

Isso tirou Andrew do transe.

– Perseguindo?

Maldição. George não tinha pensado direito.

– Não exatamente – tentou explicar ele.

Andrew se virou para Billie.

– Ele estava perseguindo você?

Ela não corou, mas pareceu encabulada.

– Posso tê-lo provocado...

– Provocado? – questionou George, bufando. – Você?

– Na verdade, a culpa é do gato – rebateu ela. – Eu nunca teria caído se meu tornozelo não estivesse tão fraco. – Billie franziu a testa, pensativa. – Posso culpar aquela praga sarnenta por tudo por agora em diante.

– O que está acontecendo aqui? – perguntou Andrew, virando o rosto lentamente de Billie para George e depois de volta. – Por que vocês não estão se matando?

– Tem a pequena questão da forca – murmurou George.

– Isso sem falar que sua mãe ficaria muito descontente – acrescentou Billie.

Andrew encarou-os, boquiaberto.

– Vou embora – disse ele por fim.

Billie riu.

E George... ficou sem ar. Porque já ouvira Billie rir antes. Milhares de vezes. Mas daquela vez era diferente. Soava exatamente igual, mas, quando a risada descontraída chegou aos seus ouvidos...

Foi o som mais lindo que ele já tinha ouvido.

E, provavelmente, o mais assustador. Porque ele tinha a sensação de que sabia o que significava. E, se havia uma pessoa no mundo por quem *não* se apaixonaria, essa pessoa era Billie Bridgerton.

CAPÍTULO 11

Billie não sabia exatamente o que acontecera com o tornozelo ao derrubar o castelo de cartas de Andrew, mas parecia apenas um pouco pior do que antes, então, no último dia antes da recepção em sua casa, concluiu que estava bem o suficiente para cavalgar, desde que fizesse isso de lado.

Ela não tinha escolha. Se não fosse até os campos a oeste monitorar o progresso da cultura de cevada, não sabia quem iria. Mas desmontar era difícil, o que significava que teria de levar um cavalariço com ela, embora nenhum dos dois tivesse gostado da ideia. A última coisa que o cavalariço queria era inspecionar cevada, e a última que Billie queria era ser observada por um cavalariço enquanto examinava a cevada.

Sua égua também estava mal-humorada, para completar o triunvirato dos irritados. Já fazia muito tempo que Billie não cavalgava com uma sela lateral, e Argo não gostou nem um pouco.

Nem Billie. Não tinha esquecido quanto odiava cavalgar de lado, mas *esquecera* quanto doía no dia seguinte quando estava sem prática. A cada passo, seu quadril e sua coxa direita gemiam de dor. Somando-se a isso seu tornozelo, em que ainda sentia terríveis fisgadas, era um espanto que ela não estivesse andando pela casa como um marinheiro bêbado.

Ou talvez estivesse. Os criados olharam para ela de um jeito bem estranho quando desceu na manhã seguinte para tomar café.

Imaginou que era melhor mesmo estar dolorida demais para voltar para a sela. Sua mãe deixara claro que Billie deveria permanecer em Aubrey Hall ao longo do dia. Havia quatro Bridgertons em casa naquele momento, ela dissera, e haveria quatro Bridgertons de pé à entrada para cumprimentar e receber todos os convidados.

E assim Billie estava entre sua mãe e Georgiana à uma hora, quando a duquesa de Westborough chegou em sua grandiosa carruagem com quatro cavalos, acompanhada de suas filhas (uma noiva, outra não) e a sobrinha.

Billie estava entre sua mãe e Georgiana às duas e meia, quando Henry Maynard chegou em seu enérgico coche com seu bom amigo, sir Reginald McVie.

E estava entre sua mãe e Georgiana às três e vinte, quando Felix e Mary chegaram com os vizinhos Edward e Niall Berbrooke, que eram de boa família e, por acaso, estavam em idade de se casar.

– Finalmente alguém que eu conheço – resmungou lorde Bridgerton, alongando o pescoço enquanto esperavam ordenadamente que a carruagem de Felix e Mary parasse.

– O senhor conhece os Berbrookes? – perguntou Georgiana, inclinando-se para falar com ele, que estava depois da irmã e da mãe.

– Conheço Felix e Mary – respondeu ele, e então olhou para a esposa ao perguntar: – Quando os Rokesbys chegam?

– Uma hora antes do jantar – disse ela sem virar a cabeça.

A carruagem começou a parar e, como a anfitriã perfeita que era, seus olhos estavam à porta, esperando pelos convidados.

– Pode me dizer por que eles vão dormir aqui? – perguntou ele.

– Porque será infinitamente mais divertido.

Lorde Bridgerton franziu a testa, mas, muito sabiamente, decidiu não questioná-la mais.

Billie, no entanto, não demonstrou tal controle.

– Se fosse eu – começou ela, puxando a manga de seu vestido de algodão estampado –, iria querer dormir em minha própria cama.

– Mas não é você – respondeu a mãe asperamente –, e pare de se remexer.

– Não consigo evitar. O tecido pinica.

– Acho que está lindo em você – observou Georgiana.

– Obrigada – disse Billie, desconcertada por um breve momento. – Não tenho tanta certeza com relação à parte da frente.

Ela olhou para baixo. O corpete drapeado se entrecruzava como um xale. Nunca usara nada parecido, embora sua mãe lhe assegurasse que estava na moda havia vários anos.

Seu decote era muito revelador? Levou a mão até o alfinete que segurava o linho perto da cintura. Talvez pudesse ajustá-lo com um pouco...

– Pare com isso – sibilou a mãe.

Billie suspirou.

A carruagem finalmente parou por completo, e Felix desceu primeiro, estendendo a mão para ajudar a esposa. Mary Maynard (nascida Rokesby) usava um casaco de viagem de algodão e um xale, que até mesmo Billie podia ver que estavam no auge da moda. Ficavam perfeitos nela, percebeu. Mary parecia animada e alegre dos cachos castanho-claros até as pontas dos pés calçados com elegância.

– Mary! – derramou-se lady Bridgerton, aproximando-se com os braços estendidos. – Você está radiante!

Georgiana cutucou Billie.

– Isso significa o que acho que significa?

Billie repuxou o canto da boca e deu de ombros – o código universal para *Eu não faço a menor ideia*. Mary estava grávida? E, em caso afirmativo, por que diabo sua mãe sabia disso antes dela?

Georgiana inclinou-se ligeiramente, sussurrando pelo canto da boca:

– Ela não *parece*...

– Bem, se está – interrompeu Billie, também sussurrando pelo canto da boca –, não pode estar de muito tempo.

– Billie! – exclamou Mary, apressando-se para cumprimentar a amiga com um abraço.

Billie inclinou-se para a frente, falando em voz baixa:

– Você tem algo para me contar?

Mary nem fingiu não entender.

– Não sei como sua mãe sabe – disse ela.

– Você contou para a *sua* mãe?

– Sim.

– Bem, eis a sua resposta.

Mary riu, franzindo os olhos azuis típicos dos Rokesbys da mesma forma que George quando...

Billie piscou. Apenas por um instante... Mas que diabo era *aquilo*? Desde quando George tinha o direito de importunar seus pensamentos? Talvez eles estivessem se dando um pouco melhor do que no passado, mas, ainda assim, ele não era uma distração bem-vinda.

Mary, lembrou a si mesma. Estava falando com Mary. Ou melhor, Mary estava falando com ela.

– É *tão* bom ver você! – dizia Mary, pegando as mãos de Billie.

Billie sentiu algo quente e latejante por trás dos olhos. Sabia que estava sentindo falta de Mary, mas não tinha se dado conta de quanto até então.

– Digo o mesmo – falou ela, esforçando-se ao máximo para evitar que a voz falhasse de emoção.

Não ficaria bem se desmanchar em lágrimas ali na entrada.

Não ficaria bem se desmanchar em lágrimas, ponto. Santo Deus, a mãe provavelmente mandaria chamar o *médico* antes que a primeira lágrima chegasse ao seu queixo. Billie Bridgerton *não era* chorona.

Ela não chorava. De que adiantam as lágrimas?

Ela engoliu em seco e, de alguma forma, recuperou o equilíbrio o suficiente para sorrir para Mary e dizer:

– Cartas não são a mesma coisa.

Mary revirou os olhos.

– Principalmente com você como correspondente.

– O quê? – reagiu Billie, boquiaberta. – Isso não é verdade. Escrevo cartas muitíssimo bem.

– Quando escreve – retrucou Mary.

– Eu escrevo a cada duas...

– A cada três.

– ... a cada três semanas – concluiu Billie, mantendo a voz indignada o suficiente para mascarar o fato de que havia mudado a história. – Sem falta.

– Você deveria ir me visitar – disse Mary.

– Sabe que não posso – retrucou Billie.

Mary a convidava para uma visita havia mais de um ano, mas era muito difícil Billie ter a oportunidade de se ausentar. Havia sempre algo a fazer na propriedade. E, sinceramente, não fazia muito mais sentido Mary ir até Kent, onde já conhecia todo mundo?

– Você *pode* – insistiu Mary –, mas simplesmente não vai.

– Talvez no inverno, quando não há tanto o que fazer nos campos – disse Billie.

Mary ergueu as sobrancelhas como quem não acreditava muito.

– Eu teria ido no inverno passado – insistiu Billie –, mas não fazia sentido. Você já tinha decidido vir para casa para o Natal.

Mary não alterou nem um pouco o ar duvidoso em seu rosto, e apertou a mão de Billie uma última vez antes de se virar para Georgiana.

– Meu Deus, acho que você cresceu uns dez centímetros desde a última vez que a vi.

– Improvável – disse Georgiana com um sorriso. – Você esteve aqui em dezembro.

Mary olhou de irmã para irmã.

– Acho que você vai ser mais alta do que Billie.

– Pare de dizer isso – ordenou Billie.

– Mas é verdade.

Mary sorriu, divertindo-se com a cara fechada de Billie.

– Vamos *todos* ser mais altos do que você, Billie.

E então virou na direção do marido, que apresentava os irmãos Berbrookes a lorde e lady Bridgerton.

– Querido – chamou Mary –, não acha que Georgiana cresceu bastante desde a última vez que a vimos?

Billie conteve um sorriso ao vislumbrar o olhar de mais absoluta incompreensão no rosto de Felix, antes que ele moldasse suas feições com cuidado em um carinho indulgente.

– Não faço ideia – disse ele –, mas, se você está dizendo, deve ser verdade.

– Odeio quando ele faz isso – disse Mary a Billie.

Billie não se deu ao trabalho de disfarçar o sorriso dessa vez.

– Billie – chamou Felix enquanto se aproximava para cumprimentá-las. – E Georgiana. É tão bom ver vocês novamente!

Billie cumprimentou-o com um aceno de cabeça.

– Permita-me que lhes apresente o Sr. Niall Berbrooke e o Sr. Edward Berbrooke – continuou Felix, indicando os dois cavalheiros com cabelo cor de areia ao seu lado. – Eles moram a poucos quilômetros de nós em Sussex. Niall, Ned, estas são a Srta. Sybilla Bridgerton e a Srta. Georgiana Bridgerton, amigas de infância de Mary.

– Srta. Bridgerton – falou um dos Berbrookes, curvando-se sobre a mão dela. – Srta. Georgiana.

O segundo Berbrooke repetiu os cumprimentos do irmão, depois se endireitou e abriu um sorriso um pouco ansioso. Ele a fazia lembrar de um cachorrinho, concluiu Billie, cheio de ânimo e disposição.

– Meus pais já chegaram? – perguntou Mary.

– Ainda não – respondeu lady Bridgerton. – Nós os esperamos antes do jantar. Sua mãe preferiu se vestir em casa.

– E meus irmãos?

– Vêm com seus pais.

– Suponho que faça sentido – observou Mary, meio resmungando –, mas Andrew bem que poderia ter vindo a cavalo antes. Eu não o vejo há séculos.

– Ele não está montando muito no momento – contou Billie. – Por causa do braço, você sabe.

– Isso deve estar deixando Andrew maluco.

– Acho que estaria, se ele não fosse tão bom em explorar o ferimento ao máximo.

Mary riu e passou o braço pelo de Billie.

– Vamos entrar e colocar a conversa em dia. Ah, você está mancando!

– Um acidente bobo – falou Billie, dispensando a preocupação de Mary com um aceno de mão. – Estou quase boa.

– Bem, você deve ter muito o que me contar.

– Na verdade, não – disse Billie enquanto subiam as escadas do pórtico. – Nada mudou por aqui. Não de verdade.

Mary lançou-lhe um olhar curioso.

– Nada?

– Fora Andrew estar em casa, continua tudo exatamente como sempre.

Billie deu de ombros, perguntando-se se tamanha monotonia deveria desapontar a amiga. Talvez estivesse passando um pouco mais de tempo com George, mas isso dificilmente contava como um acontecimento.

– Sua mãe não está tentando casar você com o novo vigário? – provocou Mary.

– Não temos um novo vigário, e acredito que ela esteja querendo me casar com o irmão de Felix. – Billie inclinou a cabeça. – Ou com um dos Berbrookes.

– Henry está praticamente noivo – contou Mary assertivamente –, e você *não* quer se casar com um dos Berbrookes. Confie em mim.

Billie olhou meio de lado para ela.

– Conte-me.

– Pare com isso – advertiu Mary. – Não são nada libidinosos. Ou mesmo interessantes. São adoráveis, os dois, mas tão sem graça quanto uma bengala.

– Venha, vamos para o meu quarto – chamou Billie, conduzindo-as para a escada principal. – E você sabe – acrescentou, principalmente para contrariar a amiga –, algumas bengalas, na verdade, são bastante ornamentadas.

– Não os Berbrookes.

– Por que se ofereceu para trazê-los, então?

– Sua mãe implorou! Ela me enviou uma carta de três páginas.

– *Minha* mãe? – ecoou Billie.

– Sim. Com um adendo da minha.

Billie estremeceu. A força coletiva de lady Rokesby e lady Bridgerton não podia ser facilmente ignorada.

– Ela precisava de mais cavalheiros – continuou Mary. – Não acho que previa que a duquesa de Westborough traria suas duas filhas *e* a sobrinha. E, de qualquer forma, Niall e Ned são muito gentis. Serão ótimos maridos para alguém – disse, lançando a Billie um olhar astuto. – Mas não para você.

Billie concluiu que não havia por que tomar aquilo como afronta.

– Não me vê casando com alguém gentil?

– Não a vejo casando com alguém que mal consegue ler o próprio nome.

– Ah, por favor.

– Está bem, estou exagerando. Mas isso é importante. – Mary parou no meio do corredor do andar de cima, forçando Billie a parar ao lado dela. – Você sabe que a conheço melhor do que ninguém.

Billie esperou enquanto Mary a encarava com olhar sério. Mary gostava de dar conselhos. Billie normalmente não gostava de recebê-los, mas fazia tanto tempo que não via a melhor amiga que dessa vez poderia ser paciente, concluiu. Serena, até.

– Billie, preste atenção – disse Mary com estranha urgência na voz. – Você não pode tratar a questão do casamento de maneira tão leviana. Uma hora terá de escolher um marido, e vai enlouquecer se não se casar com um homem de inteligência pelo menos igual à sua.

– Isso pressupondo-se que eu me case com alguém.

Ou, Billie não acrescentou, pressupondo-se que ela de fato tivesse *opções* de candidatos a marido.

Mary recuou.

– Não diga isso! É claro que você vai se casar. Só precisa encontrar o cavalheiro certo.

Billie revirou os olhos. Mary havia sucumbido havia muito tempo àquela doença que parecia afligir todos os recém-casados: o anseio fervoroso em ver todos os outros felizes e casados.

– Provavelmente vou me casar com Andrew – opinou Billie, dando de ombros. – Ou Edward.

Mary olhou para ela.

– O que foi? – finalmente perguntou Billie.

– Se diz isso *assim* – falou Mary com total descrença –, como se não importasse qual Rokesby verá no altar, acho que não deve se casar com nenhum deles.

– Bem, não me importo. Eu amo os dois.

– Como *irmãos*. Santo Deus, já que pensa assim, poderia muito bem casar com George.

Billie parou de modo abrupto.

– Não seja tola.

Ela, casar-se com George? Era ridículo.

– Sinceramente, Mary – disse ela, sibilando. – Não é algo nem com que se possa brincar.

– Você disse que tanto faria qualquer um dos meus irmãos.

– Não, *você* disse isso. Eu disse que tanto faria se fosse Edward ou Andrew.

Realmente Billie não entendia por que Mary estava tão chateada. Casar-se com qualquer um dos irmãos dela teria o mesmo efeito. Billie se tornaria uma Rokesby, e ela e Mary seriam irmãs de verdade. Billie achava isso maravilhoso.

Mary bateu a mão na testa e gemeu.

– Você é tão pouco romântica...

– Não vejo isso necessariamente como um defeito.

– Não – resmungou Mary –, é claro.

A intenção de Mary era fazer uma crítica, mas Billie apenas riu.

– Alguns de nós precisam ver o mundo com praticidade e bom senso.

– Mas não às custas da própria felicidade.

Durante bastante tempo, Billie não disse nada. Sentiu sua cabeça se inclinar ligeiramente para o lado e estreitou os olhos, pensativa, enquanto observava o rosto de Mary. A amiga queria o que era melhor para ela, Billie entendia isso. Mas Mary não sabia *o que* era melhor. Como poderia saber?

– Quem é você para decidir o que é a felicidade de outra pessoa? – perguntou Billie de forma tranquila.

Billie se certificou de usar palavras gentis, o tom sem nenhuma grosseria. Não queria que Mary se sentisse atacada pela pergunta; não *queria* que a pergunta representasse isso. Mas queria que Mary pensasse a respeito, que parasse por um momento e tentasse entender que, apesar da profunda amizade, elas eram pessoas fundamentalmente diferentes.

Mary ergueu os olhos, magoada.

– Eu não quis...

– Sei que não – assegurou-lhe Billie.

Mary sempre ansiara por amor e casamento. Gostara de Felix desde o momento em que o conhecera... aos 12 anos! Quando Billie tinha 12 anos, tudo com que se preocupava era a ninhada de cachorros no celeiro e se conseguiria escalar o velho carvalho mais rápido que Andrew.

Verdade fosse dita, ainda se preocupava com isso. Seria um grande golpe se ele alcançasse o galho mais alto antes dela. Não que fossem testar isso em breve, com o braço dele e o tornozelo dela naquele estado. Mas, ainda assim, essas questões eram *importantes*.

Não que Mary algum dia fosse ver as coisas desse jeito.

– Sinto muito – disse Mary, o sorriso um pouco tenso. – Eu acabei de chegar, não tinha o direito de ser tão enfática.

Billie quase perguntou se isso significava que Mary tinha planos para sê-lo depois, durante a visita. Mas não falou nada.

Que comedida... Quando ela ficara tão madura?

– Por que está sorrindo? – perguntou Mary.

– O quê? Não estou sorrindo.

– Ah, está sim.

E porque Mary era sua melhor amiga, mesmo quando tentava lhe dizer como viver a vida, Billie riu e deu o braço a ela.

– Se quer saber, eu estava me congratulando por não ter feito um comentário irônico sobre o que você disse.

– Que comedida... – disse Mary, ecoando precisamente os pensamentos de Billie.

– Eu sei. Pouquíssimo usual da minha parte.

Billie inclinou a cabeça em direção ao fim do corredor.

– Podemos seguir logo para o meu quarto? Meu pé está doendo.

– É claro. Como o machucou?

Billie sorriu de forma irônica, voltando a andar.

– Você nunca vai acreditar quem acabou sendo meu herói...

CAPÍTULO 12

No jantar daquela noite, George logo percebeu que havia um lado "divertido" da mesa.

Ele não estava sentado desse lado.

À sua esquerda estava lady Frederica Fortescue-Endicott, que falava sem parar sobre o conde de Northwick, de quem ficara noiva recentemente. À sua direita, estava a irmã mais nova de lady Frederica, lady Alexandra.

Que também falava sem parar sobre o conde de Northwick.

George não sabia bem o que pensar disso. Para o bem de lady Alexandra, ele esperava que Northwick tivesse um irmão.

Billie estava sentada diretamente à frente de George, mas ele não conseguia vê-la por trás do elaborado centro de mesa feito de frutas. Mas podia ouvir sua risada alegre e forte, seguida inevitavelmente da gargalhada de Andrew, e depois de algum comentário espirituoso e estúpido do incrivelmente bonito sir Reginald McVie.

Sir *Reggie*, como havia instruído a todos que o chamassem.

George não gostou nem um pouco dele.

Não importava que tivessem sido apresentados apenas uma hora antes; às vezes bastava uma hora. Neste caso, um minuto teria sido suficiente. Sir Reggie se aproximara de George e Billie, que riam sozinhos de algo completamente sem importância (mas, apesar disso, particular), e então abrira um sorriso ofuscante.

Os dentes do homem eram tão alinhados que deviam ter sido colocados no lugar com uma régua. Sério, quem tinha dentes assim? Não era normal.

Então o grosseirão tomara a mão de Billie e a beijara como um nobre francês, proclamando-a mais bela do que o mar, a areia, as estrelas e os céus (nada menos do que em francês).

Foi mais do que ridículo; George tinha certeza de que Billie teria um ataque de riso. Mas não, ela corou.

Ela corou!

E então piscou várias vezes. Foi bem possivelmente a coisa menos Billie Bridgerton que já tinha visto.

Tudo por causa de dentes bizarramente alinhados. E ela nem falava francês!

É *claro* que os dois foram colocados juntos durante o jantar. Lady Bridgerton tinha olhos de águia quando o assunto eram os possíveis noivos de sua filha mais velha; George notou sir Reggie flertando com Billie logo após o primeiro sorriso branco como pérola. Se não tivesse sido programado mais cedo que Billie se sentasse ao lado dele, já estaria tudo arranjado na hora em que soasse o gongo do jantar.

Com Andrew do outro lado de Billie, não havia como detê-la. As risadas soavam como sinos de igreja enquanto aquele lado da mesa, o *outro* lado, comia, bebia e se divertia.

E o lado de George continuava a exaltar as muitas virtudes do conde de Northwick.

As muitas, muitas virtudes.

Quando a sopa foi retirada, George estava pronto para indicar que o homem devia ser canonizado. Quem ouvia ladies Frederica e Alexandra falarem, acreditaria que nada menos faria justiça a ele. As duas damas o exaltavam agora por alguma bobagem envolvendo Northwick e uma sombrinha que ele segurara para as duas em um dia particularmente chuvoso, e George estava prestes a comentar quão espremidas elas deviam ter ficado, quando outra sonora gargalhada soou do outro lado da mesa.

George olhou para lá, furioso, sem que Billie pudesse vê-lo. Ela não o teria visto ainda que não houvesse aquele maldito cesto de frutas entre eles. Estava ocupada demais sendo a alegria da festa. A garota era uma verdadeira estrela. Ele não ficaria surpreso se ela estivesse *literalmente* brilhando.

E ele se oferecera para cuidar dela.

Faça-me o favor. Ela estava se saindo muito bem sozinha.

– Do que o senhor acha que eles estão falando? – perguntou lady Alexandra depois de uma manifestação particularmente esfuziante de alegria.

– Dentes – murmurou George.

– O que disse?

Ele virou-se para ela com um sorriso afável.

– Não faço ideia.

– Parecem estar se divertindo muito – falou lady Frederica, franzindo a testa, pensativa.

George deu de ombros.

– Northie é uma pessoa muito sociável – comentou ela.

– É mesmo? – murmurou George, espetando um pedaço de carne assada.

– Ah, sim. O senhor o conhece?

George assentiu de forma descontraída. Lorde Northwick era alguns anos mais velho do que ele, mas tinham se cruzado tanto em Eton quanto em Cambridge. George não conseguia se lembrar de muita coisa a respeito dele, exceto os cabelos louros.

– Então sabe que ele é muito divertido – disse Lady Frederica com um sorriso adorável.

– Muito – ecoou George.

Lady Alexandra inclinou-se para a frente.

– Está falando de lorde Northwick?

– Hã, sim – disse George.

– Ele é tão encantador nessas recepções caseiras.. – colaborou lady Alexandra. – Pergunto-me por que o senhor não o convidou.

– Sobretudo porque não elaborei a lista de convidados – lembrou-a George.

– Ah, sim, é claro. Tinha até esquecido que o senhor não é um membro da família. Parece tão à vontade em Aubrey Hall...

– Os Bridgertons e Rokesbys são bons vizinhos há muito tempo – disse ele.

– A Srta. Sybilla é praticamente irmã dele – comentou Lady Frederica, inclinando-se para a frente a fim de manter-se na conversa.

Billie? Irmã dele? George franziu a testa. Aquilo não era verdade.

– Eu não diria... – começou.

Mas lady Alexandra já estava falando novamente.

– Lady Mary disse isso hoje mais cedo. Ela nos contou histórias divertidíssimas. Adoro sua irmã.

George estava com a boca cheia de comida, então apenas assentiu e esperou que ela tomasse aquilo como um agradecimento.

Lady Alexandra curvou o corpo para a frente.

– Lady Mary disse que vocês todos corriam livremente por aí quando crianças. Pareceu-me incrivelmente empolgante.

– Eu era um pouco mais velho – contou ele. – Raramente...

– ... e então o danado saiu *correndo*! – falou Andrew às gargalhadas do outro lado da mesa, alto o suficiente para (felizmente) interromper a conversa de George com as duas damas Fortescue-Endicott.

Lady Frederica olhou para eles além do arranjo de frutas.

– Do que acha que estão falando? – perguntou ela.

– Lorde Northwick – disse George com firmeza.

O rosto inteiro dela se iluminou.

– Acha mesmo?

– Mas o Sr. Rokesby disse "o danado" – ressaltou lady Alexandra. – Certamente ele não se referiria a Northie como *o danado*.

– Estou certo de que a senhorita ouviu mal – mentiu George. – Meu irmão admira muito o lorde Northwick.

– É mesmo?

Ela se inclinou o bastante para atrair a atenção da irmã.

– Frederica, você ouviu isso? Lorde Kennard disse que o irmão dele admira lorde Northwick.

Lady Frederica ficou bastante corada.

George queria enfiar o rosto em suas batatas.

– ... felino ingrato! – A voz de Billie chegou até eles além da terrina de aspargos. Seguiram-se, então, mais risadas, e ela acrescentou: – Fiquei furiosa!

George suspirou. Nunca pensou que ansiaria por estar ao lado de Billie Bridgerton, mas o sorriso dela era luminoso, a risada contagiante, e ele tinha certeza de que, se tivesse de suportar mais um instante sentado entre Frederica e Alexandra, seu cérebro começaria a escorrer pelas orelhas.

Billie deve ter notado seu desânimo, porque se moveu um pouco para o lado.

– Estamos falando sobre o gato – falou ela.

– Sim, percebi.

Ela sorriu – um sorriso feliz e encorajador que teve o efeito de fazê-lo sentir-se desencorajado.

E infeliz.

– O senhor entendeu o que ela quis dizer? – perguntou lady Alexandra.

– Creio que falou algo sobre um gato.

– Northie adora gatos – disse lady Frederica.

– Eu detesto – rebateu George com um renovado senso de afabilidade.

A afirmação não era exatamente verdadeira, mas ele não podia descartar o prazer de contrariar.

Lady Frederica piscou, surpresa.

– Todo mundo adora gatos.

– Eu não!

As irmãs Fortescue-Endicott o encararam, chocadas. George supôs que não podia culpá-las; seu tom fora absolutamente alegre. Mas, como enfim começava a se divertir, concluiu que não se importava.

– Prefiro cachorros – disse ele.

– Bem, é claro que todos gostam de cachorros – falou lady Frederica, mas parecia hesitante.

– E texugos – acrescentou George de forma animada, colocando um pedaço de pão na boca.

– Texugos – repetiu ela.

– E toupeiras.

George sorriu. Ela agora olhava para ele com visível desconforto. Ele ficou feliz por um trabalho bem feito. Mais alguns minutos e ela certamente acharia que era louco.

Ele não conseguia se lembrar da última vez em que se divertira tanto num jantar formal.

Olhou para Billie, de repente ansioso para lhe contar sobre aquela conversa. Era bem o tipo de coisa que ela acharia divertida. Eles ririam tanto daquilo...

Mas Billie estava ocupada com sir Reginald, que agora olhava para ela como se fosse uma criatura rara.

E ela de fato era rara, pensou George fervorosamente. Ela apenas não era *sua* criatura rara.

George teve um súbito impulso de pular para o outro lado da mesa e rearrumar os dentes perfeitos de sir Reggie em uma disposição muito mais abstrata.

Pelo amor de Deus, quem nascia com dentes assim? Os pais do sujeito com certeza tinham vendido a alma ao diabo.

– Ah, lorde Kennard – disse lady Alexandra –, o senhor planeja acompanhar o torneio de arco e flecha das damas amanhã?

– Não sabia que haveria um – respondeu ele.

– Ah, sim. Frederica e eu pretendemos participar. Praticamos bastante.

– Com lorde Northwick? – perguntou George.

Não pôde deixar de perguntar.

– Claro que não – respondeu ela. – Por que o senhor pensaria isso?

Ele deu de ombros, impotente. Santo Deus, quanto tempo mais duraria aquela refeição?

Ela colocou a mão no braço dele.

– Espero que o senhor vá assistir.

Ele olhou para a mão dela. Parecia *tão errada* em sua manga... Mas ele teve a sensação de que ela interpretara mal seu gesto, porque, na verdade, fez mais pressão com os dedos. Ele se perguntou o que houvera com lorde Northwick. Que Deus o ajudasse se ele tivesse substituído o conde nas afeições dela.

George queria afastar o braço, mas sua maldita natureza cavalheiresca não permitia, então abriu um sorriso tenso e disse:

– Certamente irei assistir.

Lady Frederica se curvou para a frente e sorriu, radiante.

– Lorde Northwick também adora assistir a disputas de arco e flecha.

– É claro que sim – disse George em voz baixa.

– O senhor falou alguma coisa? – perguntou lady Alexandra.

– Só que a Srta. Bridgerton é uma exímia arqueira – disse ele.

Era verdade, mesmo que ele não tivesse dito isso. Ele olhou para Billie, pretendendo acenar para ela com a cabeça, mas ela já o encarava com uma expressão feroz.

Ele se inclinou para a direita para vê-la melhor.

Ela contraiu a boca.

Ele virou a cabeça de lado.

Ela revirou os olhos e voltou para sir Reginald.

George piscou. Mas que diabo tinha acontecido?

E, sinceramente, por que ele se importava?

∽

Billie estava tendo uma noite maravilhosa. Não conseguia entender por que ficara tão nervosa. Andrew era sempre um companheiro divertido de jantar, e sir Reggie era muito gentil e bonito; ele a deixara logo à vontade, mesmo tendo começado a falar em francês quando foram apresentados.

Billie não tinha entendido uma palavra sequer, mas imaginava ter sido um elogio, então assentiu e sorriu, e até piscou algumas vezes do jeito que vira outras mulheres fazerem quando tentavam agir de maneira particularmente feminina.

Ninguém poderia dizer que não estava se esforçando ao máximo.

A única pedra em seu proverbial sapato era George. Ou melhor, a situação difícil em que George estava. Lamentava muito por ele.

Lady Alexandra parecera uma dama perfeitamente agradável quando foram apresentadas, mas, no instante em que chegara à sala de estar para as bebidas antes do jantar, a pequena víbora se agarrara a George como uma craca.

Billie ficara chocada. Sabia que ele era rico, bonito e que se tornaria conde, mas a garota precisava deixar suas intenções tão claras assim?

Pobre George. Era com isso que tinha de lidar toda vez que ia a Londres? Talvez devesse ter tido mais compaixão por ele. Ou ao menos deveria ter dado uma espiada na sala de jantar antes de os convidados entrarem para verificar a disposição dos assentos. Poderia tê-lo salvado de uma noite inteira de lady Alexandra Fominha Endicott.

Nossa. Billie poderia pensar em algo melhor do que isso.

Formidavelmente chata... Folgada... Fora daqui...

Muito bem. Não conseguia pensar em nada melhor. Mas realmente, a mulher era uma fominha, o tempo todo agarrada a George na sala de visitas.

No jantar, ela se comportou de maneira ainda pior. Era difícil enxergar George do outro lado da mesa com o enorme cesto de frutas de sua mãe bloqueando o caminho, mas tinha uma visão clara de lady Alexandra, e uma coisa precisava ser dita: a dama exibia uma porção nada razoável dos seios.

Billie não teria ficado surpresa se ela tivesse um serviço de chá inteiro escondido ali.

E depois. E depois! Ela colocara a mão no braço de George como se fosse sua *dona*. Nem mesmo Billie teria se atrevido a um gesto tão íntimo em uma ocasião tão formal. Ela se inclinou na cadeira, tentando ver o rosto de George. Não era possível que ele estivesse feliz com aquilo.

– A senhorita está bem?

Ela se virou. Andrew a observava com uma expressão que pairava entre a desconfiança e a preocupação.

– Estou bem – respondeu ela. – Por quê?

– Está quase caindo no meu colo.

Ela se endireitou rapidamente.

– Não seja ridículo.

– Sir Reginald soltou gases? – murmurou Andrew.

– Andrew!

Ele deixou escapar um risinho descarado.

– Ou isso ou a senhorita desenvolveu uma afeição especial por mim.

Ela fulminou-o com o olhar. E ele continuou:

– Eu amo você, Billie, mas não desse jeito.

Ela revirou os olhos porque... Bem, porque Andrew era um tratante. Sempre fora. E ela também não o amava assim.

Mas ele não precisava ser tão cruel com relação a isso.

– O que você acha de lady Alexandra? – sussurrou ela.

– Qual das duas é ela?

– Aquela que está se atirando para cima do seu irmão – disse Billie, impaciente.

– Ah, aquela.

Andrew parecia se esforçar para não rir.

– Ele parece muito infeliz.

Andrew inclinou a cabeça enquanto observava o irmão. Ao contrário de Billie, ele não precisava desviar de um colossal arranjo de frutas.

– Eu não sei – ponderou. – Ele não parece se importar.

– Você é cego? – sibilou Billie.

– Não que eu saiba.

– Ele... Ah, deixa para lá. Você não serve para nada.

Billie se curvou novamente, desta vez na direção de sir Reggie. Ele conversava com a mulher à sua esquerda, então, com sorte, não notaria.

A mão de lady Alexandra ainda estava no braço de George.

Billie trincou os dentes. Não era possível que ele estivesse feliz com isso. George era uma pessoa muito reservada. Ela ergueu os olhos, tentando vislumbrar o rosto dele, mas ele estava dizendo algo a lady Alexandra, algo perfeitamente agradável e educado.

Não parecia nem um pouco perturbado.

Billie ficou furiosa.

E então George olhou para cima. Devia tê-la visto olhando para ele, porque se inclinou para a direita o suficiente para chamar sua atenção.

Ele ergueu as sobrancelhas.

Ela olhou para o teto e depois virou para sir Reggie, embora ele ainda estivesse falando com a sobrinha da duquesa.

Billie esperou por um instante, mas ele parecia sem pressa alguma de voltar sua atenção para ela, então ela pegou o garfo e a faca e cortou sua carne em pedaços cada vez menores.

Talvez George *gostasse* de lady Alexandra. Talvez a cortejasse, e talvez se casassem e tivessem vários bebês Rokesbys, todos de olhos azuis e bochechas gorduchas.

Se era isso que George queria, era o que ele deveria fazer.

Mas por que parecia tão errado? E por que doía tanto só de pensar?

CAPÍTULO 13

À uma hora da tarde seguinte, George ficou pensando no motivo de não gostar daquelas recepções em casa. Ou melhor, ficou pensando que *não* gostava de recepções em casa.

Ou talvez ele apenas não gostasse *daquela* recepção em particular. Só de pensar nas irmãs Fortescue-Endicott inebriadas por Northwick, lorde Reggie dos dentes brancos como a neve e Ned Berbrooke, que acidentalmente derramara vinho do porto nas botas de George na noite anterior, sentia-se pronto para voltar para Crake House.

Sua casa ficava a apenas a cinco quilômetros de distância. Ele poderia fazer isso.

Faltara à refeição do meio-dia – a única maneira de evitar lady Alexandra, que parecia ter concluído que ele era a segunda melhor coisa depois de Northwick – e agora estava de péssimo humor. Sentia fome e cansaço, esses dois demônios que reduzem a disposição de um homem adulto à de uma criança reclamona de 3 anos.

A noite anterior de sono tinha sido...

Insatisfatória.

Sim, essa parecia a palavra mais apropriada. Extremamente inadequada, mas apropriada.

Os Bridgertons haviam colocado todos os Rokesbys na ala da família, e George se sentara na cadeira acholchoada junto à lareira, ouvindo os sons regulares e comuns de uma família encerrando o dia – as criadas ajudando as damas, portas se abrindo e se fechando...

George devia ter encarado isso como algo corriqueiro, afinal eram os mesmos sons que se ouvia em Crake. Mas, de alguma forma, ali em Aubrey Hall pareciam íntimos demais, quase como se ele estivesse bisbilhotando.

A cada barulho suave e sonolento, sua imaginação alçava voo. Ele sabia que não era possível ouvir Billie; o quarto dela ficava do outro lado do corredor e três portas adiante. Mas *parecia* que a ouvia. No silêncio da noite, ele sentia os pés dela pisando suavemente no carpete. Percebia o sussurrar do sopro dela ao apagar uma vela. E tinha certeza de que ouvia o farfalhar dos lençóis dela ao se acomodar na cama.

Ela dissera que adormecia rápido... mas e depois? Dormia de forma tranquila ou será que se contorcia, chutando as cobertas, empurrando os lençóis para a base da cama com os pés?

Ou ficava bem quieta, docemente virada de lado, com as mãos sob a bochecha?

Ele podia apostar que ela não parava quieta, afinal, era Billie. Passara a infância inteira em constante movimento. Por que seu modo de dormir seria diferente? E se ela compartilhasse uma cama com alguém...

A dose de conhaque de antes de dormir de George se transformara em três, mas, quando finalmente colocou a cabeça no travesseiro, levou horas para pegar no sono. E, quando conseguiu, sonhou com ela.

E o sonho... Ah, o sonho.

Ele estremeceu, a lembrança invadindo-o novamente. Se algum dia pensara em Billie como uma irmã...

Com certeza não pensava agora.

O sonho começara na biblioteca, na escuridão iluminada pela lua, e, ao vê-la ali, George não sabia o que ela estava vestindo... só que não era como nada que já a vira usar antes. Devia ser uma camisola... branca e diáfana. A cada brisa, a peça de roupa se moldava ao corpo dela, revelando curvas incrivelmente exuberantes desenhadas para se encaixarem perfeitamente em suas mãos.

Não importava que eles estivessem na biblioteca, e que não houvesse razão lógica para uma brisa. Era o sonho dele, e havia uma brisa, então não importava de qualquer maneira porque, quando ele pegou a mão dela e a puxou com força contra seu corpo, estavam de repente em seu quarto. Não aquele aqui em Aubrey Hall, mas em Crake, com sua cama de mogno de quatro colunas, o colchão grande e quadrado, com espaço para todo tipo de imprudência impulsiva.

Ela não disse uma palavra, o que, ele tinha de admitir, não tinha muito a ver com ela, mas por outro lado era um sonho. Quando ela sorriu, porém, era essencialmente Billie – expansiva e livre –, e, quando ele a deitou na cama, os olhos dela encontraram os dele e foi como se ela tivesse nascido para aquele momento.

Como se *ele* tivesse nascido para aquele momento.

George abriu as dobras da camisola de Billie, e ela arqueou-se sob ele, os seios perfeitos apontando em sua direção como uma oferenda.

Era loucura. Ele não deveria saber como eram os seios dela. Não deveria sequer ser capaz de imaginá-los.

Mas imaginou e, em seu sonho, ele os venerava. Ele envolveu-os, apertou-os, juntou-os até formar aquele vale inebriantemente feminino entre os dois. Então ele se abaixou e tomou o mamilo dela entre os lábios, provocando-a e tentando-a até fazê-la gemer de prazer.

Mas não parou por aí. Ele deslizou as mãos até a junção das pernas e dos quadris dela e abriu as coxas, os polegares dele aproximando-se tortuosamente do meio.

E então ele acariciou... mais perto... mais perto... até sentir o calor úmido dela, e soube que a união dos dois era inevitável. Ela seria dele, e seria glorioso. Já sem roupa, ele se posicionou diante das coxas abertas e...

E acordou.

Ora, bolas.

Ele acordou.

A vida era muito injusta.

Na manhã seguinte, houve a competição feminina de arco e flecha e, se George teve um pensamento irônico enquanto assistia, certamente podia ser perdoado. Lá estava Billie com uma coisa rígida e pontuda, e lá estava ele, *ainda* com uma coisa rígida e pontuda, e verdade seja dita: apenas um deles estava se divertindo.

Fora preciso uma hora inteira de pensamentos frios e serenos antes que ele pudesse descruzar as pernas numa das cadeiras que haviam sido colocadas à beira do campo. Todos os outros cavalheiros se levantaram em algum momento para inspecionar os alvos, mas não George. Ele sorriu, e gargalhou, e inventou algum tipo de tolice sobre aproveitar o sol. O que era ridículo, porque o único ponto azul no céu era do tamanho da unha de seu polegar.

Ansioso por ficar sozinho, ele seguiu para a biblioteca logo após o torneio. Ninguém do grupo parecia ser um ávido leitor; certamente encontraria um pouco de paz e tranquilidade.

E conseguiu... durante dez minutos antes de Billie e Andrew cruzarem a porta, discutindo.

– George! – exclamou Billie, mancando em sua direção.

Ela parecia descansadíssima.

Ela nunca tinha dificuldade para pegar no sono, pensou George, irritado. *Ela* provavelmente sonhava com rosas e arco-íris.

– Exatamente quem eu esperava encontrar – disse Billie com um sorriso.

– Palavras capazes de aterrorizar o coração dele – comentou Andrew.

Uma grande verdade, pensou George, embora nem de longe pelas razões que Andrew supunha.

– Pare. – Billie fez uma careta para ele antes de voltar para George. – Precisamos de você para resolver uma questão.

– Se for para decidir quem consegue escalar uma árvore mais rápido, é você, Billie – afirmou George sem pestanejar. – Se for para saber quem atira com mais precisão, é Andrew.

– Nenhuma das duas coisas – disse Billie, franzindo ligeiramente o cenho. – Tem a ver com croquet.

– Então que Deus nos ajude – murmurou George, levantando-se e seguindo para a porta.

Ele já jogara croquet com seu irmão e Billie; era um esporte cruel e sanguinário envolvendo bolas de madeira, tacos pesados e o risco constante de ferimentos graves na cabeça. Definitivamente não era algo para a agradável recepção de lady Bridgerton.

– Andrew me acusou de trapacear – contou Billie.

– Quando? – perguntou George, sinceramente perplexo.

Até onde sabia, a manhã inteira tinha sido ocupada pelo torneio feminino de arco e flecha. (Billie ganhara, não que alguém de sobrenome Rokesby ou Bridgerton tivesse ficado surpreso.)

– Em abril passado – disse Billie.

– E estão discutindo sobre isso agora?

– É o princípio da questão – falou Andrew.

George olhou para Billie.

– Você trapaceou?

– Claro que não! Não preciso trapacear para derrotar Andrew. Edward, talvez – admitiu ela com um movimento dos olhos –, mas não Andrew.

– Isso foi desnecessário, Billie – repreendeu-a Andrew.

– Mas é verdade – rebateu ela.

– Estou saindo – disse George.

Nenhum dos dois estava ouvindo, mas parecia educado anunciar sua partida. Além disso, não tinha certeza se era uma boa ideia estar no mesmo cômodo que Billie naquele momento. Sua pulsação já começara a acelerar lenta e inexoravelmente, e ele sabia que não queria estar perto dela quando chegasse ao seu auge.

Esse caminho leva à ruína, berrava sua mente. Por um milagre, suas pernas não ofereceram resistência, e quando ele alcançou a porta Billie disse:

– Ah, não vá. Está prestes a ficar interessante.

Ele conseguiu abrir um sorriso discreto, mas exausto, ao se virar.

– Com você tudo está sempre prestes a ficar interessante.

– Acha mesmo? – perguntou ela, encantada.

Andrew lançou-lhe um olhar de pura descrença.

– Isso não foi um elogio, Billie.

Ela olhou para George.

– Não tenho ideia do que foi – admitiu ele.

Billie apenas riu, depois acenou com a cabeça na direção de Andrew.

– Eu desafio você.

George sabia que não devia parar – ah, definitivamente sabia –, mas não conseguiu evitar virar completamente o corpo para encará-la, perplexo.

– Está me desafiando? – repetiu Andrew.

– Tacos ao amanhecer – disse ela com toda a elegência. Então deu de ombros. – Ou esta tarde. Eu preferiria evitar acordar cedo, você não?

Andrew ergueu uma sobrancelha.

– Você desafiaria um homem com apenas um braço bom para um jogo de croquet?

– Estou desafiando *você*.

Ele se inclinou, os olhos azuis faiscando.

– Ainda assim vou derrotá-la, sabe disso.

– George! – gritou Billie.

Maldição. Ele quase escapara.

– Sim? – murmurou, enfiando a cabeça de volta pela porta.

– Precisamos de você.

– Não, não precisam. Vocês precisam é de uma babá. Você mal consegue andar, Billie.

– Consigo andar perfeitamente bem. – Ela deu alguns passos, mancando. – Viu só? Nem estou sentindo mais nada.

George olhou para Andrew, apesar de não esperar que o irmão pudesse exibir algo que lembrasse um pingo de bom senso.

– Estou com um braço quebrado – disse Andrew, o que George imaginou que deveria servir como explicação.

Ou desculpa.

– Vocês são idiotas. Os dois.

– Idiotas que precisam de mais jogadores – rebateu Billie. – Não é possível jogar com apenas dois.

Tecnicamente isso era verdade. O conjunto de croquet era feito para ser jogado com seis pessoas, embora qualquer número acima de três fosse suficiente. Mas George já vira aquilo antes; os outros atuavam como meros figurantes para as jogadas maliciosas e dramáticas de Andrew e Billie. Para os dois, o jogo se tratava menos de vencer do que de garantir que o outro não ganhasse. Esperavam apenas que George movesse sua bola em meio à rixa dos dois.

– Vocês ainda não têm jogadores suficientes – disse George.

– Georgiana! – gritou Billie.

– Georgiana? – ecoou Andrew. – Sabe que sua mãe não a deixa jogar.

– Pelo amor de Deus, ela não fica doente há anos. Está na hora de pararmos de mimá-la.

Georgiana surgiu derrapando na virada do corredor.

– Pare de gritar, Billie. Vai fazer mamãe ter palpitações, e então *eu* que terei de lidar com ela.

– Vamos jogar croquet – adiantou-se Billie.

– Ah. Que bom. Eu vou... – Georgiana parou de falar e seus olhos azuis se arregalaram. – Espere, eu também posso jogar?

– É claro – disse Billie, quase com desdém. – Você é uma Bridgerton.

– Ah, que maravilha!

Georgiana praticamente deu um salto.

– Posso ficar com o taco laranja? Não, o verde. Eu quero o verde.

– O que você quiser – falou Andrew.

Georgiana virou para George.

– Você vai jogar também?

– Suponho que eu deva.

– Não pareça tão resignado – pediu Billie. – Você vai se divertir muito. Sabe que sim.

– Ainda precisamos de mais jogadores – avisou Andrew.

– Talvez sir Reggie? – perguntou Georgiana.

– Não! – disse George imediatamente.

Os outros três viraram a cabeça em sua direção.

Parando para pensar, talvez tivesse sido um pouco enfático demais em sua objeção.

– Ele não me parece o tipo de cavalheiro que gosta de um jogo tão impetuoso como esse – explicou George, dando de ombros.

Então olhou para as unhas, uma vez que não podia olhar nos olhos de ninguém quando disse:

– Os dentes dele, vocês sabem.

– Os dentes dele? – ecoou Billie.

George não precisava ver o rosto dela para saber que o encarava como se temesse que ele tivesse ficado louco.

– Creio que ele tenha mesmo um sorriso muito bonito – disse Billie, aparentemente preparada para admitir isso. – E creio que tenhamos de fato arrancado um dos dentes de Edward naquele verão. – Ela olhou para Andrew. – Você lembra? Acho que tinha 6 anos.

– Perfeitamente – disse George, embora na verdade não se lembrasse do incidente.

Devia ser um dente de leite; Edward não era sir Reginald McVie, mas, até onde George sabia, o irmão tinha todos os dentes.

– Não podemos chamar Mary – continuou Billie. – Ela passou a manhã toda debruçada sobre um penico.

– Eu realmente não precisava saber disso – falou Andrew.

Billie o ignorou.

– E, além disso, Felix nunca permitiria.

– Então chame Felix – sugeriu George.

– Mas seria injusto com Mary.

Andrew revirou os olhos.

– Quem se importa?

Billie cruzou os braços.

– Se ela não pode jogar, ele também não deveria.

– Lady Frederica foi ao povoado com a mãe e a prima – informou Georgiana. – Mas vi lady Alexandra na sala de visitas. Não parecia estar fazendo nada importante.

George não estava disposto a passar a tarde ouvindo mais histórias a respeito de lorde Northwick, mas, após sua veemente recusa a sir Reginald, achou que não poderia fazer outra objeção.

– Lady Alexandra será um bom acréscimo – disse diplomaticamente. – Desde que, é claro, ela queira jogar.

– Ah, ela vai jogar – comentou Billie, irritada.

Georgiana parecia perplexa.

Billie olhou para a irmã, mas acenou com a cabeça em direção a George.

– Diga a ela que lorde Kennard estará entre os jogadores e ela virá prontamente.

– Ah, pelo amor de Deus, Billie – murmurou George.

Billie bufou com ar de superioridade.

– Ela conversou com você a noite toda!

– Ela estava sentada ao meu lado – replicou George. – Dificilmente poderia ter feito outra coisa.

– Não é verdade. O irmão de Felix estava à esquerda dela, e é muito agradável. Eles poderiam ter conversado sobre várias coisas.

Andrew se colocou entre eles.

– Vocês dois vão ficar se atacando como namorados em uma crise de ciúmes ou vamos jogar?

Billie fulminou-o com o olhar.

George fulminou-o com o olhar.

Andrew pareceu muito satisfeito consigo mesmo.

– Você é um idiota – ralhou Billie antes de se virar de volta para Georgiana. – Suponho que terá de ser lady Alexandra. Traga-a e quem mais você puder encontrar, sim? Um cavalheiro, se possível, para ficarmos em números iguais.

Georgiana assentiu.

– Mas não sir Reginald?

– George está preocupado demais com os dentes dele.

Andrew deixou escapar um som abafado.

Mas parou quando George cutucou suas costelas.

– Encontro vocês aqui? – perguntou Georgiana.

Billie pensou por um instante e depois disse:

– Não, será mais rápido se nos encontrarmos no gramado a oeste. – Então virou de volta para George e Andrew. – Vou pedir para trazerem o conjunto do jogo.

Ela e Georgiana saíram da sala, deixando George sozinho com o irmão mais novo.

– Os dentes dele, é? – murmurou Andrew.

George encarou-o, furioso.

Andrew se curvou para perto, apenas o suficiente para ser irritante.

– Aposto que ele cuida muito bem da higiene bucal.

– Cale-se.

Andrew riu, depois se inclinou, exibindo o que claramente pretendia que fosse uma expressão preocupada.

– Você tem algo...

E apontou para os dentes dele.

George revirou os olhos e passou pelo irmão.

Andrew alcançou-o e depois passou por ele, sorrindo por cima do ombro enquanto seguia alegre pelo corredor.

– As damas adoram um belo sorriso.

Vou matar meu irmão, pensou George, saindo atrás dele. Com um taco.

CAPÍTULO 14

Dez minutos depois, George, Andrew e Billie estavam no gramado, observando um criado avançar com dificuldade em direção a eles, arrastando o conjunto de croquet.

– Adoro croquet – anunciou Billie, esfregando as mãos e sentindo o revigorante ar da tarde. – Foi uma ideia brilhante.

– Foi sua – observou George.

– É claro que sim – disse ela de forma alegre. – Ah, olhe, lá vem Georgiana.

George protegeu os olhos, examinando a área além do gramado. Como previsto, vinha acompanhada de lady Alexandra. E, se não estivesse enganado, de um dos irmãos Berbrooke.

– Obrigada, William – falou Billie quando o criado colocou o conjunto no lugar.

Ele assentiu.

– Milady...

– Espere um instante – disse Andrew. – Não quebramos um dos tacos no ano passado?

– Meu pai encomendou um conjunto novo – informou Billie.

– Mesmas cores?

Ela fez que não com a cabeça.

– Não temos vermelho desta vez.

George virou-se para ela.

– Por que não?

– Bem... – começou ela, parecendo um pouco envergonhada –, tivemos muito azar com o vermelho. As bolas acabavam indo parar no lago.

– E você acha que uma cor diferente pode corrigir o problema?

– Não, mas espero que o amarelo seja mais fácil de se ver sob a superfície.

Alguns instantes depois, Georgiana e seu pequeno grupo de jogadores chegaram ao local. George deu um passo instintivo em direção à Billie, mas foi muito lento. Lady Alexandra já segurara sua manga.

– Lorde Kennard – chamou ela. – Que delícia será jogar croquet. Obrigada por me convidar.

– Foi a Srta. Georgiana, na verdade – disse ele.

Ela sorriu, como quem pensa que sabe das coisas.

– A seu pedido, tenho certeza.

Billie parecia prestes a vomitar.

– E tenente Rokesby – continuou lady Alexandra, a mão firme em torno do braço de George mesmo quando se virou para Andrew. – Mal tivemos chance de conversar ontem à noite.

Andrew fez uma reverência com todo o devido cavalheirismo.

– O senhor conhece lorde Northwick? – perguntou ela.

George tentou desesperadamente chamar a atenção do irmão. Aquele era um rumo de conversa que nenhum deles gostaria de tomar.

Por sorte, o criado acabara de tirar a capa do conjunto de croquet e Billie assumia o controle de forma eficiente.

– Aqui está – disse ela, puxando um dos tacos de sua posição. – Andrew já prometeu o verde a Georgiana, então vamos ver, o Sr. Berbrooke fica com o azul, lady Alexandra pode ficar com o rosa, eu fico com o amarelo, o tenente Rokesby fica com o roxo e lorde Kennard com o preto.

– Não posso ficar com o roxo? – perguntou lady Alexandra.

Billie olhou para ela como se tivesse pedido para revisar a Carta Magna.

– Gosto de roxo – explicou lady Alexandra muito tranquilamente.

As costas de Billie se retesaram.

– Decida com o tenente Rokesby. Para mim, não faz diferença.

Andrew lançou a Billie um olhar curioso, depois ofereceu seu taco a lady Alexandra com uma reverência galante.

– Como a dama desejar...

Lady Alexandra assentiu graciosamente.

– Muito bem – disse Billie, torcendo o nariz –, Georgiana fica com o verde, o Sr. Berbrooke com o azul, o tenente Rokesby com o rosa, eu com o amarelo, lorde Kennard com o preto e lady Alexandra com o roxo – completou, olhando de lado para ela.

George começava a perceber que Billie realmente não gostava de lady Alexandra.

– Nunca joguei isso antes – falou o Sr. Berbrooke. Ele balançou o taco algumas vezes, quase acertando a perna de George. – Parece muito divertido.

– Certo – disse Billie rapidamente. – As regras são bem simples. A primeira pessoa a acertar a bola por todos os arcos na ordem correta ganha.

Lady Alexandra olhou para a coleção de arcos ainda próximos ao conjunto.

– Como saberemos a ordem correta?

– É só me perguntar – respondeu Billie. – Ou ao tenente Rokesby. Já fizemos isso um milhão de vezes.

– Qual de vocês geralmente ganha? – perguntou Berbrooke.

– Eu – disseram os dois.

– Nenhum dos dois – falou George com firmeza. – Eles raramente conseguem terminar uma partida. Todos vocês deviam tomar cuidado. Esse jogo pode ficar violento.

– Mal posso esperar – comentou Georgiana, praticamente vibrando de animação. – Ela se virou para lady Alexandra. – Vocês também devem acertar o bastão no final. Billie não mencionou isso.

– Ela gosta de deixar algumas regras de fora – explicou Andrew. – Para penalizá-los mais tarde, se estiverem ganhando.

– Isso não é verdade! – protestou Billie. – Não trapaceei em pelo menos metade das vezes que o derrotei.

– Se alguma vez jogar croquet novamente – aconselhou George a lady Alexandra –, peça para lhe explicarem todos os regulamentos e regras. Nada do que aprender aqui será minimamente aplicável.

– Eu já joguei antes – observou lady Alexandra. – Lorde Northwick tem um conjunto.

Georgiana se virou para ela com ar confuso.

– Pensei que lorde Northwick estivesse noivo da sua irmã.

– E está – replicou lady Alexandra.

– Ah. Eu pensei... – Georgiana fez uma pausa, a boca aberta por um segundo ou dois antes de finalmente se decidir a continuar: – A senhorita fala bastante dele.

– Ele não tem irmãs – disse lady Alexandra de maneira seca. – Naturalmente, nós nos afeiçoamos muito um ao outro.

– Eu tenho uma irmã – disse o Sr. Berbrooke.

Seu comentário foi recebido por um instante de silêncio e, então, Georgiana disse:

– Isso é maravilhoso.

– Nellie – confirmou ele. – Apelido de Eleanor. Ela é muito alta.

Ninguém parecia saber o que dizer sobre isso.

– Bem... – interveio Andrew, interrompendo o momento agora definitivamente estranho. – É hora de colocar os arcos.

– O criado não pode fazer isso? – perguntou lady Alexandra.

Billie e Andrew se viraram para ela como se ela tivesse enlouquecido.

George ficou com pena e aproximou-se para murmurar:

– Eles podem ser um pouco metódicos com relação à colocação.

Lady Alexandra ergueu ligeiramente o queixo.

– Lorde Northwick sempre diz que os arcos devem ser dispostos em forma de cruz.

– Lorde Northwick não está aqui – retrucou Billie.

Lady Alexandra arfou.

– Bem, não está mesmo – protestou Billie, olhando para o resto do grupo em busca de apoio.

George estreitou os olhos, a tradução visual de uma cutucada nas costelas, e Billie deve ter percebido que ultrapassara o limite – um limite absurdo, mas ainda assim um limite. Ela era a anfitriã e precisava se comportar como tal.

Mas era fascinante assistir. Billie era uma competidora nata e nunca fora conhecida pelo excesso de paciência. Certamente não estava inclinada a aceitar a sugestão de lady Alexandra. Ainda assim, endireitou os ombros e abriu um sorriso quase agradável enquanto virava de volta para a convidada.

– Acho que vai gostar de jogar assim, Srta. Alexandra – disse ela atenciosamente. – E, se não gostar, pode contar tudo a lorde Northwick e então saberão que, com certeza, a forma dele é superior.

George bufou.

Billie o ignorou.

– Os arcos – lembrou Andrew a todos.

– George e eu faremos isso – disse Billie, pegando-os da mão de Andrew.

George olhou para ela com certa indulgência.

– Ah, nós faremos?

– Lorde Kennard – murmurou ela por entre os dentes cerrados –, faria a gentileza de me ajudar a colocar os arcos?

George olhou para o tornozelo machucado dela.

– Porque a senhorita não consegue andar direito?

Ela ofereceu-lhe um sorriso excessivamente doce.

– Porque gosto da sua companhia.

Ele quase riu.

– Andrew não vai conseguir com um braço só e ninguém mais sabe onde ficam – continuou ela.

– Se jogássemos dispostos em cruz – disse lady Alexandra ao Sr. Berbrooke –, qualquer um de nós poderia colocar os arcos.

O Sr. Berbrooke assentiu.

– Começaríamos na nave – orientou lady Alexandra –, então seguiríamos para o transepto e depois para o altar.

O Sr. Berbrooke olhou para o taco e franziu a testa.

– Não me parece um jogo muito religioso.

– Mas poderia ser – retrucou lady Alexandra.

– Mas não queremos que seja – rebateu Billie bruscamente.

George segurou o braço dela.

– Os arcos – disse ele, puxando-a para longe antes que as duas damas se atacassem.

– Eu realmente não gosto dessa garota – resmungou ela quando já não podia ser mais escutada.

– É mesmo? – murmurou George. – Nem percebi.

– Apenas me ajude com os arcos – pediu ela, virando-se em direção a um grande carvalho às margens da clareira. – Vamos.

Ele a observou dar alguns passos. Ainda mancava, mas parecia diferente de alguma forma. Mais desajeitada.

– Você se machucou de novo?

– Hum? Ah, isso. – Billie bufou, irritada. – Foi a sela lateral.

– Perdão?

Ela deu de ombros.

– Não posso colocar o pé ruim no estribo. Então tive que cavalgar de lado.

– E você precisava cavalgar porque...

Ela olhou para George como se ele fosse um idiota. O que ele estava bastante certo de que não era.

– Billie – disse ele, agarrando-a pelo pulso para que os dois parassem de andar –, o que era tão importante a ponto de fazê-la cavalgar com o tornozelo machucado?

– A cevada – disse ela de pronto.

Ele devia ter ouvido mal.

– O quê?

– Alguém precisava se certificar de que estava sendo plantada de forma correta – disse ela, desvencilhando habilmente a mão.

Ele ia matá-la. Ou pelo menos pretendia, só que ela provavelmente acabaria se matando primeiro. Ele respirou fundo, depois perguntou do modo mais paciente possível:

– Esse não é o trabalho do seu administrador?

Ela ergueu as sobrancelhas.

– Não sei o que o senhor pensa que faço o dia todo quando não estou em uma dessas recepções em casa, mas sou uma pessoa extremamente ocupada.

Algo mudou na expressão dela, algo que George não conseguia definir com exatidão, e então ela falou:

– Sou uma pessoa útil.

– Não consigo imaginar alguém pensando outra coisa – disse George, embora tivesse a sensação de que ele mesmo já pensara diferente, e não fazia muito tempo.

– Mas que diabo vocês dois estão fazendo aí? – berrou Andrew.

– Vou massacrá-lo – falou Billie, fervendo de raiva.

– Os arcos – disse George. – Só me diga onde você os quer.

Billie separou um e o estendeu.

– Lá. Debaixo da árvore. Mas sobre a raiz. Certifique-se de colocá-lo em cima da raiz. Caso contrário, será muito fácil.

George quase a cumprimentou.

Quando voltou de sua tarefa, ela já estava no campo, colocando outro arco no lugar. Ela deixara o restante dos arcos em uma pilha, então ele se abaixou e pegou-os.

Ela olhou para cima enquanto firmava o arco.

– O que você tem contra sir Reginald?

George rangeu os dentes. Ele devia saber que não escaparia tão facilmente.

– Nada – mentiu. – Simplesmente não achei que ele fosse gostar do jogo.

Ela se levantou.

– Mas você não tem como saber isso.

– Ele passou a competição inteira de arco e flecha descansando em uma cadeira de jardim, reclamando do calor.

– *Você* não se levantou.

– Eu estava aproveitando o sol.

Não tinha feito muito sol, mas ele não ia lhe contar a verdadeira razão para ter ficado preso à cadeira.

– Tudo bem – concordou Billie –, sir Reggie provavelmente não é o melhor candidato para o croquet. Mas insisto que poderíamos ter arrumado alguém melhor do que Lady Alexandra.

– Concordo.

– Ela... – Billie piscou. – Concorda?

– Claro. Tive de passar a noite toda conversando com ela, como você ressaltou de forma tão enfática.

Billie parecia prestes a erguer os braços, frustrada.

– Então por que não fez objeções quando Georgiana sugeriu o nome dela?

– Ela não é má pessoa, apenas irritante.

Billie resmungou algo baixinho.

George não pôde conter o sorriso que se abriu em seu rosto.

– Você realmente não gosta dela, não é?

– Não mesmo.

Ele riu.

– Pare com isso.

– Com isso o quê? *Rir*?

Ela cravou um arco no chão.

– Você é tão cruel quanto eu. Pelo alvoroço que fez, parecia que sir Reggie havia cometido um ato de traição.

Alvoroço? George colocou as mãos nos quadris.

– Isso é completamente diferente.

Ela ergueu os olhos.

– Como?

– O sujeito é um bufão.

Billie soltou uma gargalhada. Não foi exatamente feminina, mas soava encantadora vindo dela. Inclinou-se em direção a ele com um ar de pura ousadia.

– Acho que está com ciúmes.

George sentiu o estômago revirar. Certamente ela não havia percebido... *Não.* Aqueles pensamentos que vinha tendo... Era uma loucura temporária. Algo trazido à tona pela proximidade. Só podia ser. Passara mais tempo com ela na última semana do que em anos.

– Não seja ridícula – disse ele com desdém.

– Mas eu acho isso... – provocou Billie. – Todas as damas estão se atirando para cima dele. O senhor mesmo disse que ele tem um sorriso bonito.

– Eu *disse* – disparou George antes de perceber que não se lembrava exatamente do que falara.

Para sorte dele, Billie já o havia interrompido.

– A única dama que não se rendeu ao encanto dele foi a ilustre lady Alexandra.

Billie lançou-lhe um olhar por cima do ombro.

– Provavelmente porque está ocupada demais tentando conquistar a *sua* atenção.

– *Você* está com ciúmes? – rebateu ele.

– Ora, por favor – zombou ela, passando para o próximo ponto.

Ele a seguiu, um passo atrás.

– Você não disse que não...

– *Não* – disse ela, bastante enfática. – É claro que não estou com ciúmes. Acho que, sinceramente, ela não bate muito bem da cabeça.

– Por estar tentando chamar minha atenção? – perguntou George, incapaz de evitar prolongar o assunto.

Ela estendeu a mão para pegar outro arco.

– Claro que não. Essa é provavelmente a coisa mais sensata que ela já fez.

Ele fez uma pausa.

– Por que isso soa como um insulto?

– Não é – garantiu-lhe Billie. – Eu nunca seria tão ambígua.

– Isso é verdade – murmurou ele. – Você insulta com total transparência.

Ela revirou os olhos antes de voltar ao tópico lady Alexandra.

– Eu estava falando sobre a obsessão dela por lorde Northwick. Ele está noivo da irmã dela, pelo amor de Deus.

– Ah, isso.

– Ah, isso – imitou ela, cravando outro arco no chão. – O que há de errado com ela?

Andrew salvou George de responder, pois estava berrando o nome deles de novo, exigindo veementemente que se apressassem.

Billie bufou.

– Não acredito que ele acha que pode me vencer com um braço quebrado.

– Percebe que, se você vencer...

– *Quando* eu vencer.

– *Caso* vença, parecerá o pior tipo de campeã, aproveitando-se da fraqueza dos outros.

Ela o encarou arregalando os olhos de forma inocente.

– Mas eu mal consigo andar.

– Você tem uma percepção conveniente da realidade.

Ela sorriu.

– Conveniente para mim, sim.

Ele balançou a cabeça, sorrindo mesmo sem querer.

– Agora – acrescentou ela, baixando a voz mesmo que não houvesse ninguém por perto –, você está no meu time, não está?

George estreitou os olhos.

– Desde quando há times?

– Desde hoje. – Ela se inclinou para perto. – Temos de *esmagar* Andrew.

– Está começando a me assustar, Billie.

– Não seja bobo, você é tão competitivo quanto eu.

– Não acho que eu seja.

– Claro que é. Só mostra isso de forma diferente.

Ele pensou que ela iria discorrer sobre o assunto, mas não.

– Não quer que Andrew ganhe, não é mesmo? – perguntou ela.

– Não sei bem até que ponto me importo.

Ela recuou.

Ele riu. Não pôde evitar. Ela parecia muito afrontada.

– Não, é claro que não quero que ele vença – disse George. – Ele é meu irmão. Mas, ao mesmo tempo, não tenho certeza se quero recorrer à espionagem para garantir isso.

Ela o encarou com um olhar desapontado.

– Ah, está bem – cedeu ele. – Quem está no time de Andrew, então?

O rosto de Billie se iluminou de imediato.

– Ninguém. Essa é a graça. Ele não vai saber que formamos uma aliança.

– Não tem como isso acabar bem – opinou George, dirigindo-se a ninguém em particular.

E estava bem certo de que o mundo não estava ouvindo.

Billie colocou o último arco no lugar.

– Este daqui é terrível – falou ela. – Lance com bastante força e ele vai parar nas roseiras.

– Vou encarar isso como um conselho.

– Exatamente.

Billie sorriu, e George ficou sem ar. Ninguém sorria como Billie. Nunca sorrira. Ele sabia disso há anos e ainda assim... só agora...

Permitiu-se praguejar mentalmente. Aquela deveria ser a atração mais inconveniente da história. *Billie Bridgerton*, pelo amor de Deus. Ela era tudo que ele nunca quisera em uma mulher. Era teimosa, estupidamente imprudente e, se ela tivera um momento feminino em sua vida, ele nunca tinha visto.

E ainda assim...

Ele engoliu em seco.

Ele a queria. A queria como nunca quisera nada. Queria o sorriso dela, e o queria só para si. Ele a queria em seus braços, sob seu corpo... porque de alguma forma sabia que, na cama dele, ela seria misteriosa e feminina.

Ele também sabia que cada uma dessas deliciosas atividades exigia que se casasse com ela, o que era tão absolutamente ridículo que...

– Ah, pelo amor de Deus – resmungou Billie.

George despertou de seu devaneio.

– Andrew está vindo – avisou ela. – Espere um instante! – berrou. – Ele é tão impaciente...

– Olha quem fala...

– Não me venha com essa.

Ela começou a marchar de volta para o início do percurso. Da melhor forma possível; realmente ficava ridícula mancando daquele jeito.

Ele esperou por um instante, sorrindo atrás dela.

– Tem certeza de que não quer o taco preto?

– Eu odeio você! – bradou ela.

Ele não pôde deixar de rir. Tinha sido a declaração de ódio mais alegre que já ouvira.

– Eu também odeio você – murmurou ele.

Mas ele também não falara sério.

CAPÍTULO 15

Billie cantarolava alegremente quando chegou ao início do percurso de croquet. Ela estava de bom humor, considerando-se as circunstâncias. Andrew ainda estava sendo terrivelmente impaciente, e lady Alexandra ainda era a pessoa mais detestável da história do mundo, mas nada disso parecia importar.

Ela olhou para George por cima do ombro. Ele a seguira por todo o caminho, trocando insultos com ela com um sorriso travesso.

– Por que está tão feliz? – perguntou Andrew.

Ela sorriu enigmaticamente. Que ele ficasse tentando descobrir. Além disso, ela não sabia bem *por que* estava tão feliz. Apenas estava.

– Quem começa? – perguntou lady Alexandra.

Billie abriu a boca para responder, mas Andrew foi mais rápido:

– Geralmente jogamos do mais jovem para o mais velho, mas parece um pouco rude perguntar...

– Então com certeza sou a primeira – anunciou Georgiana, colocando a bola verde perto do bastão inicial. – Não há dúvida com relação a isso.

– Calculo que eu seja a segunda – observou lady Alexandra, lançando um olhar de pena para Billie.

Billie a ignorou.

– Sr. Berbrooke, podemos perguntar sua idade?

– O quê? Ah, tenho 25 anos. – Ele abriu um largo sorriso. Fazia muito isso. – Um quarto de século.

– Muito bem, então – falou Billie –, a ordem do jogo será Georgiana, lady Alexandra... *nós presumimos*, Andrew, eu, Sr. Berbrooke e George.

– Não quer dizer lorde Kennard? – perguntou lady Alexandra.

– Não, tenho certeza de que quero dizer George – disparou Billie.

Santo Deus, aquela mulher a tirava do sério.

– Gosto de jogar com a bola preta – falou George, mudando tranquilamente de assunto.

Mas Billie o observara; não podia ter certeza, mas *achava* que o tinha visto disfarçar um sorriso.

Que bom.

– É uma cor muito masculina – disse Lady Alexandra, categórica.

Billie quase vomitou.

– É a cor da morte – disse Andrew, revirando os olhos.

– O Taco da Morte – falou George, pensativo. Então o balançou para a frente e para trás algumas vezes, como um pêndulo macabro. – Soa bem.

Andrew bufou.

– Você ri – provocou George –, mas sabe que o quer.

Billie soltou uma gargalhada que ficou ainda mais estridente quando Andrew lhe lançou um olhar mal-humorado.

– Ah, vamos, Andrew, sabe que é verdade – disse ela.

Georgiana ergueu os olhos de sua posição, a do bastão inicial.

– Quem iria querer o Taco das Peônias e Petúnias quando poderia ter o Taco da Morte? – intrometeu-se ela, inclinando a cabeça em direção ao equipamento rosa de Andrew.

Billie sorriu em aprovação. Quando sua irmã ficara tão espirituosa?

– Minhas peônias e petúnias triunfarão – afirmou Andrew, arqueando as sobrancelhas. – Pode esperar.

– Suas peônias e petúnias estão sem uma pétala vital – rebateu Billie, indicando o braço machucado dele.

– Acho que não sei do que estamos falando – admitiu o Sr. Berbrooke.

– Estamos só implicando – disse Georgiana a ele enquanto se preparava para a primeira jogada. – Billie e Andrew adoram se provocar. Sempre gostaram.

Ela bateu na bola, que passou pelos dois arcos iniciais. Não foi muito além disso, mas ela não pareceu se importar.

Lady Alexandra se aproximou, colocando sua bola no lugar.

– O tenente Rokesby joga depois de mim, não é? – quis confirmar ela. – Em seguida olhou para Billie com uma expressão plácida artificial. – Não sabia que era mais velha do que ele, Srta. Bridgerton.

– Sou mais velha do que muitas pessoas – disse Billie friamente.

Lady Alexandra torceu o nariz e acertou a bola com seu taco, lançando-a pelo gramado.

– Muito bem! – elogiou o Sr. Berbrooke. – A senhorita já jogou *mesmo* isso antes.

Lady Alexandra sorriu, modesta.

– Como falei, lorde Northwick tem um conjunto.

– E ele joga com os arcos dispostos em cruz – disse Billie baixinho.

George cutucou-a com o cotovelo.

– Minha vez – anunciou Andrew.

– Vai, petúnia! – disse Billie alegremente.

Ao lado dela, George riu. Ela ficava muito satisfeita quando o fazia rir.

Andrew ignorou-a completamente. Deixou cair a bola rosa, depois colocou-a no lugar com o pé.

– Ainda não entendi como vai jogar com um braço quebrado – disse Georgiana.

– Assista e aprenda, minha querida – murmurou ele.

E então, após balançar o taco várias vezes para praticar – uma das quais incluiu uma rotação completa de trezentos e sessenta graus –, arremessou sua bola de forma impressionante através dos arcos iniciais e pelo gramado.

– Quase tão longe quanto lady Alexandra – disse Georgiana, admirada.

– Estou com um braço quebrado – observou ele.

Billie foi até o ponto de partida e colocou sua bola em posição.

– Como isso aconteceu mesmo? – perguntou ela sem maldade.

– Ataque de tubarão – disse ele sem pestanejar.

– Não! – reagiu lady Alexandra, arfando.

– Um tubarão? – indagou o Sr. Berbrooke. – Não é um daqueles peixes com dentes?

– Cheio de dentes – confirmou Andrew.

– Eu não gostaria de me deparar com um – disse o Sr. Berbrooke.

– Lorde Northwick já foi mordido por um tubarão? – perguntou Billie de forma doce.

George engasgou.

Lady Alexandra estreitou os olhos.

– Não sei dizer.

– Que pena.

Billie bateu seu taco na bola com uma força impressionante, lançando-a pelo gramado, muito além das outras.

– Muito bem! – exclamou novamente o Sr. Berbrooke. – A senhorita é excepcional nisso.

Era impossível permanecer indiferente diante de seu inabalável bom humor. Billie ofereceu-lhe um sorriso amigável enquanto dizia:

– Foram muitas partidas ao longo dos anos.

– Ela costuma trapacear – interveio Andrew.

– Só com você.

– Acho que devo tentar – disse o Sr. Berbrooke, agachando-se para colocar a bola azul ao lado do bastão inicial.

George deu um passo cauteloso para trás.

O Sr. Berbrooke franziu a testa olhando para a bola, enquanto testava seu taco algumas vezes antes de finalmente jogar. A bola saiu voando, mas infelizmente um dos arcos fez o mesmo.

– Ah! Sinto muitíssimo – falou ele.

– Problema algum – disse Georgiana. – Podemos colocá-lo de volta no lugar.

O percurso foi rearrumado e chegou a vez de George. Sua bola preta acabou parando em algum lugar entre a de lady Alexandra e a de Billie.

– É mesmo o Taco da Morte – zombou Andrew.

– É um tipo estratégico de assassinato – retrucou George com um sorriso enigmático. – Estou seguindo a visão longitudinal.

– Minha vez! – exclamou Georgiana.

Ela não teve que andar muito para alcançar sua bola. Desta vez, acertou-a com muito mais força, e a bola foi correndo pelo campo em direção ao próximo arco, parando a cerca de cinco metros do seu destino.

– Muito bem! – exclamou o Sr. Berbrooke.

Georgiana sorriu.

– Obrigada. Acho que estou pegando o jeito.

– Até o final do jogo, a senhorita estará dando uma surra em todos nós – incentivou ele.

Lady Alexandra já estava a postos perto da bola roxa. Ela levou quase um minuto para ajustar a pontaria, então bateu de forma cuidadosa. A bola rolou para a frente, parando bem em frente ao arco.

Billie fez um barulho saído do fundo da garganta. Lady Alexandra era, de fato, bastante habilidosa.

– A senhorita grunhiu? – perguntou George.

Billie quase deu um pulo. Não percebera que George estava tão perto. Ele estava praticamente atrás dela, mas, a menos que desviasse o rosto da partida, ela não conseguia vê-lo.

Podia, no entanto, senti-lo. Ele não chegava a tocá-la, mas estava tão perto... A pele de Billie formigou, e de repente ela sentiu o coração pulsando de forma baixa e insistente.

– Tenho de perguntar – continuou ele, a voz inebriantemente perto de seu ouvido. – Como exatamente vamos trabalhar em equipe?

– Não tenho certeza – admitiu Billie, observando Andrew se posicionar. – Espero que fique claro à medida que avançarmos.

– Sua vez, Billie! – gritou Andrew.

– Com licença – disse Billie a George, de repente ansiosa para colocar algum espaço entre os dois.

A proximidade quase a deixara zonza.

– O que vai fazer, Billie? – perguntou Georgiana quando ela se aproximou da bola.

Billie franziu a testa. Não estava longe do arco, mas a bola roxa de lady Alexandra estava bem em seu caminho.

– Uma tacada difícil – opinou Andrew.

– Cale-se.

– Poderia usar de força bruta.

Ele olhou para os outros.

– Que é o *modus operandi* habitual dela. – Então baixou a voz para um tom confidencial. – No croquet e na vida.

Por um momento Billie considerou desistir do jogo e lançar a bola em direção aos pés dele.

– Isso não faria a bola de lady Alexandra passar pelo arco? – perguntou Georgiana.

Andrew deu de ombros como se dissesse "é a vida".

Billie se concentrou em sua bola.

– Ou ela pode ser paciente – continuou Andrew – e esperar pelo arco depois de lady Alexandra. Mas todos sabemos que ela não é assim.

Billie deixou escapar um som. Desta vez era, sim, um grunhido.

– Uma terceira opção...

– Andrew! – disse ela, furiosa.

Ele riu.

Billie alinhou seu taco. Não havia como passar pelo arco sem fazer a bola de lady Alexandra passar também, mas se a tocasse de lado...

Fez sua tacada.

A bola amarela de Billie fez um percurso elíptico em direção ao arco e acertou a roxa à esquerda. Todos viram a bola de lady Alexandra rolar para a direita, parando em tal posição que a jogadora não poderia esperar fazê-la passar pelo arco na próxima jogada.

A bola de Billie parara agora quase onde a de lady Alexandra estivera.

– A senhorita fez isso de propósito! – acusou lady Alexandra.

– É claro que sim. – Billie olhou para ela de maneira afrontosa. Sinceramente, o que ela esperara? – É assim que se joga.

– Não é assim que *eu* jogo.

– Bem, não estamos jogando em cruz – rebateu Billie, perdendo a paciência.

Deus, a garota era péssima.

Alguém pareceu engasgar.

– O que isso quer dizer? – exigiu saber lady Alexandra.

– Acho que ela quis dizer que jogaria com mais afinco se o jogo tivesse um fundo religioso. O que não creio que seja o caso – disse o Sr. Berbrooke pensativamente.

Billie lançou-lhe um olhar de concordância. Talvez ele fosse mais inteligente do que parecia.

– Lorde Kennard – chamou lady Alexandra, virando-se para George. – Certamente o senhor não aprova essas táticas dissimuladas.

George deu de ombros.

– Receio que é como eles jogam.

– Mas não como *o senhor* joga – insistiu lady Alexandra.

Billie olhou fixamente para ele, esperando pela resposta.

Ele não decepcionou.

– É como eu jogo quando a disputa é com eles.

Lady Alexandra recuou, bufando.

– Não se preocupe – disse Georgiana, aproveitando a brecha. – A senhorita pega o jeito.

– Não é da minha natureza – falou lady Alexandra, irritada.

– É da natureza de todo mundo – bradou Andrew. – É a vez de quem?

O Sr. Berbrooke deu um pulo.

– Ah, minha, eu acho.

Ele caminhou de volta até sua bola.

– Posso tentar mirar na bola da Srta. Bridgerton?

– Com certeza – respondeu Andrew –, mas o senhor pode querer...

O Sr. Berbrooke acertou a bola sem esperar pelo resto das instruções de Andrew, que certamente diria para tentar *não* acertar a bola de Billie em cheio, o que foi exatamente o que ele fez.

A bola amarela passou pelo arco e foi além, avançando mais um metro antes de parar. A bola azul também passou pelo arco, mas, tendo transferido sua força para a bola amarela, parou logo em seguida.

– Muito bem, Sr. Berbrooke! – comemorou Billie.

Ele virou-se para ela com um sorriso largo.

– Obrigado!

– Ah, pelo amor de Deus – disparou lady Alexandra. – Ela não está falando sério. Só está feliz porque o senhor fez a bola *dela* passar pelo arco.

– Retiro tudo o que disse – murmurou Billie para George. – Esqueça Andrew. É *ela* que devemos esmagar.

O Sr. Berbrooke apelou para os outros.

– A Srta. Bridgerton teria passado na próxima rodada, de qualquer forma, não é mesmo?

– Teria – afirmou Billie. – O senhor não me colocou muito à frente, eu lhe garanto.

– E o senhor passou pelo arco – acrescentou Georgiana. – Isso o deixa em segundo lugar.

– Deixa, não é mesmo? – disse o Sr. Berbrooke, parecendo incrivelmente satisfeito com esse resultado.

– *Além disso* – acrescentou Billie com grande perspicácia –, veja como está bloqueando todos os outros. Muito bom.

Lady Alexandra bufou alto.

– De quem é a vez?

– Minha, acredito – disse George, tranquilo.

Billie sorriu. Ela adorava a maneira como ele preenchia de significado um simples murmúrio educado. Lady Alexandra ouvia um cavalheiro fazendo um comentário casual, mas Billie sabia a verdade. Ela o conhecia melhor do que aquela pomposa filha de duque jamais conheceria.

Ela praticamente o ouviu sorrir. George se divertia com toda aquela conversa, mesmo que fosse educado demais para demonstrar isso.

Ela ouviu seu cumprimento. Billie vencera aquela rodada; ele a estava parabenizando.

E também ouviu sua gentil repreensão, uma espécie de advertência. Ele a alertava a não ir longe demais com aquilo.

O que ela provavelmente faria. Eles se conheciam muito bem.

– Jogue então, George – disse Andrew.

Billie observou George se aproximar e se preparar para jogar. Ele estreitava os olhos de um jeito adorável enquanto mirava.

Mas que pensamento. George Rokesby, adorável? Era a coisa mais ridícula.

Ela soltou uma risadinha no exato instante em que George acertou sua bola. Foi uma boa tacada, deixando-o bem de frente para o arco.

– Ah, meu Deus – falou Georgiana, piscando ao olhar para o campo. – Agora nós nunca vamos passar.

Ela estava certa. As bolas preta e azul estavam a poucos centímetros de distância, flanqueando os dois lados do arco. Quem quer que tentasse passar pelo arco seria apenas mais um no congestionamento.

George deu um passo para trás, aproximando-se de Billie e abrindo caminho para os jogadores seguintes. Ele se inclinou em direção a ela, aproximando a boca de seu ouvido.

– Estava rindo de mim? – murmurou ele.

– Só um pouquinho – respondeu ela, observando Georgiana pensar no que faria.

– Por quê?

Seus lábios se entreabriram antes que ela percebesse que não poderia lhe dar uma resposta honesta. Ela virou para olhar para ele, e novamente ele estava mais perto do que esperava, mais perto do que deveria ter se atrevido a ficar.

Então ela se viu muito consciente.

Da respiração dele, soprando quente em sua pele.

Dos olhos dele, tão azuis e tão magneticamente presos aos dela.

Dos lábios dele, bonitos e cheios, exibindo um sorriso discreto.

Dele. Simplesmente dele.

Ela sussurrou o nome dele.

Ele inclinou a cabeça de lado de maneira indagadora, e ela percebeu que não tinha ideia de por que o tinha chamado, só que parecia muito certo estar ali com ele e que, quando ele a olhava daquele jeito, como se a achasse extraordinária, ela *se sentia* extraordinária.

Sentia-se bonita.

Billie sabia que estava imaginando coisas, porque ele nunca pensara nela dessa maneira. E ela não queria que ele pensasse.

Ou queria?

Arfou.

– Há algo errado? – perguntou ele.

Ela balançou a cabeça. Estava *tudo* errado.

– Billie?

Ela queria beijá-lo. Queria beijar *George*. Tinha chegado aos 23 anos sem querer sequer flertar com um cavalheiro e agora queria *George Rokesby*?

Ah, aquilo era errado. Muito, muito errado. Errado de um jeito capaz de levar ao pânico, virar o mundo de cabeça para baixo e fazer o coração parar.

– Billie, algum problema?

Ela despertou de seu devaneio, então se lembrou de respirar.

– Não – falou, um pouco alegremente demais. – Nenhum mesmo.

Mas o que ele faria? Como reagiria se ela fosse até ele, o agarrasse pelo pescoço e levasse a boca dele em direção à sua?

Ele diria que ela estava louca, era isso que ele faria. Isso sem falar dos outros quatro jogadores de croquet a menos de vinte metros de distância.

Mas e se mais ninguém estivesse ali? E se o resto do mundo desaparecesse e não houvesse ninguém para testemunhar sua insanidade? Ela faria aquilo?

E ele a beijaria de volta?

- Billie? *Billie?*

Ela se virou, atordoada, em direção ao som da voz dele.

- Billie, o que há de errado com você?

Ela piscou, procurando focar o rosto dele. George parecia preocupado. Ela quase riu. Ele ia acabar ficando preocupado.

- Billie...

- Estou bem - respondeu ela. - Sério. É... hã... Está com calor? - Ela se abanou com a mão. - Estou com muito calor.

Ele não respondeu. Não precisava. Não estava nem um pouco quente.

- Acho que é a minha vez! - disparou ela.

Ela não tinha ideia se era de fato sua vez.

- Não - disse George -, Andrew ainda está jogando. Ouso dizer que lady Alexandra está em apuros.

- Está? - murmurou ela, seus pensamentos ainda no beijo imaginário.

- Maldição, Billie, agora sei que há algo errado. - Ele franziu a testa. - Pensei que quisesse esmagá-la no jogo.

- E quero - afirmou ela, recuperando lentamente o controle do cérebro.

Santo Deus, ela não podia ficar tão desconcertada. George não era estúpido. Se ela agisse como uma idiota toda vez que ele olhasse para ela, ele ia perceber que havia algo errado. E se ele percebesse que ela talvez estivesse um pouco *encantada*...

Não. Ele nunca poderia saber.

- Sua vez, Billie! - gritou Andrew.

- Certo - disse ela. - Certo, certo, certo. - Ela olhou para George sem realmente olhar para ele. - Com licença.

Correu até sua bola, examinou superficialmente o campo e arremessou-a em direção ao próximo arco.

- Acho que a senhorita passou direto - informou lady Alexandra, aproximando-se dela.

Billie forçou um sorriso, tentando parecer enigmática.

- Cuidado! - gritou alguém.

Ela pulou para trás pouco antes de a bola azul acertar seus pés. Lady Alexandra foi igualmente ágil, e as duas viram a bola do Sr. Berbrooke parar a poucos metros do arco.

– Creio que seria bem feito para nós duas se aquele idiota vencesse o jogo – disse lady Alexandra.

Billie olhou para ela, surpresa. Uma coisa era trocar insultos com ela, que podia rebater na mesma moeda. Mas fazer pouco do Sr. Berbrooke, que devia ser o homem mais cordial que já conhecera...

Sinceramente, a garota era um monstro.

Billie tornou a olhar para o percurso. A bola roxa ainda estava parada firmemente atrás do primeiro arco.

– Está quase na sua vez – disse ela de forma doce.

Lady Alexandra estreitou os olhos e deixou escapar um som surpreendentemente desagradável antes de se afastar.

– O que disse a ela? – perguntou George um instante depois.

Ele acabara de jogar e estava numa boa posição para passar pelo segundo arco.

– Ela é uma pessoa horrível – murmurou Billie.

– Não foi o que eu perguntei – falou George, olhando de volta para a dama em questão –, mas provavelmente já responde o bastante.

– Ela... Ah, não importa. – Billie balançou a cabeça. – Ela não vale o ar que eu respiro.

– Certamente não – concordou George.

O coração de Billie deu um pulo com o elogio, e ela se virou para ele.

– George, você... – Ela franziu a testa, inclinando a cabeça de lado. – É o Felix vindo lá?

George protegeu a vista enquanto olhava para o local apontado.

– Creio que sim.

– Ele está vindo rápido demais. Espero que não tenha acontecido nada de errado.

Viram Felix se aproximar de Andrew, que estava mais perto do que eles da casa. Os dois conversaram por alguns instantes e então Andrew saiu correndo a toda a velocidade.

– Mas há algo errado – observou George.

Com o taco ainda na mão, ele começou a caminhar em direção a Felix, acelerando o ritmo a cada passo.

Billie correu atrás dele o mais rápido que pôde, meio mancando, meio pulando, o resto do equipamento de croquet esquecido no gramado. Frustrada com sua falta de velocidade, ergueu as saias e correu, sem se importar com a dor. Ela alcançou George momentos depois de ele ter chegado até Felix.

– Veio um mensageiro – dizia Felix.

Os olhos de George examinaram seu rosto.

– Edward?

Billie levou a mão à boca. *Não Edward. Ah, por favor, Edward* não.

Felix assentiu sombriamente.

– Ele desapareceu.

CAPÍTULO 16

George já estava a meio caminho de Aubrey Hall quando percebeu que Billie estava ao seu lado, forçada a correr para acompanhar seus passos longos e rápidos.

Correndo. Ela estava correndo.

Com o tornozelo daquele jeito.

Ele parou.

– O que você está...

Mas então lhe ocorreu, sem sequer precisar parar para pensar. Aquela era Billie. É claro que ela ia correr com o tornozelo machucado. Ela era teimosa. Imprudente.

Ela se *importava.*

Ele não disse mais nada. Simplesmente a pegou nos braços e continuou em direção à casa, seu ritmo apenas um pouco mais lento do que antes.

– Você não precisava me carregar – disse ela.

Ele podia ouvir a dor na voz dela.

– Precisava, sim.

– Obrigada – sussurrou ela, suas palavras se desmanchando na camisa dele.

Mas ele não conseguiu falar mais nada. Estava além das palavras agora, pelo menos além das banalidades de sempre. Ele não precisava dizer nada para Billie saber que a ouvira. Ela entenderia. Saberia que a cabeça dele estava em outro lugar, um lugar muito além do *por favor* e *de nada.*

– Eles estão na sala íntima – avisou Felix quando chegaram à casa.

George só podia supor que *eles* significava o resto da família. E talvez os Bridgertons.

Eles eram da família também. Sempre foram.

Quando chegou à sala íntima, a visão que o esperava era de fazer qualquer homem empalidecer. Sua mãe estava no sofá, soluçando nos braços de lady Bridgerton. Andrew parecia em choque. E o pai dele...

O pai dele estava chorando.

Lorde Manston estava afastado do restante do grupo, não exatamente de frente para eles, mas não completamente virado para o outro lado. Seus braços estavam rígidos ao lado do corpo e os olhos, bem fechados, como se isso pudesse deter as lágrimas que desciam lentamente pelo seu rosto. Como se obliterar o mundo ao seu redor fizesse com que nada daquilo tivesse acontecido.

George nunca tinha visto o pai chorar. Nem imaginara que fosse possível. Tentou não olhar fixamente, mas a visão era tão impressionante, tão atordoante, que não conseguia desviar o olhar.

Seu pai era o conde de Manston, firme e severo. Desde que George era criança, ele liderava a família Rokesby com sua mão de ferro, mas justa. Era um pilar; uma força. Estava inquestionavelmente no comando. Tratava os filhos com escrupulosa justiça, o que às vezes significava que ninguém ficava satisfeito com seus julgamentos, mas ele sempre era obedecido.

Em seu pai, George via o que significava liderar uma família. E, nas lágrimas do pai, viu o próprio futuro.

Logo, seria a hora de George liderar.

– Santo Deus! – exclamou lady Bridgerton, finalmente notando-os à porta. – O que houve com Billie?

Por um instante, George só olhou para os braços. Esquecera que a segurava.

– Aqui – disse ele, colocando Billie perto da mãe dela.

Ele olhou ao redor da sala. Não sabia a quem deveria pedir informações. Onde estava o mensageiro? Ainda estava ali?

– George – ouviu Felix dizer.

Ergueu os olhos e viu o amigo segurando uma folha de papel. Sem dizer nada, ele a pegou.

Para o conde de Manston,

Lamento informar que o Honorável Capitão Edward Rokesby desapareceu no dia 22 de março de 1779, na colônia de Connecticut. Estamos empreendendo todos os esforços possíveis para recuperá-lo com segurança.

Que Deus nos abençoe,

General-de-Brigada Geo. Garth

– Desapareceu – falou George, olhando impotente pela sala. – O que isso quer dizer?

Ninguém tinha uma resposta.

George olhou para o papel em mãos, os olhos atentos a cada volta da caligrafia. A mensagem não trazia nenhuma informação importante. Por que Edward estava na colônia de Connecticut? Na última vez em que tinham tido notícias, ele estava em Nova York, hospedado em uma taverna legalista enquanto ficava de olho nas tropas do general Washington do outro lado do rio Hudson.

– Se ele está desaparecido... – continuou George, pensando em voz alta. – Eles têm de saber.

– Saber o quê? – perguntou Billie.

Ela olhava para ele do sofá, provavelmente a única pessoa perto o suficiente para ouvir suas palavras.

George balançou a cabeça, ainda tentando entender. Pelas palavras (bastante evasivas) da carta, parecia que o exército tinha certeza de que Edward ainda estava vivo. O que significava que o general tinha pelo menos alguma ideia de onde ele se encontrava.

Se era o caso, por que ele simplesmente não dissera isso?

George passou os dedos pelo cabelo, esfregando a mão com força na testa.

– Como pode um militar condecorado desaparecer? – perguntou ele, virando de volta para o resto da sala. – Ele foi sequestrado? É isso que estão tentando nos dizer?

– Não tenho certeza se eles sabem – respondeu Felix com calma.

– Ah, maldição, mas é claro que sabem – disparou George. – Só não querem...

Mas Andrew o interrompeu.

– As coisas lá são diferentes – falou ele, a voz oca e sem vida.

George lançou-lhe um olhar irritado.

– Eu sei, mas o que...

– As coisas lá são diferentes – repetiu Andrew, desta vez com mais raiva.

– As aldeias são distantes. As fazendas não se limitam umas às outras. Há gigantescos trechos de terra que não pertencem a ninguém.

Todos olhavam para ele.

– E há selvagens – completou Andrew.

George se aproximou, tentando não deixar a mãe ver o rosto torturado de Andrew.

– Este não é o momento – disse ele com um sussurro ríspido.

Seu irmão podia estar em choque, mas todos eles também estavam. Estava na hora de Andrew crescer e controlar suas emoções antes que arruinasse a pouca compostura que ainda restava na sala.

Mas a língua de Andrew continuou solta e indiscreta:

– É fácil desaparecer por lá.

– Você não esteve lá – retrucou George.

– Ouvi falar.

– Você *ouviu* falar.

– Parem – pediu alguém. – Parem com isso agora.

Os dois agora estavam quase nariz a nariz.

– Há homens no meu navio que lutaram nas colônias – disparou Andrew.

– Ah, e *isso* vai nos ajudar a recuperar Edward – despejou George.

– Sei mais sobre isso do que você.

George quase se encolheu. Ele odiava isso. Odiava muito isso. A impotência. A inutilidade. Ele estava lá fora disputando um maldito jogo de croquet enquanto seu irmão estava desaparecido em alguma região desolada e inóspita da colônia.

– Ainda sou seu irmão mais velho – sibilou ele –, e serei o chefe desta família...

– Bem, mas ainda não é.

Mas poderia muito bem ser. George lançou um olhar rápido para o pai, que não disse uma palavra.

– Ah, isso foi sutil – zombou Andrew.

– Cale a boca! Apenas cale...

– Parem! – Alguém colocou as mãos entre eles, separando-os à força, e, quando George finalmente baixou os olhos, percebeu que era Billie. – Isso não está ajudando – disse ela, praticamente empurrando Andrew para uma cadeira.

George piscou, tentando recuperar o equilíbrio. Não sabia por que estava gritando com Andrew. Então olhou para Billie, ainda de pé entre eles como uma pequena guerreira.

– Você não deveria estar se apoiando nesse pé – observou ele.

Ela parecia perplexa.

– É *isso* que tem a dizer?

– Provavelmente você o machucou de novo.

Ela olhou fixamente para ele. George sabia que parecia um tolo, mas o tornozelo dela era a única maldita coisa a respeito da qual ele podia de fato fazer alguma coisa.

– Você deveria se sentar – sugeriu ela gentilmente.

Ele balançou a cabeça. Não queria se sentar. Queria agir, *fazer* alguma coisa, qualquer coisa que pudesse trazer seu irmão em segurança para casa. Mas estava preso ali, sempre estivera preso ali, àquela terra, àquelas pessoas.

– Eu posso ir – declarou Andrew.

Todos se viraram para ele, que ainda estava na cadeira em que Billie o forçara a se sentar. Sua aparência estava péssima. Abatida. George tinha a impressão de que Andrew se sentia tão mal quanto ele.

Mas com uma enorme diferença. Andrew pelo menos acreditava que poderia ajudar.

– Ir para onde? – finalmente perguntou alguém.

– Para as colônias. – Andrew ergueu os olhos, o desespero lúgubre em seu rosto lentamente dando lugar a uma firme determinação. – Posso pedir para ser designado para outro navio. Provavelmente irá zarpar outro no mês que vem.

– Não! – gritou lady Manston, soando como um animal ferido.

Diferente de tudo que George já tinha ouvido.

Andrew levantou-se.

– Mãe...

– Não – repetiu ela, desta vez com firmeza, afastando-se dos braços reconfortantes de lady Bridgerton. – Não vou permitir isso. Não vou perder outro filho.

Andrew ficou rígido, parecendo mais um soldado do que George jamais o vira.

– Não é mais perigoso do que servir onde tenho servido atualmente.

George fechou os olhos. *Você não devia ter dito isso, Andrew.*

– Você não pode – disse lady Manston, esforçando-se para ficar de pé. – Não pode.

A voz dela começou a falhar de novo e, em silêncio, George amaldiçoou Andrew por sua falta de tato. Ele deu um passo à frente.

– Mãe...

– Ele não pode – desabafou ela, os olhos sofridos pousando no rosto de George. – Você precisa dizer a ele... Ele não pode.

George puxou a mãe para os braços, encontrando os olhos de Andrew sobre a cabeça dela antes de murmurar:

– Podemos discutir isso mais tarde.

– Você só está falando por falar.

– Acho que a senhora deveria se deitar.

– Devemos ir para casa – falou lorde Manston.

Todos se viraram. Era a primeira vez que ele falava desde que a terrível mensagem fora entregue.

– Precisamos estar em casa – continuou ele.

Foi Billie quem entrou em ação.

– É claro – concordou ela, aproximando-se rapidamente dele. – Vão se sentir mais à vontade lá. – Ela olhou para George. – A última coisa de que precisam é esta recepção.

George quase emitiu um ruído. Tinha esquecido completamente os outros convidados. Pensar em ter de conversar com qualquer um deles era excruciante. Haveria perguntas e condolências, independentemente do fato de nenhum deles saber nada sobre Edward.

Deus, era tudo muito insignificante. Aquilo. A festa. Tudo, fora as pessoas naquela sala.

Ele olhou para Billie. Ela ainda o observava, a preocupação evidente em cada linha de seu rosto.

– Alguém contou a Mary? – perguntou ela.

– Farei isso agora – disse Felix. – Encontraremos com vocês em Crake, se estiverem de acordo. Tenho certeza de que ela vai querer estar com a família. Não precisamos voltar a Sussex imediatamente.

– O que vamos fazer? – quis saber lady Manston com a voz fraca.

George olhou para o pai. Era direito dele decidir.

Mas o conde parecia perdido. Ele dissera que deveriam ir para casa; aparentemente era tudo o que conseguiria falar.

George se virou para o resto da sala e respirou fundo.

– Vamos pensar um pouco – sugeriu ele com firmeza. – Vamos parar para nos recompor e decidir a melhor maneira de proceder.

Andrew abriu a boca para falar, mas George já estava farto. Com um olhar severo, acrescentou:

– O tempo urge, mas estamos muito longe da arena militar para que um dia faça diferença.

– Ele tem razão – disse Billie. Vários pares de olhos se voltaram para ela, surpresos, incluindo os de George. – Nenhum de nós está em condições de tomar uma decisão adequada nesse momento. Ela se virou para George. – Vá para casa. Fique com sua família. Amanhã vou até lá para ver como posso ajudar.

– Mas o que você poderia fazer? – perguntou lady Bridgerton.

Billie olhou para ela com uma graça calma e austera.

– Tudo o que for necessário.

George engoliu em seco, surpreso pela onda avassaladora de emoção por trás de seus olhos. Seu irmão estava desaparecido; seu pai, despedaçado, e agora ele achava que poderia chorar?

Ele deveria lhe dizer que não precisavam de ajuda, que agradeciam sua oferta, mas que era desnecessária.

Essa era a coisa educada a fazer. Era o que ele teria dito a qualquer outra pessoa.

Mas para Billie ele disse:

– Obrigado.

∽

Billie foi à Crake House no dia seguinte com um coche simples de um cavalo. Ela não sabia bem como sua mãe tinha conseguido, mas a recepção em casa fora encurtada vários dias, e todos já tinham ido embora ou planejavam fazer isso na manhã seguinte.

Billie levara um tempo absurdo para decidir o que vestir. Calça certamente não era uma opção. Apesar do que a mãe pensava, Billie sabia como e quando se vestir adequadamente, e nunca usaria suas roupas de trabalho para uma visita social.

Mas aquela não era uma visita social comum. Cores alegres não serviriam. Mas não podia usar preto. Nem lavanda, cinza ou qualquer coisa que sugerisse luto. Edward *não* estava morto, disse a si mesma decididamente.

Por fim, optou por um vestido confortável que tinha ganhado no ano anterior. Sua mãe havia escolhido a estampa – um florido primaveril com tons de verde, rosa e laranja na musselina cor de creme –, mas Billie o adorara de imediato. O vestido a fazia lembrar de um jardim em um dia nublado, o que, de alguma forma, parecia a roupa adequada para visitar os Rokesbys.

Crake estava silenciosa quando chegou. Parecia errado. Era uma casa enorme; como em Aubrey Hall, alguém poderia passar dias sem ver outro membro da família. Mas, mesmo assim, sempre parecera vibrante, viva. Um Rokesby ou outro estava sempre passando por ali, sempre felizes, sempre ocupados.

Crake House era enorme, mas era um lar.

Naquele momento, entretanto, a atmosfera do local não era a de sempre. Até os criados, que normalmente trabalhavam com diligência e discrição, pareciam mais quietos do que o normal. Ninguém sorria, ninguém falava.

Era quase desolador.

Billie foi encaminhada à sala de estar, mas, antes de deixar o saguão, George apareceu, obviamente tendo sido avisado da sua chegada.

– Billie – disse ele, curvando a cabeça em cumprimento. – Que bom vê-la.

O primeiro impulso dela foi perguntar se havia alguma notícia, mas é claro que não era o caso. Era impossível terem recebido um mensageiro rápido, vindo de Londres, com um relatório. Edward estava longe demais. Provavelmente passariam-se meses até saberem sobre seu destino.

– Como está sua mãe? – perguntou ela.

Ele abriu um sorriso triste.

– Tão bem quanto é possível.

Billie assentiu, seguindo-o até a sala de estar.

– E seu pai?

George fez uma pausa, mas não se virou para encará-la.

– Ele só fica sentado no escritório, olhando pela janela.

Billie engoliu em seco, o coração partido em razão da postura sombria de George. Não precisava ver o rosto dele para saber de sua dor. Ele amava Edward, assim como ela. Assim como todos eles.

– É inútil esperar contar com ele – falou George.

Os lábios de Billie se entreabriram de surpresa pelas palavras tão duras, mas então percebeu que George não falara com desprezo.

– Ele está incapacitado – esclareceu ele. – O sofrimento...

– Creio que nenhum de nós saiba como reage a uma crise até sermos forçados a encarar uma.

Ele se virou, erguendo um dos cantos da boca.

– Quando ficou tão sábia?

– Não é sabedoria repetir essas banalidades de senso comum.

– É sabedoria saber quais merecem ser repetidas.

Para sua grande surpresa, Billie sentiu uma pitada de alegria surgir dentro dela.

– Você está determinado a me elogiar.

– É o único ponto alto do dia – murmurou George.

Era o tipo de comentário que normalmente faria seu coração pular, mas, como o restante da família, estava entorpecida demais pela dor e pela preocupação. Edward estava desaparecido e George estava sofrendo...

Ela respirou fundo. Aquilo não dizia respeito a George. Ele estava *bem*. Estava ali, bem à sua frente, forte e saudável.

Não, não tinha a ver com George.

Não podia ter a ver com George.

Só que... recentemente parecia que tudo tinha a ver com ele. Ela pensava nele com frequência, e, Santo Deus, não fazia apenas um dia que estavam jogando croquet e ela quase o *beijara*?

Ela quisera aquilo. Deus do céu, como quisera, e, se ele tivesse demonstrado algum interesse – e se não houvesse quatro outras pessoas andando ao redor com tacos de croquet –, ela teria tomado a iniciativa. Billie nunca beijara ninguém antes, mas quando isso alguma vez a detivera? Pulara sua primeira cerca quando tinha apenas 6 anos. Nunca sequer tinha pulado um arbusto antes disso, mas dera uma olhada naquela cerca de um metro e meio e soubera que tinha de pular. Então simplesmente montara sua égua e pulara. Porque quisera.

E também porque Edward a desafiara. Mas não teria tentado se não achasse que poderia conseguir.

E se não soubesse que iria adorar.

Mesmo naquela época, ela já sabia que não era como as outras garotas. Não queria tocar piano ou costurar. Queria estar ao ar livre, voar na garupa de seu cavalo, a luz do sol dançando pela sua pele enquanto seu coração pulava e corria com o vento.

Ela queria levantar voo.

Ainda queria.

Se beijasse George... Se ele a beijasse... A sensação seria a mesma?

Passou os dedos pelas costas do sofá, tentando preencher o momento com um movimento indolente. Mas então cometeu o erro de erguer os olhos...

Ele olhava para ela, os olhos ávidos, curiosos e com algo mais também, algo que ela não identificou precisamente.

Mas o que quer que fosse... ela pôde sentir. Seu coração deu um pulo e a respiração acelerou, e ela percebeu que se sentia igual a quando montava sua égua. Ofegante, vertiginosa, determinada e impetuosa... Estava tudo ali dentro dela, ansiando por liberdade.

Tudo porque ele olhara para ela.

Santo Deus, se ele de fato a *beijasse*, ela corria o risco de se desmanchar.

Billie bateu nervosamente os dedos na beirada do sofá e depois, meio sem graça, apontou para uma cadeira.

– Eu deveria me sentar.

– Se assim deseja.

Mas os pés dela não se moviam.

– Pareço não saber o que fazer – admitiu ela.

– Bem-vinda ao clube – murmurou ele.

– Ah, George...

– Quer uma bebida? – perguntou ele.

– Agora?

Era pouco mais de onze horas.

Ele deu de ombros de um jeito que beirava a insolência. Billie só podia se perguntar quanto ele já tinha bebido.

Mas ele não seguiu até a garrafa de conhaque. Em vez disso, parou junto à janela, olhando para o jardim. Começara a chover; uma leve garoa enevoada que deixava a atmosfera densa e cinzenta.

Ela esperou por um bom tempo, mas ele não se virou. Suas mãos estavam cruzadas atrás das costas – a postura clássica de um cavalheiro. Mas algo não estava certo. Havia certa severidade em sua pose, uma tensão nos ombros que ela não estava acostumada a ver.

Ele parecia frágil. Desolado.

– O que você vai fazer? – ela finalmente perguntou.

Achava que não suportaria mais um segundo de silêncio.

A postura de George mudou, talvez um ligeiro movimento do pescoço, e então ele virou a cabeça para o lado. Mas não o suficiente para olhar para ela. Em vez disso, era seu perfil que Billie via quando ele disse:

– Ir para Londres, suponho.

– Para Londres? – repetiu ela.

Ele bufou.

– Não há muito mais que eu possa fazer.

– Não quer ir para as colônias procurar por ele?

– Claro que quero ir para as colônias – retrucou ele, virando para encará-la. – Mas isso não cabe a mim.

Os lábios de Billie se entreabriram, mas o único som era o da pulsação dela, correndo de modo descontrolado por suas veias. A explosão dele foi inesperada. Sem precedentes.

Já tinha visto George perder a paciência antes. Dificilmente poderia ter crescido ao lado dos irmãos mais novos dele sem *nunca* ter presenciado algo assim. Mas jamais tinha visto *aquilo*.

Não havia como deixar de notar o desprezo em sua voz, nem o fato de estar inteiramente direcionado a si mesmo.

– George – disse ela, tentando manter a voz calma e razoável –, se você quer...

Ele deu um passo à frente, o olhar severo e furioso.

– Não me diga que posso fazer o que quero, porque, se acredita nisso, é tão ingênua quanto o resto deles.

– Eu não ia...

Mas por sorte ele a interrompeu, bufando em tom de deboche, porque era exatamente o que ela estava prestes a dizer, e foi só naquele momento que percebeu como teria sido ridículo. Ele não podia simplesmente partir para as colônias; todos sabiam disso.

Ele nunca seria tão livre quanto os irmãos. A ordem do nascimento deles havia assegurado isso. George herdaria o título, a casa, a terra. A maior parte do dinheiro. Mas com o privilégio vinha a responsabilidade. Ele estava preso àquele lugar. Estava em seu sangue, da mesma forma que Aubrey Hall estava no dela.

Ela queria perguntar se ele se importava. Se, caso tivesse chance, trocaria de lugar com Andrew ou Edward.

– O que vai fazer em Londres? – perguntou em vez disso.

Porque nunca poderia ter perguntado o que realmente queria saber. Não enquanto o destino de Edward fosse incerto.

Ele deu de ombros, embora não tanto com os ombros quanto com a cabeça e os olhos.

– Falar com as pessoas. Fazer perguntas – respondeu ele, rindo de forma amarga. – Sou muito bom em falar com as pessoas e fazer perguntas.

– Você sabe como fazer as coisas – concordou ela.

– Sei como conseguir que outras pessoas façam as coisas – disse ele ironicamente.

Ela pressionou os lábios um contra o outro antes que pudesse dizer algo fútil como "É uma habilidade importante". Mas *era* uma habilidade importante, mesmo que ela não a tivesse. Billie nunca deixava nada para o administrador do pai fazer; ele era certamente o funcionário que tinha o salário mais desproporcional à sua função. Ela agia primeiro e pensava depois; sempre fora assim. E não suportava deixar que outra pessoa fizesse uma tarefa se podia fazer melhor sozinha.

E quase sempre podia fazer melhor sozinha.

– Preciso de uma bebida – murmurou George.

Billie não ousou ressaltar novamente que ainda era cedo para beber.

Ele foi até o aparador e serviu-se de conhaque. Tomou um gole. Um gole grande.

– Quer uma?

Billie fez que não com a cabeça.

– Surpreendente – murmurou George.

Havia algo ríspido em sua voz. Quase desagradável. Ela sentiu a coluna se enrijecer.

– Perdão?

Mas George apenas riu, arqueando as sobrancelhas em uma saudação debochada.

– Ora, vamos, Billie. Você vive para chocar. Mal posso acreditar que não aceite um conhaque quando alguém lhe oferece.

Ela rangeu os dentes, lembrando-se de que George não estava em seu estado normal no momento.

– Não é nem meio-dia.

Ele deu de ombros e tomou o resto da dose.

– Você não deveria estar bebendo – acrescentou ela.

– *Você* não deveria estar me dizendo o que fazer.

Ela se manteve imóvel, deixando que a longa pausa expressasse sua reprovação. Finalmente, porque precisava ser tão ríspida quanto ele, lançou-lhe um olhar frio e disse:

– Lady Alexandra envia seus cumprimentos. – Ele encarou Billie com um olhar de descrença. – Ela vai embora hoje.

– Que gentileza a sua transmitir a mensagem.

Ela sentiu uma resposta afiada subir pela garganta, mas, no último minuto, disparou:

– Não! Isso é ridículo. Não vou ficar aqui falando tolices. Vim para ajudar.

– Você não pode ajudar – disparou ele.

– Certamente não com você agindo assim – retrucou ela.

Ele bateu o copo sobre o aparador e se aproximou dela.

– O que acabou de dizer? – exigiu saber ele.

Seus olhos estavam enlouquecidos e furiosos, e ela quase deu um passo para trás.

– Quanto você bebeu?

– Não estou bêbado – disparou ele, ríspido. – Esta... *aquela* – corrigiu, acenando em direção ao copo – foi minha primeira e única bebida do dia.

Billie teve a sensação de que deveria se desculpar, mas não conseguiu.

– Eu gostaria de estar bêbado – confessou ele, aproximando-se com a graça silenciosa de um felino.

– Você não sabe o que está dizendo.

– Não? – A risada de George foi estridente.– Bêbado, eu poderia não lembrar que meu irmão está perdido em algum lugar ermo no meio do nada onde os habitantes não estão predispostos a serem gentis com qualquer um que use um casaco vermelho.

– George – começou a dizer ela, mas ele não se deixaria deter.

– Bêbado – repetiu ele, a palavra ecoando asperamente no ar –, eu poderia não ter notado que minha mãe passou a manhã inteira chorando na cama. Mas, o melhor de tudo – ele deixou as mãos caírem pesadamente sobre uma mesa lateral, e olhou para ela com um misto de desespero e fúria –, se eu estivesse bêbado, poderia de alguma forma esquecer que estou à mercê do resto do maldito mundo. Se Edward for encontrado...

– *Quando* ele for encontrado – interrompeu Billie, feroz.

– De qualquer forma, não será por minha causa.

– O que você *quer* fazer? – perguntou ela em voz baixa.

Porque tinha a sensação de que ele não sabia.

George dizia que queria ir para as colônias, mas Billie não tinha certeza se acreditava nele. Achava que ele nem sequer havia se permitido pensar no que queria fazer. Estava tão preso em suas restrições que não conseguia pensar claramente sobre o que havia de fato em seu coração.

– O que *eu* quero fazer? – repetiu ele.

George parecia... não surpreso, exatamente, mas talvez um pouco perplexo.

– Eu quero... eu quero... – Ele piscou, então olhou nos olhos dela. – Eu quero você.

Billie ficou sem ar.

– Eu quero você – repetiu ele, e foi como se toda a sala girasse.

Seu olhar atordoado foi substituído por algo feroz.

Predatório.

Billie não conseguia falar. Só o observou se aproximando, o ar entre os dois chiando de tão quente.

– Você não quer fazer isso – disse ela.

– Ah, eu quero. Quero muito.

Mas ele não queria. Billie sabia que ele não queria, e podia sentir seu coração se partir, porque *ela* queria. Queria que ele a beijasse como se fosse a única mulher que ele sonhasse beijar, como se ele fosse morrer caso os lábios dele não tocassem os dela.

Ela queria que ele a beijasse quando de fato *quisesse* isso.

– Você não sabe o que está fazendo – falou ela, recuando um passo.

– É o que você pensa? – murmurou ele.

– Você estava bebendo.

– Só o suficiente para que isso seja perfeito.

Ela piscou. Não tinha ideia do que aquilo significava.

– Vamos, Billie. Por que está tão hesitante? Você não é assim – zombou ele.

– *Você* não é assim – rebateu ela.

– Você não tem como saber isso.

Ele se aproximou ainda mais, os olhos brilhando com algo que ela sentia medo de definir. George estendeu a mão e tocou o braço dela, apenas um dedo em sua pele, mas o suficiente para fazê-la estremecer.

– Quando foi que fugiu de um desafio?

Ela sentiu um frio no estômago e seu coração batia acelerado, mas seus ombros ainda estavam aprumados e rígidos.

– Nunca – declarou ela, olhando-o diretamente nos olhos.

Ele sorriu e seu olhar parecia mais quente.

– Essa é a minha garota – murmurou ele.

– Eu não sou...

– Mas vai ser – grunhiu ele, e, antes que Billie dissesse outra palavra, a boca de George capturou a dela em um beijo ardente.

CAPÍTULO 17

Ele a beijou.

Foi a própria definição de loucura.

Ele estava beijando *Billie Bridgerton*, a última mulher no mundo que sonharia querer, mas, por Deus, quando ela olhou furiosa para ele, quando seu queixo estremeceu e se projetou, ele não conseguiu ver mais nada além dos seus lábios, nem sentir mais nada além do seu perfume.

E não conseguia sentir nada além do calor da pele dela sob seus dedos, e queria mais. Mais *daquilo*.

Mais dela.

Passou sua outra mão em torno de Billie com impressionante velocidade. Não estava pensando, *não podia* estar pensando. Simplesmente a puxou contra seu corpo, com força, e então a beijou.

Queria devorá-la.

Queria possuí-la.

Queria tomá-la nos braços, abraçá-la firme e beijá-la até ela finalmente adquirir um pouco de bom senso, até parar de fazer coisas malucas e de assumir riscos desnecessários, e começar a se comportar da maneira como uma mulher deveria, embora continuasse sendo *ela* e...

Ele não conseguia raciocinar. Seus pensamentos estavam confusos, dilacerados pelo calor do momento.

Mais... Era o que sua mente implorava. *Mais* era a única coisa que fazia algum sentido naquele momento. Mais daquilo. Mais de Billie.

Ele segurou o rosto dela, mantendo-a imóvel. Mas ela não estava imóvel. Os lábios dela se moviam, beijando-o de volta com o tipo de fervor que era característico de Billie. Ela cavalgava com ferocidade, jogava com ferocidade e, Santo Deus, beijava da mesma maneira, como se George fosse seu triunfo e nele ela fosse ser glorificada.

Era tudo tão louco, tão completamente errado e ainda assim tão deliciosamente perfeito... Eram todas as sensações do mundo envoltas em uma mulher, e ele queria cada vez mais. Naquele momento, naquela sala, ele queria cada vez mais.

A palma de sua mão correu para o ombro dela, depois para as costas, puxando-a para mais perto até que seus quadris pressionaram a barriga dela com força. Billie era pequena, e era forte, mas tinha curvas em todos os lugares certos.

George não era um monge. Já havia beijado mulheres antes, mulheres que sabiam beijá-lo de volta. Mas nunca quisera tanto alguém quanto queria Billie. Nunca quisera nada tanto quanto aquele beijo.

Aquele beijo... e tudo o que pudesse vir depois.

– Billie – gemeu ele. – Billie.

Ela deixou escapar um som. Pode ter sido o nome dele. E, de alguma forma, isso bastou.

Santo Deus. A razão voltou a ele de repente. Seu cérebro despertou, sua sanidade estava de volta, e ele cambaleou para trás, a eletricidade que faiscara tão ardentemente entre eles agora o empurrando para longe.

Mas que diabo acabara de acontecer?

Ele respirou. Não, ele *tentou* respirar. Era uma coisa completamente diferente.

Ela lhe perguntara o que ele queria.

E ele respondera. Ele *a* queria. E nem sequer precisara pensar a respeito.

Claramente, ele não pensara a respeito, porque, se tivesse pensado, não teria feito o que fez.

Passou uma mão pelo cabelo. Depois a outra. Então apenas desistiu e fechou as duas com força, puxando o couro cabeludo até soltar um grunhido de dor.

– Você me beijou – disse ela, e George teve presença de espírito suficiente para não falar que ela o beijara de volta.

Porque *ele* havia começado. Ele havia começado, e os dois sabiam que ela nunca teria feito isso.

George balançou a cabeça, pequenos movimentos impensados que não serviram para clarear sua mente.

– Eu sinto muito – falou ele rigidamente. – Isso não foi... quero dizer...

Ele praguejou. Aquela era aparentemente a extensão de sua coerência.

– Você me beijou – repetiu ela, e desta vez parecia desconfiada. – Por que...

– Eu não sei – disparou ele.

Então praguejou novamente, passando a mão pelo cabelo enquanto se virava para o outro lado. Maldição. Maldição, maldição...

Engoliu em seco.

– Isso foi um erro – disse ele.

– O quê?

Foram apenas duas palavras. Insuficientes para expressar o tom dela. O que provavelmente foi melhor. Ele se virou, forçando-se a olhar para o rosto dela, mas ao mesmo tempo não se permitindo de fato *vê-lo*.

Ele não queria ver a reação dela. Não queria saber o que ela pensava dele.

– Isso foi um erro – repetiu ele, porque era o que tinha a dizer. – Você me entende?

Ela estreitou os olhos. Seu rosto ficou sério.

– Perfeitamente.

– Pelo amor de Deus, Billie, não se ofenda...

– *Não se ofenda? Não se ofenda?* Você... – Ela se conteve, lançou um olhar furtivo para a porta aberta e baixou a voz para um silvo furioso. – Eu não comecei isso.

– Estou bem ciente.

– O que estava pensando?

– Obviamente, eu não estava pensando – falou ele, praticamente despejando as palavras.

Os olhos dela se arregalaram, faiscando de dor, e então ela se virou e abraçou o próprio corpo.

E George finalmente compreendeu o verdadeiro significado de remorso. Soltou o ar, ainda nervoso e passando a mão pelos cabelos.

– Peço desculpas – disse ele pela segunda vez. – Vou casar com você, é claro.

– *O quê?* – reagiu ela, virando-se de repente. – Não.

O corpo de George se retesou. Era como se alguém tivesse pegado uma barra de ferro e enfiado em sua coluna.

– Perdão?

– Não seja tolo, George. Você não quer casar comigo.

Era verdade, mas ele não era estúpido o suficiente para dizer isso em voz alta.

– E sabe que não quero me casar com você.

– Como tem deixado cada vez mais claro.

– Você só me beijou porque está chateado.

Isso *não era* verdade, mas ele também manteve a boca fechada nessa hora.

– Então aceito suas desculpas – disse ela, erguendo o queixo. – E nunca mais voltaremos a falar disso.

– De acordo.

Eles ficaram ali por um instante, paralisados em meio àquela situação dolorosamente constrangedora. Ele devia estar pulando de alegria. Qualquer outra jovem teria corrido dali. Chamado o pai. E o vigário. E o feito assinar uma licença especial tecida em forma de um nó corrediço.

Mas não Billie. Não, Billie só olhou para ele com uma altivez quase sobrenatural e disse:

– Espero que *você* aceite *minhas* desculpas.

– Suas...

O quê? O queixo dele caiu.

Por que diabo ela estava pedindo desculpas? Ou só estava tentando ter o controle da situação? Ela sempre soubera como desestabilizá-lo.

– Não posso fingir que não retribuí o... hã... – Ela engoliu em seco, e ele sentiu certa satisfação em ver que ela corou. – O... hã...

Ele sentiu uma *grande* satisfação pelo fato de ela não ter conseguido sequer concluir a frase.

– Você gostou – disse ele com um sorriso lento.

Era de uma imprudência colossal provocá-la naquele momento, mas ele não resistiu.

Ela deslocou o peso do corpo de um pé para o outro.

– Todo mundo tem de ter um primeiro beijo.

– Então estou honrado – falou ele com uma reverência cortês.

Os lábios dela se entreabriram de surpresa, talvez até consternação. Excelente. Ele tinha virado a mesa.

– Eu não esperava que fosse você, é claro – continuou ela.

Ele conteve a irritação e, em vez disso, murmurou:

– Talvez outra pessoa?

Ela deu de ombros muito ligeiramente.

– Ninguém em particular.

Ele preferiu não analisar o imenso prazer que sentira com aquela declaração.

– Suponho que você sempre tenha pensado que seria um dos seus irmãos – continuou ela. – Andrew, talvez...

– *Não* Andrew – disparou ele.

– Não, provavelmente não – concordou ela, inclinando a cabeça para o lado enquanto pensava a respeito. – Mas costumava ser esperado.

Ele olhou para ela com alguma irritação. Embora não fosse possível dizer que ela não fora *nem um pouco* afetada pela situação, certamente não parecia *tão* afetada quanto ele achava que deveria ficar.

– Não teria sido o mesmo – falou ele.

Ela piscou.

– Perdão?

– Se você tivesse beijado outra pessoa. – Ele se aproximou dela, incapaz de ignorar o modo como seu sangue fervilhava com a expectativa. – Não teria sido a mesma coisa.

– Bem... – Ela parecia deliciosamente confusa. – Acredito que não. Quero dizer... pessoas diferentes...

– Muito diferentes – concordou ele.

A boca de Billie se abriu e vários segundos se passaram antes que as palavras saíssem.

– Não sei bem com quem você está se comparando.

– Com qualquer um. – Ele se aproximou ainda mais. – Com todos.

– George?

Os olhos de Billie estavam arregalados, mas ela não dizia que não.

– Quer que eu beije você de novo? – perguntou ele.

– É claro que não.

Mas ela disse isso rápido demais.

– Tem certeza?

Ela engoliu em seco.

– Seria uma péssima ideia.

– Péssima mesmo – disse ele suavemente.

– Então nós... não devemos?

Ele tocou o rosto dela, e desta vez sussurrou:

– Quer que eu beije você de novo?

Ela se moveu... só um pouco. George não sabia dizer se ela estava balançando a cabeça para dizer que *sim* ou que *não*. E tinha a sensação de que Billie também não sabia.

– Billie? – murmurou ele, aproximando-se de tal forma que sua respiração roçava a pele dela.

Billie estava ofegante quando disse:

– Eu falei que não me casaria com você.

– Você falou.

– Bem, falei que você *não precisa* se casar comigo.

Ele assentiu. Ela continuou:

– Isso ainda seria verdade.

– Se eu a beijasse de novo?

Ela assentiu.

– Então isso não significa nada? – disse ele.

– Não...

Algo quente e agradável tomou conta do peito dele. Aquilo nunca poderia significar nada. E ela sabia disso.

– Só significa... – Billie engoliu em seco, seus lábios tremendo enquanto pressionava um contra o outro. – Que não há consequências.

Ele roçou os lábios contra o rosto dela.

– Não há consequências – repetiu ele suavemente.

– Nenhuma.

– Eu poderia beijar você de novo...

Ele passou a mão pela base das costas dela, exercendo apenas uma ligeira pressão. Ela poderia se afastar a qualquer momento. Poderia se desvencilhar do abraço, atravessar a sala e ir embora. Ele precisava que ela soubesse disso. *Ele* precisava saber que ela sabia disso. Para que não houvesse recriminações, nada de dizer a si mesma que tinha sido arrebatada pela paixão dele.

Se Billie fosse arrebatada pela paixão, que fosse pela própria.

Ele tocou a orelha dela com os lábios.

– Eu poderia beijar você de novo – repetiu.

Ela assentiu com um movimento sutil, mas o suficiente para que ele detectasse.

– De novo – sussurrou ela.

Os dentes de George encontraram o lóbulo da orelha dela, mordiscaram-no suavemente.

– E de novo.

– Eu acho...

– O que você acha?

Ele sorriu contra a pele dela. Não podia acreditar quão delicioso aquilo era. Ele já experimentara beijos arrebatados, de avidez pura e primitiva, de luxúria avassaladora. Aquilo era tudo isso, mas havia algo mais.

Algo alegre.

– Acho que... – Ela engoliu em seco. – Acho que você *deveria* me beijar de novo. – Ela olhou para cima, os olhos notavelmente claros. – E acho que deveria fechar a porta.

George nunca se movera tão rapidamente na vida. Ainda chegou a pensar em colocar uma cadeira sob a maçaneta da porta só para impedir que fossem surpreendidos.

– Isso ainda não significa nada – disse ela quando ele a envolveu em seus braços.

– Definitivamente não.

– Sem consequências.

– Nenhuma.

– Você não precisa se casar comigo.

– Não preciso.

Mas poderia. O pensamento passou pela mente dele como uma agradável surpresa. Ele *poderia* se casar com ela. Não havia por que não.

Por sua sanidade, talvez. Mas ele tinha a sensação de que a perdera no momento em que seus lábios tocaram os de Billie.

Ela ficou na ponta dos pés, inclinando o rosto em direção ao dele.

– Se você me deu meu primeiro beijo – continuou ela, os lábios se curvando de maneira sutilmente travessa –, então pode muito bem me dar o segundo.

– Talvez o terceiro – sugeriu ele, capturando a boca de Billie com a dele.

– É importante saber... – disse ela, conseguindo pronunciar essas três palavras entre os beijos.

– Saber?

A boca de George deslizou para o pescoço dela, fazendo-a se arquear em seus braços, provocante.

Ela assentiu, ofegante, enquanto uma das mãos dele corria pelo seu tronco.

– Como beijar – esclareceu ela. – É uma habilidade.

Ele sorriu.

– E você gosta de ser hábil.

– Gosto.

Ele beijou o pescoço dela, depois a clavícula, dando graças ao estilo de corpete da moda, arredondado e revelador, que deixava à mostra a pele cremosa dos ombros até a parte superior dos seios.

– Prevejo grandes coisas para você.

A única resposta dela foi um suspiro de surpresa. O motivo, ele não tinha certeza – talvez a língua, roçando a pele sensível junto à borda rendada do vestido dela. Ou talvez fossem os dentes, mordiscando o pescoço dela com suavidade.

Ele não ousou atirá-la na espreguiçadeira; não confiava em si mesmo para ir tão longe. Mas empurrou-a contra o sofá, levantando-a os poucos centímetros necessários para colocá-la sentada no encosto.

E Deus fosse louvado, Billie sabia instintivamente o que fazer. Suas pernas se abriram e, quando ele ergueu sua saia, ela as passou ao redor dele. Talvez fosse apenas para se equilibrar, mas enquanto pressionava o corpo contra o dela, ele não se importava. A saia dela ainda estava no caminho, assim como a calça dele, mas ele podia *senti-la*. Estava duro ao extremo e pressionou-se contra ela, seu corpo sabendo exatamente aonde queria ir. Ela era uma garota do campo – devia saber o que aquilo significava, mas estava perdida na mesma paixão, e o puxou para mais perto, pressionando as pernas em torno dos quadris dele.

Santo Deus, naquele ritmo ele logo chegaria ao êxtase como um menino inexperiente.

Ele respirou fundo.

– É demais – disse ele, ofegante, forçando-se a se afastar.

– Não – foi tudo o que ela disse, e suas mãos correram para a cabeça dele, permitindo que a beijasse mesmo quando ele colocou uma pequena distância entre seus corpos.

E então ele a beijou. Beijou-a incessantemente. Beijou-a com cuidado, atento ao próprio desejo, muito consciente de quanto estava no limite da razão.

E ele a beijou com carinho, porque era Billie, e de alguma forma ele sabia que ninguém nunca pensara em ser carinhoso com ela.

- George - disse ela.

Ele afastou os lábios dos dela, só um pouco, quase nada.

- Humm.

- Nós temos de... temos de parar.

- Humm - concordou ele.

Mas não parou. Poderia ter parado; estava no controle da sua paixão naquele momento. Mas não queria.

- George - repetiu ela. - Estou ouvindo alguém.

Ele se afastou. Prestou atenção.

Praguejou.

- Abra a porta - sussurrou Billie.

Ele abriu. Diligentemente. Nada despertava mais suspeitas do que uma porta fechada. Olhou para ela.

- Talvez você... - Ele pigarreou e fez um gesto com a mão perto da cabeça. - Talvez você queira...

Ele não era especialista em penteados femininos, mas tinha certeza de que o cabelo dela não estava como deveria.

Billie ficou pálida e ajeitou o cabelo o mais rápido que pôde, os dedos ágeis pegando grampos e recolocando-os no lugar.

- Melhor?

Ele fez uma careta. Havia um ponto atrás da orelha direita onde uma mecha castanha parecia brotar da cabeça.

Eles ouviram uma voz no corredor.

- *George?*

Era a mãe dele. Santo Deus.

- George!

- Aqui, mãe - respondeu, indo para a porta.

Ele poderia segurá-la no corredor por alguns segundos, pelo menos. Virou-se de volta para Billie, trocando um último olhar urgente. Ela tirou as mãos do cabelo e as estendeu, como se dissesse: *E então?*

Teria que ser suficiente.

- Mãe - disse ele, saindo no corredor. - A senhora se levantou.

Ela ofereceu a bochecha, que ele beijou obedientemente.

- Não posso ficar no quarto para sempre.

– Não, embora com certeza a senhora possa tirar um tempo para...

– Sofrer? – interrompeu ela. – Eu me recuso. Pelo menos até recebermos notícias mais definitivas.

– Eu ia dizer "descansar" – replicou ele.

– Já fiz isso.

Muito bem, lady Manston, pensou ele. Era engraçado como sua mãe ainda o surpreendia com sua resiliência.

– Eu estava pensando – disse lady Manston, passando por ele. – Ah, olá, Billie, não percebi que você estava aqui.

– Lady Manston – cumprimentou Billie. – Eu esperava poder ser de alguma ajuda.

– Isso é muito gentil da sua parte. Não sei bem o que pode ser feito, mas sua companhia é sempre apreciada. – Lady Manston inclinou a cabeça de lado. – Está ventando muito lá fora?

– O quê? – Billie levou a mão ao cabelo, constrangida. – Ah. Sim, um pouco. Esqueci meu chapéu.

Então todos olharam para o chapéu que ela havia deixado em cima da mesa.

– O que quis dizer foi que esqueci de colocá-lo – explicou Billie com uma risada que continha um nervosismo que George esperava que a mãe não detectasse. – Ou melhor, para ser sincera, não esqueci. O ar estava ótimo.

– Não vou contar para sua mãe – disse lady Manston com um sorriso indulgente.

Billie assentiu em agradecimento e, em seguida, fez-se um estranho silêncio na sala. Ou talvez não fosse nem um pouco estranho. Talvez George só achasse estranho porque sabia o que Billie estava pensando, e sabia o que *ele* estava pensando, e, de alguma forma, parecia impossível que sua mãe estivesse pensando em outra coisa.

Mas ao que parece ela estava, porque olhou para ele com um sorriso que ele sabia ser forçado e perguntou:

– Está mesmo pensando em ir a Londres?

– Acho que sim – respondeu ele. – Conheço algumas pessoas no Departamento de Guerra.

– George está pensando em viajar até Londres para tentar descobrir alguma coisa – disse a mãe dele a Billie.

– Sim, ele me contou. É uma excelente ideia.

Lady Manston acenou ligeiramente a cabeça e se virou para George.

– Seu pai também conhece algumas pessoas, mas...

– Eu posso ir – logo disse George, salvando a mãe do sofrimento de ter de descrever o atual estado de incapacitação do marido.

– Você provavelmente conhece as mesmas pessoas – disse Billie.

George olhou para ela.

– Exato.

– Acho que vou com você – falou a mãe dele.

– Mãe, não, a senhora deve ficar em casa – disse George. – Papai vai precisar de você, e se eu estiver sozinho será mais fácil fazer o que precisa ser feito.

– Não seja tolo. Seu pai não precisa de nada além de notícias do filho, e não posso fazer nada para ajudar daqui.

– E fará em Londres?

– É possível que não – admitiu ela –, mas pelo menos há uma chance.

– Não vou conseguir fazer nada se estiver preocupado com você.

A mãe dele ergueu uma sobrancelha perfeitamente arqueada.

– Então não se preocupe.

Ele trincou os dentes. Não havia como argumentar com ela quando estava assim, e a verdade era que nem ele sabia direito por que não queria que sua mãe fosse junto. Só tinha essa sensação estranha e mesquinha de que era melhor fazer certas coisas sozinho.

– Vai dar tudo certo – disse Billie, tentando amenizar a tensão entre mãe e filho.

George lançou-lhe um olhar de gratidão, mas achava que ela não tinha visto. Ela era mais parecida com a própria mãe do que qualquer um imaginava, percebeu George. Era uma apaziguadora, no próprio estilo inimitável.

George viu quando ela pegou a mão da mãe dele.

– Sei que Edward vai voltar para nós – disse Billie, apertando de leve a mão de lady Manston.

Uma sensação calorosa e quase acolhedora de orgulho tomou conta dele. E George podia jurar que sentia Billie apertar a mão dele também.

– Você é tão querida, Billie... – falou a mãe dele. – Você e Edward sempre foram muito próximos.

– Meu melhor amigo – disse Billie. – Bem, além de Mary, é claro.

George cruzou os braços.

– Não se esqueça de Andrew.

Ela olhou para ele franzindo a testa.

Lady Manston se inclinou para a frente e beijou a bochecha de Billie.

– O que eu não daria para ver você e Edward juntos mais uma vez...

– E verá – disse Billie com firmeza. – Ele virá para casa... se não em breve, pelo menos em alguma hora. – Então abriu algo que parecia muito um sorriso reconfortante. – Estaremos juntos novamente. Sei disso.

– Estaremos *todos* juntos novamente – interveio George, mal-humorado.

Billie olhou de cara feia para ele de novo, desta vez de maneira consideravelmente mais contundente.

– Não paro de ver o rosto dele – comentou lady Manston. – Sempre que fecho os olhos.

– Eu também – admitiu Billie.

George ficou furioso. Acabara de beijá-la... e tinha quase certeza de que os olhos dela estavam fechados.

– George? – chamou a mãe.

– O quê? – disparou ele.

– Você fez um barulho.

– Foi só um pigarro – mentiu.

Será que Billie estava pensando em Edward quando o beijou? Não, ela não faria isso. Ou faria? Como ele saberia? E ele poderia culpá-la? Se ela estivesse pensando em Edward, não teria sido de propósito.

O que, de alguma forma, tornava tudo ainda pior.

Ele observou Billie conversar em voz baixa com sua mãe. Será que estava apaixonada por Edward? Não, não podia estar. Porque, se *estivesse*, Edward nunca teria sido tolo de não retribuir o afeto. E, se fosse o caso, eles já estariam casados.

Além disso, Billie dissera que nunca fora beijada. E Billie não mentia. Edward era um cavalheiro – talvez até mais do que George, depois dos acontecimentos daquele dia –, mas, se estivesse apaixonado por Billie, não haveria como ter partido para os Estados Unidos sem beijá-la.

– George?

Ele ergueu os olhos. Sua mãe o observava com certa preocupação.

– Você não parece bem – disse ela.

– Não me sinto bem – falou ele secamente.

Sua mãe recuou um pouco, a única indicação de sua surpresa.

– Imagino que nenhum de nós se sinta – falou ela.

– Gostaria de poder ir a Londres – disse Billie.

Aquilo chamou a atenção de George.

– Está brincando?

Santo Deus, aquilo seria um desastre. Se ele estava preocupado com a possibilidade de sua mãe ser uma distração...

Ela recuou, visivelmente ofendida.

– Por que eu estaria brincando?

– Você odeia Londres.

– Só fui lá uma vez – afirmou ela severamente.

– O quê? – disse lady Manston, surpresa. – Como isso é possível? Sei que você não participou de nenhuma temporada, mas fica apenas a cerca de um dia de viagem.

Billie pigarreou.

– Minha mãe hesitou um pouco depois do que aconteceu durante a minha apresentação na corte.

Lady Manston encolheu-se um pouco, depois recuperou-se por completo, dizendo de forma animada:

– Bem, então está certo. Não podemos viver no passado.

George olhou para a mãe, o temor tomando conta dele aos poucos.

– O que exatamente está certo?

– Billie deve ir a Londres.

CAPÍTULO 18

E assim, menos de uma semana depois, Billie se viu em suas roupas de baixo, com duas costureiras tagarelando em francês enquanto a espetavam com alfinetes e agulhas.

– Eu poderia usar um dos vestidos que trouxe de casa – disse a lady Manston pela que provavelmente era a quinta vez.

Lady Manston nem sequer ergueu os olhos do livro de figurinos que folheava.

– Não, não poderia.

Billie suspirou enquanto olhava para os tecidos ricamente brocados que cobriam as paredes da elegante loja de roupas que se tornara sua segunda casa ali em Londres. Ficara sabendo que era muito exclusiva; a placa discreta sobre a porta dizia apenas *Mme. Delacroix, modista*, mas lady Manston se referia ao pequeno dínamo francês como Crossy, e Billie fora instruída a fazer o mesmo.

Normalmente, disse lady Manston, Crossy e suas garotas iriam até elas, mas não tinham muito tempo para que Billie estivesse devidamente paramentada, e nesse caso parecia mais eficiente visitar a loja.

Billie tentara protestar. Não estava em Londres para uma temporada. Não estavam nem na época certa do ano. Bem, estariam em breve, mas ainda não. E com certeza não tinham viajado até Londres para participarem de festas e bailes. Verdade seja dita, Billie nem sabia bem por que estava ali. Ficara absolutamente perplexa quando lady Manston fizera o anúncio, o que deve ter ficado nítido em seu rosto na hora.

– Você acabou de dizer que gostaria de ir – dissera lady Manston –, e confesso que não estou sendo inteiramente altruísta. *Eu* quero ir e preciso de companhia.

George protestara, o que, dadas as circunstâncias, Billie achara sensato *e* insultante, mas nada detinha a mãe dele.

– Não posso levar Mary – dissera com firmeza. – Ela tem passado muito mal, e duvido que Felix iria permitir, em todo caso. – Ao comentar isso, olhara para Billie. – Ele é muito protetor.

– Concordo – resmungara Billie... de maneira bastante estúpida, em sua opinião.

Mas não conseguira pensar em mais nada para dizer. Sinceramente, nada a fazia sentir-se mais insegura a respeito de si mesma do que estar diante de uma indomável senhora da sociedade, mesmo uma que conhecia desde que nascera. Na maior parte do tempo, Lady Manston era sua adorável vizinha, mas de vez em quando a líder da Sociedade transparecia, dando ordens, orientando as pessoas e, por via de regra, sendo uma especialista em tudo. Billie não tinha ideia de como se afirmar. Era a mesma coisa com a mãe dela.

Mas então George deixara de lado o *bom senso* e partira para o *insulto*.

– Perdoe-me, Billie – dissera ele (enquanto olhava para a mãe) –, mas ela seria uma distração.

– Uma distração muito bem-vinda – retrucara lady Manston.

– Não para *mim*.

– George Rokesby! – Sua mãe enfurecera-se na mesma hora. – Peça desculpas agora mesmo.

– Ela entendeu o que eu quis dizer – replicara ele.

Billie, então, não conseguira ficar de boca fechada.

– Entendi?

George tinha se virado para Billie com um ar de vaga irritação. E clara condescendência.

– Você não quer realmente ir aos eventos.

– Edward também era meu amigo – dissera ela.

– Não tem isso de "era" – disparara George.

Ela queria bater nele, que interpretara mal suas palavras.

– Ah, pelo amor de Deus, George, você entendeu o que eu quis dizer.

– Entendi? – zombara ele.

– Mas que diabo está acontecendo aqui? – explodira lady Manston. – Sei que vocês dois nunca foram próximos, mas não há motivo para esse tipo de comportamento. Santo Deus, parece que vocês têm 3 anos de idade.

E isso foi tudo. Constrangidos, Billie e George ficaram em silêncio, e lady Manston escrevera um bilhete para lady Bridgerton, explicando que Billie fora gentil ao concordar em acompanhá-la.

Naturalmente, lady Bridgerton achara uma esplêndida ideia.

Billie pensara que passaria os dias conhecendo lugares interessantes, talvez indo ao teatro, mas, no dia seguinte à chegada deles, lady Manston recebera um convite para um baile oferecido por uma amiga muito querida e, para grande surpresa de Billie, decidira aceitar.

– Tem certeza de que está disposta? – perguntou Billie.

(Naquele momento, não pensara que também teria de ir ao baile, então, verdade seja dita, seus motivos eram puramente altruístas).

– Meu filho não está morto – disse lady Manston, surpreendendo Billie com sua franqueza. – Não vou agir como se ele estivesse.

– Bem, não, é claro que não, mas...

– Além disso – continuou lady Manston, sem dar nenhuma indicação de que tinha ouvido Billie falar –, Ghislaine é uma amiga muito querida, e seria indelicado recusar.

Billie franzira a testa, olhando para a pilha considerável de convites que haviam aparecido misteriosamente no delicado prato de porcelana sobre a escrivaninha de lady Manston.

– Como ela soube que a senhora está aqui em Londres?

Lady Manston deu de ombros enquanto examinava os demais convites.

– Acho que soube através de George.

Billie abriu um discreto sorriso. George chegara a Londres dois dias antes das damas. Percorrera todo o caminho a cavalo, o felizardo. Desde a sua chegada, no entanto, ela o vira precisamente três vezes. Uma vez no jantar, uma no café da manhã e outra na sala de estar quando ele entrou para tomar um conhaque enquanto ela lia um livro.

Ele fora perfeitamente educado, ainda que um pouco distante. Billie achava que isso poderia ser perdoado; até onde sabia, ele estava ocupado tentando obter notícias de Edward, e ela não queria distraí-lo de seu objetivo. Ainda assim, não pensara que "sem consequências" significaria "Ah, desculpe-me, é você aí no sofá?".

Não achava que o beijo tinha passado despercebido para ele. Billie não tinha muita – ah, tudo bem, nenhuma – experiência com homens, mas conhecia George, e sabia que ele a desejara tanto quanto ela.

E ela o desejara. Ah, como desejara...

Ainda desejava.

Toda vez que fechava os olhos, via o rosto dele, e o mais louco era que não era o beijo o que ela revivia infinitas vezes. Era o momento logo antes disso, quando seu coração batia como as asas de um beija-flor e sua respiração ansiava por se misturar à dele. O beijo tinha sido mágico, mas o momento anterior, a fração de segundo em que ela compreendeu...

Ela se transformara naquele momento.

Ele havia despertado algo dentro de Billie que ela nem sabia que existia, algo impetuoso e egoísta. E ela queria mais.

O problema era que não tinha ideia de como conseguir isso. Se havia um momento adequado para desenvolver as artimanhas femininas, provavelmente era aquele. Mas ela estava completamente fora de sua zona de conforto ali em Londres. Sabia como agir em Kent. Talvez não fosse a versão ideal de feminilidade idealizada por sua mãe, mas, quando estava em casa, em Aubrey ou Crake, sabia quem ela era. Se dissesse algo estranho ou fizesse algo fora do comum, não importava, porque era Billie Bridgerton, e todos sabiam o que isso significava.

Ela sabia o que isso significava.

Mas ali, naquela casa formal na cidade, com criados desconhecidos e senhoras de boca franzida aparecendo para uma visita, sentia-se desorientada.

E agora lady Manston queria ir a um baile?

– A filha de Ghislaine tem 18 anos, eu acho – ponderara lady Manston, virando o convite e olhando a parte de trás. – Talvez 19. Certamente está na idade de se casar.

Billie contivera a língua.

– Uma garota adorável, muito bonita e refinada. – Lady Manston erguera os olhos com um sorriso largo e travesso. – Devo insistir que George me acompanhe? Já está na hora de ele começar a procurar uma esposa.

– Tenho certeza de que ele ficará encantado – dissera Billie de forma diplomática.

Mas, em sua cabeça, já tinha pintado a linda filha de Ghislaine com chifres e um forcado.

– E você também deveria ir.

Billie levantara a cabeça, alarmada.

– Ah, eu não acho...

– Teremos de lhe arranjar um vestido.

– Realmente não é...

– E sapatos, imagino.

– Mas lady Manston, eu...

– Pergunto-me se podemos deixar de lado a peruca. Pode ser difícil lidar com elas quando não se está acostumada a usá-las.

– Eu realmente não gosto de usar perucas – dissera Billie.

– Então não terá de usar – declarara lady Manston, e fora só então que Billie percebera como fora habilmente manipulada.

Isso tinha sido dois dias antes. Dois dias e cinco provas de roupa. Seis, contando com aquela.

– Billie, prenda a respiração por um instante – pedira lady Manston.

Billie olhou para ela.

– O quê?

Era muito difícil se concentrar em outra coisa que não as duas costureiras que não paravam de puxá-la para um lado e para outro.

Ouvira falar que a maioria das costureiras fingia um sotaque francês para parecer mais sofisticada, mas aquelas duas pareciam genuínas. Billie não conseguia entender uma palavra do que diziam.

– Ela não fala francês – disse lady Manston a Crossy. – Não sei bem o que a mãe dela estava pensando. – Então olhou de volta para Billie. – Sua respiração, querida. Elas precisam apertar seu espartilho.

Billie olhou para as duas assistentes de Crossy, esperando pacientemente atrás dela, os cordões do espartilho na mão.

– São necessárias duas pessoas para isso?

– É um espartilho muito bom – explicou lady Manston.

– O *melhorrr* – confirmou Crossy.

Billie suspirou.

– Não, *inspire* – orientou lady Manston. – *Inspire.*

Billie obedeceu, encolhendo a barriga para que as duas costureiras fizessem algum tipo de trançado coreográfico, que curvou a coluna de Billie de uma maneira totalmente nova. Seus quadris se projetaram para a frente e sua cabeça parecia notadamente para trás. Não sabia como conseguiria andar assim.

– Isso não é muito confortável! – exclamou ela.

– Não – confirmou lady Manston em tom despreocupado. – Não vai ser.

Uma das damas disse algo em francês e depois empurrou os ombros de Billie para a frente e a barriga para trás.

– *Meilleur?* – perguntou ela.

Billie inclinou a cabeça de lado, depois contorceu a coluna um pouco para cada lado. *Estava* melhor. Outro aspecto da feminilidade refinada com que não fazia ideia de como lidar: usar espartilho. Ou melhor, usar um "bom" espartilho. Aparentemente, os que ela vinha usando eram muito permissivos.

– Obrigada – disse ela à costureira, depois pigarreou. – Hã, *merci.*

– Para você, o *esparrrtilho* não deve ser muito desconfortável – falou Crossy, aproximando-se para inspecionar sua obra. – Sua barriga é linda e plana. O problema são os seus seios.

Billie ergueu os olhos, assustada.

– Meus...

– Têm muito pouca carne – continuou Crossy, balançando a cabeça tristemente.

Já era embaraçoso o suficiente que discutissem sobre seus seios como se fossem asas de frango, mas então Crossy de fato *pegou* neles. Então olhou para lady Manston.

– Precisamos colocá-los mais para cima, não acha?

A costureira *demonstrou*. Billie sentiu vontade de morrer.

– Hum?

Lady Manston contraiu o rosto enquanto avaliava a posição dos seios de Billie.

– Ah, sim, acho que está certa. Ficam muito mais bonitos aí em cima.

– Tenho certeza de que não é necessário... – começou Billie, mas depois desistiu.

Não tinha nenhum poder ali.

Crossy disse algo rapidamente em francês para suas assistentes, e, antes que Billie soubesse o que estava acontecendo, tinham soltado o espartilho e depois o amarrado de novo. Quando olhou para baixo, seus seios definitivamente não estavam onde tinham estado apenas alguns instantes antes.

– Muito melhor – declarou Crossy.

– Deus – murmurou Billie.

Se abaixasse o queixo, poderia tocar os seios com ele.

– Ele não vai resistir – disse Crossy, piscando de forma cúmplice.

– Ele quem?

– Sempre há um ele – falou Crossy com uma risadinha.

Billie tentou não pensar em George. Mas não foi bem-sucedida. Quer ela gostasse ou não, George era o seu *ele*.

Enquanto Billie tentava não pensar em George, ele tentava não pensar em peixe. Peixe defumado, para ser mais preciso.

Passara a maior parte da semana no Departamento de Guerra, tentando obter informações sobre Edward. Isso envolvera várias refeições com lorde Arbuthnot, que, antes de desenvolver gota, fora um general condecorado do exército de Sua Majestade. A gota era um maldito incômodo (fora a primeira coisa que ele dissera), mas significava que ele estava de volta a solo inglês, onde um homem podia tomar um café da manhã adequado todos os dias.

Parecia que lorde Arbuthnot ainda estava compensando seus anos de café da manhã inadequado, porque, quando George se juntara a ele para o jantar, a mesa fora arrumada com o que normalmente era uma refeição matinal. Ovos em três preparos diferentes, bacon, torrada. E peixe defumado. Muito peixe defumado.

Considerando todas as coisas, lorde Arbuthnot comia muito peixe defumado.

George tinha estado com o velho soldado apenas uma vez antes, mas Arbuthnot frequentara Eton com o pai de George, e George com o filho de Arbuthnot, e, se havia uma conexão mais efetiva para pressionar em busca da verdade, George não conseguia imaginar qual era.

– Bem, andei perguntando – começou Arbuthnot, cortando um pedaço de presunto com o vigor de um homem de rosto corado que preferiria estar ao ar livre –, mas não sei muita coisa sobre seu irmão.

– Com certeza alguém deve saber onde ele está.

– Na colônia de Connecticut. É o mais provável.

George cerrou a mão em punho por baixo da mesa.

– Ele não deveria estar na colônia de Connecticut.

Arbuthnot mastigou a comida, depois olhou para George com uma expressão astuta.

– O senhor nunca foi soldado, não é?

– Infelizmente, não.

Arbuthnot assentiu, a resposta de George claramente merecendo sua aprovação.

– Soldados poucas vezes estão onde deveriam estar – disse ele. – Pelo menos soldados como seu irmão.

George pressionou os lábios um contra o outro, procurando manter uma expressão serena.

– Receio não ter entendido o que quis dizer.

Arbuthnot recostou-se, juntando as pontas dos dedos enquanto observava George, pensativo.

– Seu irmão é um oficial, lorde Kennard.

– Mas certamente até um capitão deve seguir ordens.

– E ir aonde o mandam? – questionou Arbuthnot. – É claro. Mas isso não significa que ele acabe onde "deveria" estar.

George esperou um pouco para assimilar aquilo, depois disse, incrédulo:

– Está tentando me dizer que Edward é um espião?

Era inconcebível. Espionagem era um negócio sujo. Homens como Edward usavam seus casacos vermelhos com orgulho.

Arbuthnot fez que não com a cabeça.

– Não. Pelo menos acho que não. A espionagem é algo repugnante. Seu irmão não faria isso.

Ele *não* faria isso, pensou George. Ponto.

– Não faria sentido, de qualquer forma – falou Arbuthnot. – Acha mesmo que seu irmão poderia se passar por outra coisa além de um respeitável cavalheiro inglês? Dificilmente um rebelde acreditaria que o filho de um conde simpatizaria com a causa deles.

Arbuthnot limpou a boca com o guardanapo e estendeu a mão para os peixes defumados.

– Acho que seu irmão é um batedor.

– Um batedor – repetiu George.

Arbuthnot assentiu, depois ofereceu o prato.

– Mais?

George fez que não com a cabeça e tentou não fazer careta.

– Não, obrigado.

Arbuthnot deixou escapar um grunhido e colocou o restante do peixe em seu prato.

– Deus, eu amo peixe defumado – disse ele com um suspiro. – Não se acha deles no Caribe. Não assim.

– Um batedor – repetiu George, tentando retomar a conversa. – Por que acha isso?

– Bem, ninguém me disse isso e, para ser franco, acho que ninguém aqui sabe a história toda, mas, juntando as informações... parece fazer sentido. – Arbuthnot colocou um pedaço de peixe na boca e mastigou. – Não sou um homem de fazer apostas, mas, se fosse, diria que seu irmão foi enviado para uma área distante para ter uma ideia de como são as terras. Não tem havido muita atividade em Connecticut, não desde aquela coisa com Sei Lá o Quê Arnold em Ridgefield, em 1777.

George não estava familiarizado com Sei Lá o Quê Arnold, nem tinha a menor ideia de onde ficava Ridgefield.

– Há alguns portos bons naquela costa – continuou Arbuthnot, voltando ao assunto espinhoso. – Eu não ficaria surpreso se os rebeldes estivessem colocando-os em uso. E não ficaria surpreso se o capitão Rokesby tivesse sido enviado para investigar. – Ele ergueu os olhos, suas sobrancelhas espessas mergulhando em direção aos olhos enquanto a testa enrugava. – Seu irmão tem alguma habilidade em fazer mapas?

– Não que eu saiba.

Arbuthnot deu de ombros.

– Não adiantaria nada se ele não souber fazê-los, suponho. Ou podem não estar procurando por algo tão preciso.

– Mas então o que aconteceu? – pressionou George.

O velho general balançou a cabeça.

– Receio que eu não saiba, meu garoto. E estaria mentindo se dissesse que descobri alguém que sabe.

George não esperava respostas, mas ainda assim tinha sido decepcionante.

– É um longo caminho até as colônias, filho – disse lorde Arbuthnot com a voz gentil. – As notícias nunca chegam tão rapidamente quanto gostaríamos.

George aceitou isso, assentindo lentamente. Teria de dar outro rumo à investigação, embora não fizesse a mínima ideia de qual.

– A propósito – acrescentou Arbuthnot, quase de forma casual –, por acaso não pretende comparecer ao baile de lady Wintour amanhã à noite, não é?

– Pretendo – respondeu George.

Ele não queria, mas sua mãe tinha inventado uma história complicada que terminara com o fato de ele *ter* de comparecer de qualquer jeito. E, na verdade, ele não tivera coragem de desapontá-la. Não enquanto ela estava tão preocupada com Edward.

E ainda havia Billie. Ela também fora quase obrigada a participar. Ele vira seu olhar de pânico quando a mãe dele a arrastara do café da manhã para visitar a *modiste*. Um baile em Londres era provavelmente o inferno pessoal de Billie Bridgerton, e ele não podia de forma alguma abandoná-la quando mais precisava dele.

– Conhece Robert Tallywhite? – indagou lorde Arbuthnot.

– Um pouco.

Tallywhite estivera alguns anos à frente dele em Eton. Um rapaz quieto, lembrava George. Louro e de testa pronunciada. Adorava ler.

– Ele é sobrinho de lady Wintour e certamente estará presente. O senhor prestaria um grande serviço a este departamento se lhe passasse uma mensagem.

George ergueu as sobrancelhas de maneira indagadora.

– Isso é um sim? – disse lorde Arbuthnot em tom seco.

George assentiu.

– Diga a ele: panela no fogo, barriga vazia.

– Panela no fogo, barriga vazia – repetiu George, hesitante.

Arbuthnot destacou um pedaço de torrada e o mergulhou em sua gema de ovo.

– Ele vai entender.

– O que isso significa?

– O senhor precisa saber? – replicou Arbuthnot.

George recostou-se, olhando atentamente para Arbuthnot.

– Na verdade, sim.

Lorde Arbuthnot soltou uma gargalhada.

– E é por isso, meu garoto, que o senhor seria um péssimo soldado. Precisa aprender a seguir ordens sem questionar.

– Não quando se está no comando.

– É verdade – disse Arbuthnot com um sorriso. Mas não explicou a mensagem. Em vez disso, olhou fixamente para George e perguntou: – Podemos contar com você?

Era o Departamento de Guerra, pensou George. Se ele tivesse de passar mensagens, pelo menos saberia que estava fazendo pelas pessoas certas.

Pelo menos saberia que estava fazendo *alguma* coisa.

Então encarou Arbuthnot e falou:

– Podem.

CAPÍTULO 19

A Manston House estava silenciosa quando George voltou mais tarde naquela noite. O salão encontrava-se iluminado por dois candelabros, mas o restante dos cômodos parecia já estar com as luzes apagadas. Franziu a testa. Não era tão tarde; com certeza devia haver alguém por ali.

– Ah, Temperley – disse George, quando o mordomo se aproximou para pegar seu chapéu e o casaco –, minha mãe saiu?

– Lady Manston pediu que servissem o jantar dela no quarto em uma bandeja, milorde.

– E a Srta. Bridgerton?

– Creio que fez o mesmo.

– Ah.

George não deveria ter ficado desapontado. Afinal, ele passara a maior parte dos últimos dias evitando as duas damas mencionadas. Agora elas pareciam ter feito o trabalho por ele.

– Devo mandar seu jantar para o quarto também, milorde?

George pensou por um momento, depois respondeu:

– Por que não?

Parecia que não teria mesmo companhia naquela noite, e não comera muito do repasto de lorde Arbuthnot.

Provavelmente por culpa do peixe defumado. O cheiro o deixara meio enjoado a refeição inteira.

– O senhor vai tomar um conhaque na sala de estar primeiro? – indagou Temperley.

– Não, vou subir direto, eu acho. Foi um dia longo.

Temperley fez um aceno típico de mordomos.

– Para todos nós, milorde.

George o observou com uma expressão irônica.

– Minha mãe está exigindo muito de você, Temperley?

– De jeito nenhum – respondeu o mordomo, um discreto indício de sorriso rompendo a aparência austera. – Me refiro às damas. Se me permite a ousadia de fazer um comentário, milorde, elas pareciam bastante cansadas quando voltaram esta tarde. A Srta. Bridgerton, principalmente.

– Receio que minha mãe esteja exigindo demais *dela* – disse George com um meio sorriso.

– Creio que sim, milorde. Lady Manston nunca fica tão feliz como quando tem uma jovem para casar.

George ficou paralisado, então disfarçou seu lapso dedicando uma atenção desmedida à retirada das luvas.

– O que me parece um tanto quanto ambicioso, já que a Srta. Bridgerton não pretende permanecer na cidade durante a temporada.

Temperley pigarreou.

– Recebemos um grande número de pacotes.

O que foi sua maneira de dizer que todos os itens necessários para uma jovem dama transitar com sucesso pelo mercado matrimonial de Londres já fora comprado e entregue.

– Tenho certeza de que a Srta. Bridgerton terá muito êxito – opinou George tranquilamente.

– Ela é uma jovem cheia de vida – concordou Temperley.

George abriu um sorriso discreto ao se despedir. Era difícil imaginar como Temperley chegara à conclusão de que Billie era cheia de vida. Nas poucas vezes em que George cruzara seu caminho na Manston House, ela estava estranhamente desanimada.

Ele ficou pensando que deveria ter se esforçado mais, levado Billie para tomar um sorvete ou algo assim, mas andara muito ocupado tentando conseguir informações no Departamento de Guerra. Era incrivelmente bom *fazer* alguma coisa para variar, mesmo que os resultados fossem decepcionantes.

Ele deu um passo em direção às escadas, depois parou e se virou. Temperley não havia se mexido.

– Sempre pensei que minha mãe esperava ver a Srta. Bridgerton e Edward juntos – disse George de forma casual.

– Ela não achou apropriado confidenciar nada a mim – comentou Temperley.

– Não, claro que não – disse George.

Então balançou ligeiramente a cabeça. A que ponto chegara. Usando o mordomo para saber das fofocas.

– Boa noite, Temperley.

Ele chegou à escada e pisou no primeiro degrau, quando o mordomo falou:

– Elas falam dele.

George se virou.

Temperley limpou a garganta.

– Não acho que seja uma quebra de confiança contar ao senhor que elas falam dele no café da manhã – continuou Temperley.

– Não – disse George. – De modo algum.

Após alguns instantes de silêncio, Temperley prosseguiu:

– O Sr. Edward está em nossas orações. Todos nós sentimos falta dele.

Era verdade. Mas o fato de George estar sentindo mais falta de Edward agora que o irmão havia desaparecido do que quando só estava a um oceano de distância dizia o quê a seu respeito?

Ele subiu as escadas devagar. Manston House era muito menor do que Crake, com todos os oito quartos reunidos em um andar. Billie tinha sido acomodada no segundo melhor quarto de hóspedes, o que George achava ridículo, mas sua mãe sempre insistia em manter o melhor livre. *Nunca se sabe quem pode nos visitar sem aviso*, ela sempre dizia.

Talvez o rei apareça, sempre retrucava ele. Isso geralmente lhe rendia uma cara feia. E um sorriso. Sua mãe tinha senso de humor, mesmo que o melhor quarto tivesse ficado vazio nos últimos vinte anos.

Ele parou no meio do corredor, não exatamente em frente à porta de Billie, mas mais perto de lá do que de qualquer outro quarto. Dava para ver a suave luz das velas sob a porta. George se perguntou o que ela estaria fazendo lá dentro. Era cedo demais para ir dormir.

Ele sentia falta dela, ocorreu-lhe de maneira surpreendente.

Sentia falta de Billie.

Estava ali, na mesma casa, dormindo a apenas três portas de distância, e sentia falta dela.

E era culpa dele mesmo. Sabia que a estava evitando. Mas o que devia fazer? Beijara Billie até quase o limite da razão, e agora esperava-se que conversassem de forma educada à mesa do café da manhã? Em frente à mãe dele?

George nunca seria tão sofisticado assim.

Ele deveria se casar com ela. E achava que gostaria, por mais louco que isso pudesse ter parecido um mês antes. Começara a gostar da ideia quando ainda estavam em Crake. Billie dissera "Você não precisa se casar comigo", e tudo em que conseguia pensar era...

Mas eu poderia.

Ele só tivera um instante com a ideia. Não tivera tempo para pensar ou analisar, apenas para sentir.

E parecera ótimo. Caloroso.

Como a primavera.

Mas então sua mãe chegara e começara a falar sobre como Billie e Edward ficavam lindos juntos e que par perfeito formavam e sabe-se lá mais o quê, mas foram todos comentários enjoativamente melosos e, de acordo com Temperley, caíram muito bem no café da manhã com torradas e geleia de laranja.

Torradas e geleia. Balançou a cabeça. Ele era um idiota.

E se apaixonara por Billie Bridgerton.

Ali estava. Claro como o dia. Ele quase riu. *Teria* rido, se a piada não fosse ele.

Se tivesse se apaixonado por outra pessoa – alguém novo, cuja presença não preenchesse todas as suas lembranças –, teria ficado tão claro para ele? Billie causava reviravoltas nas emoções, pois até então George a considerava apenas uma pedra em seu sapato. Ele não podia deixar de ver aquele amor cintilando em sua mente como uma promessa reluzente.

Será que Billie estava apaixonada por Edward? Talvez. Sua mãe parecia acreditar que sim. Ela não dissera isso, é claro, mas lady Manston tinha um talento incrível para garantir que suas opiniões fossem conhecidas com precisão, sem ter que declará-las explicitamente.

Ainda assim, fora o suficiente para deixá-lo com um ciúme insano.

Apaixonado por Billie. Era a coisa mais louca.

Então soltou uma longa respiração contida e começou a andar novamente em direção ao seu quarto. Para isso, tinha que passar pela porta dela, por aquela tentadora luz bruxuleante. Diminuiu o passo, porque simplesmente não conseguiu evitar.

E então a porta se abriu.

– George? – Billie colocou o rosto para fora. Ainda usava suas roupas do dia, mas seu cabelo caía por cima do ombro em uma longa e espessa trança. – Pensei ter ouvido alguém – explicou ela.

Ele conseguiu abrir um breve sorriso enquanto se curvava.

– Como vê.

– Eu estava jantando – disse ela, acenando para o quarto. – Sua mãe estava cansada. – Ela sorriu timidamente. – *Eu* estava cansada. Não sou muito boa em fazer compras. Não fazia ideia de que isso envolveria ficar tanto tempo parada.

– Ficar parado é sempre mais cansativo do que caminhar.

– Sim! – disse ela de forma animada. – Eu sempre digo isso.

George começou a falar, mas então uma lembrança surgiu em sua mente. Lembrou-se de quando a carregara, depois daquele desastre com o gato no telhado. Ele tentava descrever aquela estranha sensação de quando a perna fica fraca e cede sem motivo.

Billie entendera perfeitamente.

A ironia era que sua perna não ficara fraca. Ele inventara aquilo para encobrir alguma coisa. E nem lembrava o quê.

Mas se lembrava do momento. Lembrava que ela havia entendido.

Mais que tudo, lembrava-se de como ela olhara para ele, com um sorriso que dizia que estava feliz por *ser compreendida*.

Olhou para ela. Billie o observava com uma expressão de ligeira expectativa. Era a vez dele de falar, lembrou. E, como não poderia dizer o que estava pensando, optou pelo óbvio.

– Ainda está vestida.

Ela olhou rápido para o vestido. Era o que ela estava usando quando ele a beijara. Flores. Combinavam com ela. Ela sempre deveria usar flores.

– Pensei em descer depois de terminar de comer – disse ela. – Talvez encontrar algo na biblioteca para ler.

Ele assentiu.

– Minha mãe sempre diz que, quando a pessoa já está de roupão, não vai mais sair do quarto.

Ele sorriu.

– É mesmo?

– Ela diz muitas coisas, na verdade.

George ficou parado como uma estátua, sabendo que deveria lhe dar boa-noite, mas de alguma forma sentia-se incapaz de dizer as palavras. O momento era tão íntimo, tão perfeitamente iluminado pela luz das velas, tão adorável...

– Já fez sua refeição? – perguntou ela.

– Sim. Bem, não. – Ele pensou no peixe defumado. – Não exatamente.

Ela ergueu as sobrancelhas.

– Isso soa intrigante.

– Na verdade, pedi para levarem em uma bandeja para o meu quarto. Sempre detestei jantar sozinho lá embaixo.

– Eu também – concordou ela. Então parou por um instante e depois continuou: – É torta de presunto. Muito boa.

– Excelente. – George pigarreou. – Bem... é melhor eu ir para meu quarto. Boa noite, Billie.

Ele virou. Não queria ter se virado.

– George, espere!

Ele odiava estar prendendo a respiração.

– George, isso é loucura.

Ele voltou. Billie ainda estava parada à entrada do quarto, uma das mãos suavemente pousada no batente da porta. Seu rosto era muito expressivo. Sempre fora assim?

Sim, pensou George. Ela nunca fora uma pessoa de esconder seus sentimentos sob uma máscara de indiferença. Era uma das coisas que ele achava irritante quando eram mais jovens. Ela simplesmente se recusava a ser ignorada.

Mas isso era em outra época. E agora...

Era completamente diferente.

– Loucura – repetiu ele.

Ele não sabia bem o que ela queria dizer. Não queria fazer suposições.

Os lábios de Billie tremeram em um sorriso hesitante.

– Com certeza podemos ser amigos.

Amigos?

– Quero dizer, eu sei...

– Que eu beijei você? – completou ele.

Ela engasgou, em seguida disse, quase sussurrando:

– Eu não ia falar isso assim tão claramente. Pelo amor de Deus, George, sua mãe ainda está acordada.

E, enquanto ela olhava freneticamente para o corredor, George deixou de lado uma vida inteira de comportamento cavalheiresco e entrou no quarto dela.

– George!

– Aparentemente é possível sussurrar e gritar ao mesmo tempo – ponderou ele.

– Você não pode entrar aqui – disse ela.

Ele sorriu enquanto ela fechava a porta.

– Achei que você não queria ter esse tipo de conversa no corredor.

O olhar que ela lançou para ele foi tomado de sarcasmo em sua forma mais pura.

– Creio que há duas salas de estar e uma biblioteca lá embaixo.

– E veja o que aconteceu na última vez em que estivemos juntos em uma sala de estar, não é mesmo?

Ela corou imediatamente. Mas Billie era uma guerreira e, após um instante em que parecia estar rangendo os dentes e dizendo a si mesma para se acalmar, perguntou:

– Descobriu alguma coisa sobre Edward?

Na mesma hora, a alegria de George desvaneceu.

– Nada substancial.

– Mas alguma coisa? – insistiu ela, esperançosa.

Ele não queria falar sobre Edward. Por vários motivos. Mas Billie merecia uma resposta, então ele disse:

– Apenas as suposições de um general aposentado.

– Eu sinto muito. Isso deve ser terrivelmente frustrante. Gostaria que houvesse algo que eu pudesse fazer para ajudar. – Ela se encostou na beirada da cama e olhou para ele com ar sério. – É tão *difícil* não fazer nada... Eu odeio isso.

Ele fechou os olhos. Soltou o ar pelo nariz. Mais uma vez, eles pensavam de forma parecida.

– Às vezes acho que eu deveria ter nascido homem.

– Não.

A reação dele foi imediata e enfática.

Ela deixou escapar uma risada.

– É muito gentil da sua parte. Suponho que tenha de dizer isso depois de... Bem, você sabe...

Ele sabia. Mas não o suficiente.

– Eu adoraria ter Aubrey para mim – disse ela melancolicamente. – Conheço bem cada esquina daqui. Sei identificar todas as culturas em todos os campos, e todos os nomes de todos os arrendatários, e o dia em que metade deles faz aniversário também.

Ele olhou para ela maravilhado. Billie era muito mais do que ele jamais se permitira ver.

– Eu teria sido um excelente visconde Bridgerton.

– Seu irmão vai aprender – disse George de forma gentil.

Ele sentou-se na cadeira junto à mesa. Ela não estava sentada, mas também não estava exatamente de pé, e, como estava sozinho com ela atrás de uma porta fechada, George concluiu que *isso* não seria uma violação crítica de decoro.

– Ah, sei que vai – concordou Billie. – Edmund é muito inteligente, na verdade, quando não está sendo irritante.

– Ele tem 15 anos. Impossível não ser irritante.

Ela o encarou.

– Se bem me lembro, você já era um deus entre os homens quando tinha a idade dele.

George ergueu a sobrancelha em uma expressão insolente. Havia muitas respostas divertidas para aquela afirmação, mas ele decidiu deixar passar e simplesmente desfrutar da gentil camaradagem do momento.

– Como você aguenta? – perguntou ela.

– Aguenta o quê?

– Isso. – Ela ergueu as mãos em um gesto de derrota. – A impotência.

George sentou-se um pouco mais ereto, piscando para encará-la.

– Você sente isso, não é? – perguntou Billie.

– Não sei bem se entendi o que quer dizer – murmurou ele.

Mas tinha a sensação de que sim.

– Sei que gostaria de ter entrado para as Forças Armadas. Vejo isso em seu rosto toda vez que seus irmãos falam a respeito.

Ele era assim tão óbvio? Esperava que não. Mas ao mesmo tempo...

– George?

Ele olhou.

– É que você ficou tão quieto... – disse ela.

– Só estava pensando...

Billie sorriu com indulgência, permitindo-lhe pensar em voz alta.

– Eu *não* gostaria de ter entrado para as Forças Armadas.

Ela recuou, a surpresa evidente na maneira como retraiu o queixo.

– Meu lugar é aqui – continuou ele.

Os olhos dela se iluminaram com algo que parecia ser orgulho.

– Você fala como se tivesse acabado de perceber isso.

– Não – ponderou ele. – Eu sempre soube disso.

– Mas não tinha aceitado? – sugeriu ela.

Ele riu ironicamente.

– Não, eu definitivamente tinha aceitado. Acho que só não tinha me permitido... – Ele olhou bem dentro dos lindos olhos castanhos dela e parou por um instante enquanto calculava o que queria dizer. – Não tinha me permitido *gostar*.

– E agora sim?

George assentiu com um gesto rápido e firme.

– Sim. Se eu não... – Ele parou e se corrigiu. – Se *nós* não cuidarmos da terra e do povo, pelo que Edward e Andrew estarão lutando?

– Se eles vão arriscar a vida pelo rei e pela pátria – disse ela suavemente –, devemos garantir a existência de um *bom* rei e de uma *boa* pátria.

Seus olhos se encontraram, e Billie sorriu. Um sorriso discreto. E eles não falaram nada. Porque não precisavam. Até que finalmente ela disse:

– Logo vão subir com a sua comida.

Ele arqueou uma sobrancelha.

– Está tentando se livrar de mim?

– Estou tentando proteger a minha reputação – retrucou ela. – E a sua.

– Se bem lembra, eu a pedi em casamento.

– Não, não pediu – zombou ela. – Na verdade, disse algo como "É claro que vou me casar com você" – falou Billie em uma notável imitação de uma velhinha destemperada –, o que não é a mesma coisa.

Ele olhou para ela, pensativo.

– Posso ficar de joelhos.

– Pare de me provocar, George. É muito indelicado da sua parte.

A voz dela vacilou e ele sentiu um aperto no peito. Os lábios dele se entreabriram, mas ela se afastou da beirada da cama e caminhou até a janela, cruzando os braços enquanto observava a noite lá fora.

– Não é algo com que se brinque – disse Billie, mas suas palavras soaram estranhas, quase como se estivessem vindo de algum lugar no fundo de sua garganta.

Ele se levantou de um salto.

– Billie, me desculpe. Espero que você saiba que eu nunca...

– Acho melhor você ir.

Ele ficou em silêncio.

– Acho melhor você ir – repetiu ela, de forma mais decidida desta vez. – Chegarão com o seu jantar a qualquer momento.

Era uma rejeição, clara e sensata. Uma gentileza, na verdade. Estava impedindo-o de fazer papel de bobo. Se ela quisesse que ele a pedisse em casamento, não teria mordido a isca que ele estendera de forma tão casual?

– Como preferir – disse ele, curvando-se educadamente mesmo que ela não estivesse de frente para ele.

George a viu assentir e então saiu do quarto.

Ah, Santo Deus, o que ela fizera?

Ele poderia tê-la pedido em casamento. Bem ali naquele momento. *George.*

E ela o *detivera*. Porque... maldição, ela não sabia por quê. Não passara o dia inteiro atordoada, se perguntando por que ele a estava evitando e como poderia levá-lo a beijá-la novamente?

O casamento não garantiria futuros beijos? Não era precisamente o que ela precisava para alcançar seus objetivos (objetivos que decerto não condiziam com uma dama)?

Mas ele estava ali sentado, esparramado na cadeira da escrivaninha como se fosse o dono do lugar (o que ela supunha que era, ou melhor, seria um dia), e ela não sabia dizer se ele estava falando sério. Ele estava brincando com ela? Divertindo-se um pouco? George nunca fora cruel; não feriria seus sentimentos de propósito, mas, se achasse que ela considerava aquilo uma piada, então poderia se sentir à vontade para tratar a questão como tal...

Era o que Andrew teria feito. Não que Andrew quisesse beijá-la, ou que ela fosse querer que ele a beijasse, mas, se por algum motivo eles estivessem brincando a respeito de casamento, com certeza ele teria dito algo ridículo sobre ficar de joelhos.

Mas com George... ela simplesmente não sabia se ele falara sério. E se ela tivesse dito que sim? E se tivesse dito que adoraria que ele se ajoelhasse e jurasse devoção eterna...

E então descobrisse que ele estava brincando?

Seu rosto ardia só de pensar.

Ela não achava que ele brincaria com tal coisa. Mas, por outro lado, era George. Ele era o filho mais velho do conde Manston, o nobre e honrado lorde Kennard. Se fosse pedir uma dama em casamento, nunca faria isso de forma impulsiva. Teria o anel, e palavras poéticas a dizer, e certamente não deixaria para *ela* decidir se deveria fazer isso de joelhos.

O que significava que ele não poderia ter falado sério, certo? George nunca seria tão inseguro.

Ela se jogou na cama, pressionando as mãos contra o peito para tentar acalmar o coração acelerado. Costumava odiar a confiança inabalável de George. Quando eram crianças, ele sempre sabia muito mais do que todos. Era *muito* irritante, mesmo que agora ela percebesse que, sendo cinco anos mais velho, ele provavelmente sabia mais mesmo. Não havia como se equipararem antes de atingirem a idade adulta.

E agora... Agora ela adorava a confiança serena dele. Ele nunca era impetuoso, nunca era arrogante. Era apenas... George.

E ela o amava.

Ela o amava, e... AH, SANTO DEUS, ELA ACABARA DE IMPEDI-LO DE PEDI-LA EM CASAMENTO.

O que ela fizera?

E, ainda mais importante, como poderia desfazer isso?

CAPÍTULO 20

George era sempre o primeiro da família a descer para o café da manhã, mas, quando entrou na sala de jantar informal na manhã seguinte, sua mãe já estava à mesa, tomando uma xícara de chá.

Não havia como isso ser uma coincidência.

– George – disse ela assim que o viu –, precisamos conversar.

– Mãe – murmurou ele, aproximando-se do aparador para se servir.

Seja lá o que fosse que a preocupava, ele não estava com humor para isso. Estava cansado e irritado. Podia ter feito um pedido de casamento na noite anterior, mas definitivamente fora rejeitado.

Não era disso que os sonhos eram feitos. Nem uma boa noite de sono.

– Como sabe – seguiu ela, indo direto ao assunto –, hoje é o baile de lady Wintour.

Ele colocou alguns ovos mexidos em seu prato.

– Garanto-lhe que isso não fugiu da minha mente.

Ela contraiu os lábios, mas não o repreendeu pelo sarcasmo. Em vez disso, esperou com muita paciência que ele se juntasse a ela na mesa.

– É sobre a Billie – disse ela.

É claro que era.

– Estou muito preocupada com ela.

Ele também, mas duvidava que fosse pelos mesmos motivos. Então fixou um sorriso afável no rosto.

– Qual é o problema?

– Ela vai precisar de toda a ajuda que pudermos oferecer esta noite.

– Não seja ridícula – zombou ele, mas sabia o que ela queria dizer.

Billie não fora feita para Londres. Era uma garota do campo, da cabeça aos pés.

– Falta-lhe confiança, George. Os abutres verão isso de imediato.

– Já se perguntou por que então escolhemos socializar com esses abutres? – questionou ele.

– Porque metade deles na verdade são pombos.

– Pombos?

Ele olhou para ela, incrédulo.

Ela gesticulou.

– Talvez pombos-correio. Mas a questão não é essa.

– Eu nunca teria tanta sorte.

Ela lhe lançou um olhar para deixar claro que, embora tivesse ouvido, havia gentilmente decidido ignorar.

– O sucesso dela está em suas mãos.

Ele sabia que se arrependeria de encorajá-la a expandir o tópico, mas não conseguiu deixar de dizer:

– Perdão?

– Você sabe tão bem quanto eu que a melhor maneira de garantir o sucesso de uma debutante é fazer com que um cavalheiro cobiçado como você lhe dê atenção.

Por algum motivo, aquilo o irritou profundamente.

– Desde quando Billie é uma debutante?

Sua mãe o encarou como se ele fosse um idiota.

– Por que mais você acha que eu a trouxe para Londres?

– Creio que tenha dito que desejava a companhia dela?

Sua mãe gesticulou mais, mostrando quanto achava aquilo um absurdo.

– A menina precisava de um pouco de refinamento.

Não, pensou George, não precisava. Ele espetou o garfo na linguiça em seu prato com força demais.

– Ela está perfeitamente bem do jeito que é.

– Isso é muito gentil de sua parte, George – replicou ela, inspecionando seu bolinho antes de decidir acrescentar um pouco de manteiga –, mas eu lhe garanto que nenhuma dama desejaria estar "perfeitamente bem".

Ele procurou exibir uma expressão paciente.

– Aonde quer chegar, mãe?

– Só preciso que faça sua parte esta noite. Você *precisa* dançar com ela.

Ela soou como se ele achasse que aquilo seria um trabalho.

– É claro que vou dançar com ela.

Seria terrivelmente estranho, dadas as circunstâncias, mas, ainda assim, ele não conseguia deixar de ansiar por isso. Esperava pela oportunidade de dançar com Billie desde aquela manhã em Aubrey Hall, quando ela olhara para ele, colocara as mãos nos quadris e perguntara: "Você já dançou comigo?"

Na época, ele não acreditou que nunca tivesse feito isso. Após todos aqueles anos como vizinhos, como poderia não ter dançado com ela?

Mas agora não conseguia acreditar que pensara que *tinha* dançado. Se tivesse feito isso, a música pairando sobre eles enquanto colocava a mão no quadril dela... Não era algo que ele esqueceria.

E ele queria isso. Queria pegar a mão dela e conduzi-la, dar um passo e curvá-la, e sentir sua graça muito natural. Porém, mais do que isso, ele queria que *ela* sentisse essas coisas. Queria que soubesse que era tão feminina e elegante quanto as outras, que era perfeita aos olhos dele, e não apenas estava "perfeitamente bem" assim, e se ele pudesse apenas...

– George!

Ele ergueu os olhos.

– Por favor, preste atenção – disse sua mãe.

– Perdão – murmurou ele.

Não tinha ideia de quanto tempo ficara perdido em pensamentos, embora geralmente sua mãe não tolerasse nem mesmo um segundo ou dois de distração.

– Eu estava dizendo – continuou ela, irritada – que você deve dançar duas vezes com Billie.

– Considere feito.

Ela estreitou os olhos. Estava claramente desconfiada por ter conseguido o que queria com tanta facilidade.

– Também deve esperar pelo menos noventa minutos entre uma dança e outra.

Ele revirou os olhos e não se preocupou em disfarçar.

– Como quiser.

Lady Manston misturou um pouco de açúcar ao chá.

– Deve parecer atencioso.

– Mas não atencioso demais?

– Não zombe de mim – alertou ela.

Ele pousou o garfo.

– Mãe, posso lhe garantir que estou tão ansioso pela felicidade de Billie quanto a senhora.

Isso pareceu acalmá-la um pouco.

– Muito bem, estou satisfeita por estarmos de acordo. Quero chegar ao baile às nove e meia. Isso nos dará a oportunidade de fazer uma entrada adequada, mas ainda será cedo o suficiente para não ficar tão difícil fazer as apresentações. Esses eventos costumam ser barulhentos.

George assentiu.

– Acho que devemos partir às nove... certamente haverá uma fila de carruagens em frente à Wintour House e você sabe quanto isso demora. Então, se puder estar pronto às oito e quarenta e cinco...

– Ah, não, desculpe-me – interrompeu George, pensando na mensagem ridícula que deveria passar a Robert Tallywhite. – Não posso acompanhá-las. Precisarei ir sozinho ao baile.

– Não seja bobo – disse a mãe dele com desdém. – Precisamos que nos acompanhe.

– Gostaria de poder – falou ele com sinceridade.

Nada o teria deixado mais feliz do que entrar de braço dado com Billie, mas já pensara muito na programação daquela noite e concluíra que era imperativo que chegasse sozinho. Se fosse com as damas, teria de abandoná-las à porta. E sabia bem que *isso* nunca aconteceria sem um posterior interrogatório completo de sua mãe.

Não, era melhor chegar lá mais cedo para encontrar Tallywhite e cuidar de tudo antes mesmo de elas aparecerem.

– O que poderia ser mais importante do que acompanhar Billie e eu? – perguntou sua mãe, irritada.

– Tenho um compromisso antes – respondeu ele, levando sua xícara de chá aos lábios. – Não posso deixar de ir.

Sua mãe contraiu os lábios em uma linha firme.

– Estou muito descontente.

– Sinto muito desapontá-la.

Ela começou a mexer o chá com vigor crescente.

– Também posso estar completamente enganada quanto a isso, sabe? Ela pode ser um sucesso instantâneo. Pode acontecer de nos vermos rodeadas de cavalheiros desde o momento em que chegarmos.

– Seu tom parece dizer que isso seria uma coisa ruim – disse George.

– Claro que não. Mas você não estará lá para ver.

Na verdade, essa era a última coisa que George queria ver. Billie cercada por um bando de cavalheiros astutos o suficiente para perceber o tesouro que ela era? Seria um pesadelo.

E irrelevante, no caso.

– Na verdade – disse à mãe –, provavelmente chegarei à Wintour House antes de vocês.

– Bem, então não vejo por que não pode voltar de seu compromisso e nos pegar no caminho.

Ele lutou contra o impulso de apertar a ponte do nariz.

– Mãe, não vai dar certo. Por favor, deixe as coisas como estão e vou encontrá-las no baile, e lá dedicarei tanta atenção a Billie que os cavalheiros de Londres farão fila para cair aos pés dela.

– Bom dia.

Os dois se viraram e viram Billie parada junto à porta. George levantou-se para cumprimentá-la. Não sabia bem quanto ela tinha ouvido, além de seu óbvio sarcasmo, e temia muito que ela entendesse errado.

– É muito gentil de sua parte aceitar estar comigo esta noite – disse ela, o tom tão doce e agradável que ele não conseguiu avaliar sua sinceridade. Então ela caminhou até o aparador e pegou um prato. – Espero que não seja um grande sacrifício.

Ah, *ali* estava.

– Pelo contrário – replicou ele. – Estou muito ansioso para acompanhá-la.

– Mas não tanto para nos acompanhar na carruagem – murmurou a mãe dele.

– Pare com isso – pediu ele.

Billie se virou, os olhos correndo de Rokesby para Rokesby com indisfarçada curiosidade.

– Lamento informá-la de que tenho um compromisso inadiável esta noite – falou ele –, o que significa que não poderei acompanhá-las no trajeto até Wintour House. Mas a verei lá. E espero que me conceda duas danças.

– É claro – murmurou ela.

Mas, por outro lado, dificilmente ela conseguiria dizer outra coisa.

– Já que não pode nos acompanhar esta noite... – começou lady Manston.

George quase atirou o guardanapo na mesa.

– ... talvez possa nos ajudar de alguma outra forma.

– Por favor, como posso ser útil?

Billie pareceu bufar. Ele não tinha certeza. Mas certamente era de sua natureza achar graça em ver a paciência dele com a mãe diminuir rapidamente.

– Você conhece todos os jovens cavalheiros melhor do que eu – continuou lady Manston. – Há algum que devemos evitar?

Todos eles, George queria dizer.

– E há algum a quem devemos dar especial atenção? Que Billie possa planejar fisgar?

– Que eu possa... *o quê?*

Billie deve ter ficado mesmo surpresa, pensou George, pois deixara cair três fatias de bacon no chão.

– Fisgar, querida – repetiu lady Manston. – É uma expressão. Com certeza já ouviu.

– É claro que já ouvi – disse Billie, apressando-se para tomar seu lugar à mesa. – Só não vejo como possa se aplicar a mim. Não vim a Londres para procurar um marido.

– Mas deve estar sempre à procura de um marido, Billie – observou lady Manston, virando-se depois de novo para George. – E o filho de Ashbourne? Não o mais velho, é claro. Ele já é casado e tão encantador quanto você... – E então disse por cima do ombro para Billie, ainda perplexa: – Não acho que você conseguiria fisgar o herdeiro de um ducado.

– Tenho certeza de que não quero – disse Billie.

– Muito prático de sua parte, minha querida. É muita pompa.

– Diz a esposa de um conde – observou George.

– Não é a mesma coisa – rebateu sua mãe. – E você não respondeu à minha pergunta. E o filho de Ashbourne?

– *Não.*

– Não? – ecoou sua mãe. – Não tem uma opinião?

– Não. Ele *não* serve para Billie.

Billie esta que, George não pôde deixar de notar, observava a troca entre mãe e filho com uma estranha mistura de curiosidade e alarme.

– Algum motivo específico? – perguntou lady Manston.

– Ele joga – mentiu George.

Bem, talvez não fosse mentira. Todos os cavalheiros jogavam. Mas ele não tinha ideia se aquele em questão se excedia.

– E o herdeiro de Billington? Acho que ele...

– Também não.

Sua mãe olhou para ele com a expressão impassível.

– Ele é jovem demais – explicou George, esperando que fosse verdade.

– É? – Ela franziu a testa.

– Suponho que seja. Não me lembro exatamente.

– Suponho que *eu* não possa ter alguma opinião a respeito – intrometeu-se Billie.

– Claro que pode – disse lady Manston, acariciando sua mão. – Só não ainda.

Os lábios de Billie se entreabriram, mas ela parecia não saber o que dizer.

– Como poderia – continuou lady Manston –, quando não conhece ninguém além de nós?

Billie colocou um pedaço de bacon na boca e começou a mastigar com impressionante força. George desconfiava que era uma forma de evitar que dissesse algo de que poderia se arrepender.

– Não se preocupe, minha querida – disse lady Manston.

George tomou um gole de chá.

– Ela não me parece preocupada.

Billie lançou-lhe um olhar agradecido.

Sua mãe o ignorou completamente.

– Em breve você vai conhecer todos eles, Billie. E então poderá decidir com quem deseja se familiarizar mais.

– Não sei se pretendo ficar aqui por tempo suficiente para formar opiniões – explicou Billie, a voz bastante equilibrada e calma, na opinião de George.

– Bobagem – disse lady Manston. – Deixe tudo comigo.

– A senhora não é mãe dela – murmurou George.

Então lady Manston ergueu as sobrancelhas e disse:

– Eu poderia ser.

Então tanto George quanto Billie a encararam boquiabertos de choque.

– Ora, vamos, vocês dois – continuou lady Manston –, certamente não é surpresa que há muito tempo desejo uma aliança entre os Rokesbys e os Bridgertons.

– Aliança? – ecoou Billie, e George só conseguia pensar que era uma palavra fria e terrível, que nunca englobaria tudo o que ele passara a sentir por ela.

– União, casamento, como queiram chamar – falou lady Manston. – Somos amigos muito queridos. É claro que eu gostaria que formássemos uma família.

– Se faz alguma diferença – disse Billie com calma –, já considero vocês parte da família.

– Ah, eu sei disso, querida. Sinto a mesma coisa. Mas sempre achei que seria maravilhoso tornar isso oficial. Não importa. Sempre há Georgiana.

Billie pigarreou.

– Ela ainda é muito jovem.

Lady Manston sorriu de modo travesso.

– Nicholas também.

O olhar de Billie parecia tão cheio de pavor que George quase riu. E provavelmente teria rido se não tivesse certeza de que o próprio rosto exibia a mesma expressão.

– Vejo que a choquei – observou lady Manston. – Mas qualquer mãe lhe dirá que... nunca é cedo demais para planejar o futuro.

– Eu não recomendaria mencionar isso a Nicholas – murmurou George.

– Nem a Georgiana – completou a mãe dele, servindo-se de mais uma xícara de chá. – Aceita uma xícara, Billie?

– Hã... sim, obrigada.

– Ah, e mais uma coisa – disse lady Manston enquanto colocava um pouco de leite na xícara de chá de Billie. – Precisamos parar de chamá-la de Billie.

Billie piscou.

– Perdão?

Lady Manston colocou o chá, depois estendeu-lhe a xícara e explicou:

– A partir de hoje, usaremos seu nome. Sybilla.

Billie ficou boquiaberta por um breve – mas perceptível – instante antes de dizer:

– É como minha mãe me chama quando está zangada.

– Então começaremos uma tradição nova e mais feliz.

– Isso é realmente necessário? – perguntou George.

– Sei que será difícil se acostumar – disse lady Manston, finalmente pousando a xícara perto do prato de Billie –, mas acho que é melhor assim. Como nome, Billie é tão, bem... Não sei se eu diria masculino, mas não acho que represente com precisão como queremos retratar você.

– Representa com precisão quem ela é – George quase grunhiu.

– Santo Deus. Eu não fazia ideia que você reagiria tão mal a isso – falou lady Manston, olhando para ele com uma impecável expressão inocente. – Mas, claro, não é você que decide isso.

– Eu preferiria ser chamada de Billie – rebateu Billie.

– Não tenho certeza se você também pode decidir isso, querida.

George baixou o garfo com força em seu prato.

– Quem diabo pode decidir, então?

Sua mãe o encarou como se ele tivesse feito a pergunta mais estúpida.

– Eu.

– A senhora? – disse ele.

– Sei como essas coisas funcionam. Já fiz isso antes, você sabe.

– Mary não encontrou o marido dela em Kent? – lembrou George.

– Só depois de ganhar refinamento em Londres.

Santo Deus. A mãe tinha ficado louca. Era a única explicação. Ela podia ser obstinada, e podia ser exigente quando se tratava de sociedade e etiqueta, mas nunca entrelaçara as duas coisas com tanta irracionalidade.

– Certamente, isso não importa – continuou Billie. – A maioria das pessoas não vai me chamar de Srta. Bridgerton, de qualquer forma?

– É claro – concordou lady Manston –, mas nos ouvirão falando com você. É claro que em dado momento eles *saberão* seu nome de batismo.

– Mas que conversa estúpida – resmungou George.

Sua mãe quase o golpeou com o olhar.

– Sybilla – disse ela, virando-se para Billie –, sei que não veio a Londres com a intenção de procurar um marido, mas com certeza percebe a conveniência disso agora que está aqui. Em Kent você nunca encontrará tantos bons partidos reunidos em um só lugar.

– Eu não sei – murmurou Billie por sobre seu chá –, há sempre vários quando todos os Rokesbys estão em casa.

George ergueu os olhos bem quando sua mãe explodiu em uma gargalhada.

– É verdade, Billie – concordou ela com um sorriso caloroso (aparentemente esquecendo que deveria chamá-la de Sybilla) –, mas, infelizmente, tenho apenas um em casa agora.

– Dois – corrigiu George, incrédulo.

Aparentemente, quando um deles nunca saía de casa, não era contado como integrante da família.

Sua mãe ergueu as sobrancelhas.

– Eu estava falando de você, George.

Bem, agora ele se sentiu um tolo.

George se levantou.

– Chamarei Billie como ela desejar ser chamada. E as verei em Wintour House, como prometido, quando o baile já tiver começado. Se me derem licença, tenho muito a fazer.

Na verdade, não tinha, mas achava que não poderia ouvir outra palavra de sua mãe sobre o *début* de Billie.

Quanto mais cedo aquele dia infeliz terminasse, melhor.

Billie o viu se afastar, e não ia dizer nada, não ia mesmo, mas, enquanto mergulhava a colher no mingau, ouviu-se gritar:

- Espere!

George parou à porta.

- Apenas uma palavra rápida - falou ela, pousando o guardanapo.

Não tinha ideia do que poderia ser essa palavra rápida, mas havia algo dentro dela que precisava sair. Virou-se de volta para lady Manston.

- Com sua licença. Volto em um instante.

George saiu da pequena sala de jantar em direção ao corredor para terem um pouco de privacidade.

Billie pigarreou.

- Sinto muito.

- Por quê?

Boa pergunta. Ela não sentia muito.

- Na verdade, queria dizer obrigada.

- Você está me agradecendo? - perguntou ele suavemente.

- Por me apoiar - disse ela. - Ao me chamar de Billie.

A boca de George se curvou em um meio sorriso irônico.

- Acho que eu não conseguiria chamá-la de Sybilla nem se tentasse.

Ela retribuiu a expressão dele.

- Não sei se eu atenderia vindo de uma voz que não fosse a da minha mãe.

Ele observou o rosto dela por um momento, depois prosseguiu:

- Não deixe minha mãe transformá-la em alguém que você não é.

- Ah, creio que isso não seja possível a esta altura. Já tenho meus hábitos muito arraigados.

- Do alto de todos os seus 23 anos?

- É muita coisa quando se é uma mulher solteira - retrucou ela.

Talvez não devesse ter dito isso; havia muitos pedidos de casamento não exatamente formulados na história deles. (*Um*, pensou Billie, já era demais. Dois a marcavam praticamente como uma aberração da natureza.)

Mas ela não se arrependeu de dizer. Não podia se arrepender. Não se quisesse transformar um daqueles quase-pedidos em algo real.

E ela queria. Passara metade da noite acordada - bem, no mínimo vinte minutos - repreendendo-se por quase garantir que ele não a pediria em casamento. Se tivesse uma camisa de força (e qualquer inclinação para gestos inúteis), teria vestido.

George franziu a testa e, é claro, a mente dela ficou triplamente acelerada. Ele estava se perguntando por que ela fizera um comentário sobre sua situação de quase solteirona, tentando decidir como responder, debatendo a sanidade dela.

– Ela me ajudou a escolher um vestido lindo para esta noite – disparou Billie.

– Minha mãe?

Ela assentiu, então abriu um sorriso travesso.

– Embora eu tenha trazido uma das minhas calças para a cidade só para o caso de eu ter de chocá-la.

Ele soltou uma gargalhada.

– Trouxe mesmo?

– Não – admitiu ela, o coração de repente mais leve agora que ele rira –, mas só o fato de eu ter considerado isso já significa algo, não acha?

– Com certeza.

Ele olhou para ela, seus olhos muito azuis sob a luz da manhã, então seu humor foi substituído por algo mais sério.

– Por favor, permita-me pedir desculpas pela minha mãe. Não sei o que aconteceu com ela.

– Acho que talvez ela se sinta... – Billie franziu a testa por um instante, escolhendo a melhor palavra – ... culpada.

– Culpada? – O rosto de George traiu sua surpresa. – Por quê?

– Por nenhum dos seus irmãos ter me pedido em casamento.

Outra coisa que ela provavelmente não devia ter dito. Mas realmente Billie achava que lady Manston se sentia assim.

E, quando a expressão de George passou da curiosidade para algo que poderia ser ciúme... Bem, Billie não pôde deixar de ficar um pouco satisfeita.

– Então, acho que ela está tentando me compensar por isso – disse de forma corajosa. – Eu não estava exatamente esperando que um deles me pedisse em casamento, mas acho que ela pensa que eu estava, então agora quer me apresentar...

– Basta! – bradou George.

– Perdão?

Ele pigarreou.

– Basta – disse ele em uma voz muito mais moderada. – É ridículo.

– Sua mãe se sentir assim?

– Ela pensar que é sensato apresentá-la a um bando de almofadinhas inúteis.

Billie apreciou aquela declaração por um instante e então disse:

– Acho que ela tem boa intenção.

George bufou, zombando da declaração.

– Tem, sim – insistiu Billie, incapaz de conter um sorriso. – Ela só quer o que pensa que é melhor para mim.

– O que *ela* pensa.

– Bem, sim. Não há como convencê-la do contrário. Temo que seja uma característica dos Rokesbys.

– Creio que pode ter acabado de me insultar.

– Não – disse ela, mantendo o rosto impressionantemente sério.

– Vou deixar passar.

– Muito gentil de sua parte, senhor.

Ele revirou os olhos diante da impertinência dela e, outra vez, Billie se sentiu mais à vontade. Talvez não fosse assim que as damas mais refinadas flertavam, mas era tudo o que ela sabia fazer.

E parecia estar funcionando. *Disso* tinha certeza.

Talvez ela tivesse um pouco de intuição feminina, afinal.

CAPÍTULO 21

Mais tarde naquela noite
No Baile Wintour

Noventa minutos haviam se passado e ele ainda não tinha visto Tallywhite.

George puxou a gravata, pois tinha certeza de que seu criado a tinha apertado mais do que o habitual. Não havia nada fora do comum na Soirée de Primavera de lady Wintour; na verdade, ele diria que era comum a ponto de ser monótona, mas ele não conseguia se livrar da incômoda e estranha sensação que subia pelo seu pescoço. Para todo lugar que se virava, parecia que alguém olhava para ele de maneira estranha, observando-o com muito mais curiosidade do que sua aparência deveria instigar.

Claramente, era tudo coisa da imaginação dele, o que levava a um ponto mais importante – *claramente* ele não era feito para aquele tipo de coisa.

Cronometrara sua chegada com cautela. Cedo demais, atrairia atenção indesejada. Como a maioria dos homens solteiros de sua idade, geralmente passava algumas horas no clube antes de cumprir suas obrigações sociais. Se chegasse ao baile às oito em ponto, pareceria estranho. (E ele teria de passar as duas horas seguintes conversando com sua tia-avó quase surda, que era conhecida tanto por sua pontualidade quanto por seu mau hálito.)

Mas ele também não queria seguir sua programação habitual, que envolvia chegar bem depois que a festa tivesse começado. Seria muito difícil identificar Tallywhite em meio a tantas pessoas, ou, pior, ele poderia não vê-lo.

Então, após pensar bastante, entrou no salão de baile Wintour aproximadamente uma hora após o horário de início. Ainda estava muito cedo, mas já havia gente suficiente para que George permanecesse discreto.

Não pela primeira vez, ele se perguntou se não estaria pensando demais naquilo tudo. Parecia que estava se preparando para se apresentar em público.

Uma rápida conferida na hora lhe informou que eram quase dez, o que significava que, se Billie ainda não tivesse aparecido, estaria ali em breve. Sua mãe planejara chegar às nove e meia, mas ele ouvira vários resmungos sobre a longa fila de carruagens em frente à Wintour House. Billie e sua mãe certamente estavam presas na carruagem de quatro cavalos de Manston, esperando sua vez de descer.

Ele não tinha muito tempo se quisesse cuidar daquilo antes de chegarem.

Entediado, continuou a caminhar pela sala, murmurando as saudações apropriadas quando passava por conhecidos. Um criado circulava com taças de ponche, então pegou uma, mal umedecendo os lábios enquanto examinava o salão de baile sobre a borda da taça. Não via Tallywhite, mas via... maldição, aquele era lorde Arbuthnot?

Por que diabo tinha pedido a George para entregar uma mensagem quando ele mesmo poderia ter feito isso?

Mas talvez houvesse razões para Arbuthnot não poder ser visto com

Tallywhite. Talvez houvesse *mais alguém* ali, alguém que não poderia saber que os dois homens estavam trabalhando juntos. Ou talvez Tallywhite fosse aquele no escuro. Talvez ele não soubesse que era Arbuthnot quem tinha a mensagem.

Ou...

Talvez Tallywhite *soubesse* que Arbuthnot era seu contato, e fosse tudo um plano para testar George, para que pudessem usá-lo para futuros empreendimentos. Talvez George tivesse embarcado por acidente em uma carreira de espionagem.

Olhou para o ponche em sua mão. Talvez ele precisasse... Não, ele *definitivamente* precisava de algo com um teor mais alto de álcool.

– Que porcaria é essa? – murmurou ele, pousando a taça.

E então ele a viu.

E parou de respirar.

– Billie?

Ela era uma visão. Seu vestido era de um carmesim escuro, a cor uma escolha inesperadamente vibrante para uma dama solteira, mas em Billie se tornava a perfeição. Sua pele era como leite, os olhos brilhavam e seus lábios... Ele sabia que ela não os coloria – Billie nunca teria paciência para esse tipo de coisa –, mas de alguma forma pareciam mais vivos, como se tivessem absorvido um pouco do brilho rubi de seu vestido.

Ele beijara aqueles lábios. Ele a provara e a venerara, e queria adorá-la de maneiras que ela provavelmente nunca sonharia serem possíveis.

Mas era estranho; ele não a ouvira ser anunciada. Estava muito longe da entrada, ou talvez estivesse apenas perdido demais nos próprios pensamentos. Mas lá estava ela, ao lado da mãe dele, tão linda, tão radiante que ele não conseguia ver mais ninguém.

De repente, o restante do mundo parecia um peso imenso. George não queria estar ali naquele baile, com pessoas com quem não tinha vontade de conversar e mensagens que não gostaria de entregar. Não desejava dançar com moças que não conhecia e não gostaria de conversar de forma educada com as pessoas que conhecia. Só queria Billie, e a queria só para ele.

Então se esqueceu de Tallywhite. Esqueceu-se da panela no fogo *e* da barriga vazia, e atravessou a sala tão decididamente que a multidão parecia abrir caminho.

E de alguma forma, por incrível que pareça, o resto do mundo ainda não a notara. Ela era muito bonita, excepcionalmente cheia de vida e *real* naquela sala cheia de bonecas de cera. Não passaria despercebida por muito tempo.

Logo ele teria que lutar contra uma multidão de cavalheiros ansiosos, mas, por enquanto, ela ainda era só dele.

Estava nervosa. Não era óbvio; ele tinha certeza de que era o único que podia notar. Era preciso *conhecê-la* para reparar. Billie parecia segura, as costas aprumadas e a cabeça erguida, mas seus olhos corriam pelo lugar, examinando a multidão.

Procurando por ele?

Ele se aproximou.

– George! – disse ela, encantada. – Hã, quero dizer, lorde Kennard. Que maravilhoso e – ela abriu um sorriso discreto para ele – nada surpreendente vê-lo.

– Srta. Bridgerton – murmurou ele, curvando-se sobre a mão dela.

– George – falou sua mãe, fazendo uma mesura.

Ele se inclinou para beijar o rosto dela.

– Mãe.

– Billie não está linda?

Ele assentiu, incapaz de tirar os olhos dela.

– Sim – concordou ele –, ela está... linda.

Mas essa não era a palavra certa. Era muito prosaica. Beleza não era a responsável pela inteligência impetuosa que dava profundidade aos seus olhos, nem pela perspicácia por trás de seu sorriso. Ela era linda, mas não era *apenas* linda, e era por isso que ele a amava.

– Espero que tenha reservado sua primeira dança para mim – comentou ele.

Billie olhou para a mãe dele em busca de confirmação.

– Sim, pode dançar primeiro com George – permitiu ela com um sorriso indulgente.

– Há muitas regras – disse Billie timidamente. – Não conseguia lembrar se, por algum motivo, devia deixar sua dança para mais tarde.

– Está aqui há muito tempo? – perguntou lady Manston.

– Mais ou menos uma hora – respondeu George. – Minha missão levou menos tempo do que eu esperava.

– Era uma missão? – quis saber ela. – Pensei que fosse um compromisso.

Se George não estivesse tão encantado por Billie, poderia ter se irritado com isso. Sua mãe estava claramente tentando conseguir informações ou, no mínimo, repreendendo-o em retrospecto. Mas ele simplesmente não conseguia se importar. Não quando Billie o encarava com os olhos brilhando.

– Está realmente linda – elogiou ele.

– Obrigada.

Ela sorriu sem jeito, e seu olhar recaiu sobre as mãos, que mexiam nervosamente nas dobras da saia.

– O senhor também está muito bonito.

Ao lado deles, lady Manston estava radiante.

– Gostaria de dançar? – disparou ele.

– Agora? – Ela sorriu adoravelmente. – Mas está tocando alguma música?

Não estava. E o fato de ele não ficar constrangido era uma prova de como estava perdidamente apaixonado.

– Talvez uma volta pela sala – sugeriu ele. – Os músicos logo voltarão a tocar.

Billie olhou para lady Manston, que acenou a mão em aprovação.

– Vão – disse ela –, mas fiquem bem à vista.

George foi arrancado bruscamente daquele devaneio entorpecido por tempo suficiente para lançar à mãe um olhar gélido.

– Eu nem sequer sonharia fazer nada que comprometesse a reputação dela.

– É claro que não – falou ela de forma descontraída. – Só quero garantir que ela seja *vista*. Há muitos bons partidos aqui esta noite. Mais do que eu esperava.

George segurou o braço de Billie.

– Eu vi o herdeiro de Billington – continuou lady Manston –, e, sabe, *não* acho que ele seja muito jovem.

George encarou-a com um olhar de ligeiro desdém.

– Não acho que ela queira se chamar Billie Billington, mãe.

Billie abafou uma risada.

– Ah, Santo Deus, eu nem tinha pensado nisso.

– Que bom.

– Seja como for, George, agora ela é Sybilla – disse a mãe dele, demonstrando seu talento para ouvir apenas o que queria. – E Sybilla Billington é bem sonoro.

George olhou para Billie e disse:

– Não é.

Ela pressionou os lábios um contra o outro, parecendo achar graça.

– O sobrenome dele é Wycombe – informou lady Manston. – Só para você saber.

George revirou os olhos. Sua mãe era uma ameaça. Ele estendeu o braço.

– Vamos, Billie?

Billie assentiu e se virou, ficando os dois voltados para a mesma direção.

– Se vir o filho de Ashbourne... – disse lady Manston.

Mas George já levara Billie embora.

– Não sei como é o filho de Ashbourne – comentou Billie. – Você sabe?

– Tem uma pança e tanto – mentiu George.

– Ah. – Billie franziu a testa. – Não posso imaginar por que ela pensou nele para mim, então. Sua mãe sabe que sou muito ativa.

George murmurou algo para mostrar que também não entendia e continuou o passeio lento em volta do salão de baile, aproveitando a sensação de posse de ter a mão dela em seu braço.

– Havia uma fila enorme de carruagens na entrada – contou Billie. – *Eu* disse à sua mãe que devíamos simplesmente sair e caminhar, já que o clima está ótimo, mas ela não concordou de forma alguma.

George riu. Apenas Billie faria tal sugestão.

– Parecia até que eu tinha sugerido que parássemos para tomar uma xícara de chá com o rei no caminho – resmungou ela.

– Bem, como o palácio é do outro lado da cidade... – provocou George.

Ela cutucou as costelas dele com o cotovelo. Mas de leve, para que ninguém visse.

– Estou feliz que você não esteja usando uma peruca – disse ele.

Ela usava um penteado elaborado, como ditava a moda, mas era o cabelo dela, e tinha só um pouco de pó. Ele gostava que ainda desse para ver o lindo tom de castanho; era Billie sem artifícios, e, se havia algo que a definia, era a *falta de uso* de artifícios.

Ele queria que ela desfrutasse aquele tempo em Londres, mas não queria que isso a mudasse.

– Muitíssimo fora de moda, eu sei – disse ela, tocando a longa mecha de cabelo que havia sido deixada caída sobre o ombro –, mas consegui convencer sua mãe de que havia uma boa chance de eu chegar perto demais de uma arandela e atear fogo em mim mesma.

George virou-se bruscamente e ela continuou:

– Dada a minha história quando fui apresentada à corte, não soou tão absurdo quanto parece.

Ele tentou não rir. Realmente tentou.

– Ah, por favor, ria – pediu ela. – Demorei todo esse tempo para conseguir fazer piada disso. Podemos nos divertir um pouco.

– O que aconteceu, afinal? – perguntou ele. – Ou eu não quero saber?

– Ah, você quer saber – falou ela com um olhar impertinente, meio de lado. – Confie em mim. Você definitivamente quer saber.

Ele esperou.

– Mas não vai descobrir agora – declarou ela. – Uma mulher deve ter seus segredos, como sua mãe sempre me diz.

– De alguma forma creio que atear fogo à Corte de Saint James não fosse o tipo de segredo que minha mãe tinha em mente.

– Considerando quanto ela deseja fervorosamente que eu seja vista como uma jovem dama graciosa e refinada, creio que poderia ser exatamente o que tinha em mente. – Billie olhou para ele com uma expressão travessa.– Lady Alexandra Fortescue-Endicott nunca atearia fogo em alguém por acidente.

– Não, se ela fizesse isso, imagino que seria proposital.

Billie abafou uma risada.

– George Rokesby, isso é algo terrível de se dizer. E provavelmente não é verdade.

– Não acha?

– Por mais que me doa admitir, não acho. Ela não é tão má. Ou inteligente.

Ele parou por um instante, depois perguntou:

– *Foi* um acidente, não foi?

Ela lançou-lhe um olhar.

– Claro que sim – continuou ele, mas não parecia tão certo quanto deveria.

– Kennard!

Ao som de seu nome, George desviou com relutância o olhar de Billie. Dois de seus amigos de faculdade – sir John Willingham e Freddie Coventry – abriam caminho por entre a multidão. Os dois eram perfeitamente agradáveis, absolutamente respeitáveis e exatamente o tipo de cavalheiros que sua mãe adoraria que fossem apresentados a Billie.

George percebeu que *ele* adoraria bater em um dos dois. Não importava qual. Tanto fazia, desde que pudesse ser no rosto.

– Kennard – disse sir John, aproximando-se com um sorriso. – Faz tanto tempo! Não pensei que já o veria na cidade.

– Assuntos de família – respondeu George, evasivo.

Sir John e Freddie assentiram e disseram algo parecido com *Entendo*, então os dois olharam para Billie com clara expectativa.

George forçou um sorriso e se virou para Billie.

– Permita-me apresentar sir John Willingham e o Sr. Frederick Coventry. – Após alguns murmúrios de todas as partes, ele seguiu: – Cavalheiros, esta é a Srta. Sybilla Bridgerton, de Aubrey Hall, em Kent.

– Kent! – exclamou Freddie. – Vocês são vizinhos, então?

– Somos – disse Billie agradavelmente. – Conheço lorde Kennard desde criança.

George tentou não fechar a cara. Sabia que ela não poderia usar seu primeiro nome num ambiente como aquele, mas ainda assim o irritava que se referisse a ele de maneira tão formal.

– Você é um homem de sorte – falou Freddie – por ter tanto encanto tão perto de casa.

George olhou rápido para Billie para ver se ela estava tão estarrecida com o elogio meloso quanto ele, mas ela ainda sorria de forma plácida, parecendo de fato uma debutante doce e amável.

Ele bufou. Encanto? Billie? Se eles soubessem...

– Falou alguma coisa? – perguntou ela.

Ele retribuiu o sorriso com outro igualmente afável.

– Só que realmente tenho muita sorte.

Ela ergueu as sobrancelhas.

– Que estranho eu não ter ouvido uma frase desse tamanho.

Ele a olhou de soslaio.

E ela retribuiu com um sorriso disfarçado.

George sentiu algo se acalmar dentro dele. Tudo estava certo com o mundo novamente. Ou pelo menos estava tudo certo com aquele momento. O mundo era uma maldita confusão, mas bem ali, naquele instante, Billie sorria intimamente para ele...

E ele estava contente.

– Poderia me conceder uma dança, Srta. Bridgerton? – perguntou sir John.

– A mim também? – logo intrometeu-se Freddie.

– Claro – disse ela, de novo em tom tão amável que George sentiu vontade de vomitar.

Não parecia ela mesma.

– Ela já prometeu a primeira dança a mim – interrompeu ele. – E a da hora do jantar.

Billie olhou para ele com alguma surpresa, mas não disse nada.

– No entanto – disse Freddie com bom humor –, há mais de duas danças em um baile.

– Ficarei encantada em dançar com os dois – falou Billie.

Então olhou pelo salão atentamente, como se estivesse procurando por alguma coisa.

– Não creio que haja cartões de dança esta noite...

– Podemos sobreviver muito bem sem eles – rebateu Freddie. – Só precisamos lembrar que, quando terminar com Kennard aqui, vai dançar comigo.

Billie abriu um sorriso gentil e assentiu com nobreza.

– E depois dançará com sir John – observou Freddie. – Mas devo alertá-la, ele é um péssimo dançarino. Cuidado com os dedos dos pés.

Billie, então, deu uma risada, alegre e rouca, e mais uma vez parecia tão incandescentemente bonita que George ficou meio tentado a jogar um cobertor sobre ela, só para impedir que qualquer outra pessoa a quisesse.

Ele não deveria se ressentir daquele momento dela ao sol. Sabia disso. Ela merecia ser adorada e festejada, ter sua noite como a bela do baile. Mas, por Deus, quando ela sorria para sir John ou Freddie, parecia ser com sinceridade.

Quem sorria assim sem estar com vontade? Será que Billie tinha alguma ideia sobre aonde um sorriso como aquele poderia levar? Os dois cavalheiros pensariam que ela estava interessada. George teve uma súbita visão de buquês enchendo o saguão da Manston House, de jovens cavalheiros fazendo fila pelo privilégio de beijar a mão dela.

– Algum problema? – perguntou Billie baixinho.

Sir John e Freddie tinham sido distraídos por outro conhecido, então suas palavras foram ouvidas apenas por George.

– Claro que não – respondeu ele, mas sua voz estava um pouco mais brusca do que o habitual.

Ela franziu a testa, preocupada.

– Tem certeza? Você...

– Estou bem – disparou ele.

Billie ergueu as sobrancelhas.

– Claramente.

Ele fechou a cara.

– Se não quer dançar comigo... – começou ela.

– Você acha que é *isso*?

– Então *há* alguma coisa!

Sua expressão tornou-se triunfante; só faltou um taco de croquet na mão para completar o visual.

– Pelo amor de Deus, Billie, isso não é uma competição – murmurou ele.

– Eu nem sei *o que* é.

– Você não deveria estar sorrindo assim para outros cavalheiros – sussurrou.

– *O quê?*

Ela recuou, e ele não conseguiu saber se estava incrédula ou indignada.

– Isso vai passar uma impressão errada.

– Pensei que todo o propósito era que eu conseguisse atrair a atenção dos cavalheiros – praticamente sibilou ela.

Indignada, então. E muito.

George teve presença de espírito suficiente apenas para não deixar escapar algo espetacularmente idiota como "Sim, mas não *tanta* atenção". Em vez disso, alertou-a:

– Não se surpreenda se eles aparecerem para uma visita amanhã.

– Novamente, não é esse o objetivo?

George não teve resposta, porque *não havia* resposta. Ele estava sendo um idiota, isso estava claro para os dois.

Santo Deus, como a conversa se deteriorara àquele ponto?

– Billie, olhe, eu só...

Ele franziu a testa. Arbuthnot estava se aproximando.

– Você só... – insistiu Billie.

Ele balançou a cabeça, e ela foi inteligente o bastante para saber que o movimento não tinha nada a ver com ela. Billie seguiu seu olhar em direção a Arbuthnot, mas o senhor havia parado para falar com outra pessoa.

– Para quem está olhando? – perguntou ela.

Ele se virou e fixou toda a sua atenção nela.

– Para ninguém.

Ela revirou os olhos diante da óbvia mentira.

– Kennard – chamou Freddie Coventry, voltando para o lado deles enquanto sir John se afastava –, creio que a orquestra está retomando suas posições. É melhor você levar a Srta. Bridgerton para a pista de dança ou terei de acusá-lo de comportamento suspeito. – Ele se inclinou em direção a Billie e continuou em tom de falsa confidencialidade: – Ele não pode reivindicar sua primeira dança e depois mantê-la aqui entre as garotas que não foram convidadas para dançar.

Ela riu, mas só um pouco, e, aos ouvidos de George, não pareceu tê-lo feito com vontade.

– Ele nunca faria isso – atalhou ela, e completou: – Se não por outro motivo, porque sua mãe o mataria.

– Rá-rá! – gargalhou Freddie. – Então é assim que funciona.

George deu um sorriso forçado. Queria estrangular Billie por desmoralizá-lo com tamanha eficiência diante de seus amigos, mas ainda estava muito atento a Arbuthnot, a poucos metros de distância, provavelmente à espera de um momento para lhe falar em particular.

– Acho que ele não vai dançar com a senhorita – provocou Freddie aos sussurros.

Billie olhou para George, e, quando seus olhos encontraram os dela, ele sentiu como se tivesse encontrado seu mundo inteiro. Então ele se curvou e estendeu o braço, porque, diabo, tinha esperado por aquele momento pelo que pareciam anos.

Mas é claro que foi justo nessa hora que Arbuthnot enfim se aproximou.

– Kennard – disse ele, o cumprimento cordial exatamente o que se poderia esperar de um homem que se dirigia ao filho de um amigo. – É bom vê-lo aqui. O que o traz à cidade?

– Uma dança com a Srta. Bridgerton – respondeu Freddie –, mas ele não parece capaz de levá-la até a pista.

Arbuthnot riu.

– Ah, tenho certeza de que ele não é tão incapaz assim.

George não conseguia decidir qual dos dois queria matar primeiro.

– Talvez eu devesse dançar com o *senhor* – disse Billie a Freddie.

Esqueça os cavalheiros. Ele mataria Billie primeiro. Mas que diabo ela estava pensando? Aquilo era um gesto muito atirado, até mesmo para ela. Damas não chamavam cavalheiros para dançar, principalmente quando só os conheciam havia cinco minutos.

– Uma dama que fala o que pensa – afirmou Freddie. – Que revigorante. Entendo por que lorde Kennard fala tão bem de você.

– Ele fala de mim?

– Não para ele – disparou George.

– Bem, deveria – disse Freddie, erguendo as sobrancelhas de maneira galanteadora. – A senhorita certamente seria um tópico mais interessante do que nossa última conversa, que, se não me falha a memória, foi sobre farinha de aveia.

George tinha certeza de que aquilo não era verdade, mas não havia como protestar sem soar infantil.

– Ah, mas acho aveia um assunto fascinante – opinou Billie, e George quase riu, porque ele era o único que sabia que ela não estava brincando; o recente sucesso do pai dela com as colheitas eram prova disso.

– Uma dama verdadeiramente singular – louvou Freddie.

A orquestra começou a emitir os ruídos que sempre precediam a música e Billie olhou para George, esperando que ele a cumprimentasse novamente e a levasse para a pista de dança.

Mas, antes que pudesse fazer isso, ele ouviu lorde Arbuthnot pigarrear. George sabia o que tinha de fazer.

– Cedo minha vez a você, Coventry – falou ele com um ligeiro cumprimento. – Já que está tão ansioso pela companhia dela.

George tentou não olhar nos olhos de Billie, mas não conseguiu e, quando seu olhar cruzou o rosto dela, viu que ela estava chocada. E com raiva. E ferida.

– Ela dança em seguida com você – afirmou Freddie com bom humor, e George ficou com o coração apertado ao ver o rival conduzi-la para a pista de dança.

– Lamento privá-lo da companhia da adorável Srta. Bridgerton – disse lorde Arbuthnot após um instante –, mas tenho certeza de que havia mais propósito para o seu tempo na cidade do que uma dança.

Não havia mais ninguém em seu pequeno círculo de conversa agora que Billie saíra com Freddie Coventry, mas Arbuthnot claramente desejava manter a discrição, então George disse:

– Uma coisa e outra. Assuntos de família.

– Não é sempre o caso? – Ele inclinou a cabeça em direção a George. – É muito cansativo ser o chefe da família.

George pensou no pai.

– Fico muito feliz que este privilégio específico ainda não seja meu.

– Verdade, verdade.

Arbuthnot tomou um grande gole de sua bebida, que parecia consideravelmente mais substancial do que o ponche ridículo que haviam servido a George mais cedo naquela noite.

– Mas será muito em breve, e não podemos escolher nossa família, concorda?

George se perguntou se Arbuthnot estava querendo ser ambíguo. Se fosse o caso, era outra indicação de que George não estava preparado para uma vida de mensagens misteriosas e reuniões secretas. Decidiu tomar as palavras de Arbuthnot pelo que de fato eram e disse:

– Se pudéssemos, ouso dizer que escolheria a minha.

– Bem, isso é que é homem de sorte.

– Acho que sim.

– E como vai a noite? Bem-sucedida?

– Suponho que isso dependa de como se mede o sucesso.

– É mesmo? – perguntou Arbuthnot, parecendo um pouco irritado.

George não se sentiu solidário. Fora *ele* quem começara aquela conversa cheia de entrelinhas. Então podia muito bem deixar George também se divertir um pouco. Ele encarou Arbuthnot e disse:

– Infelizmente, viemos a esses eventos em busca de algo, não é mesmo?

– O senhor está muito filosófico para uma terça-feira.

– Normalmente guardo meus grandes pensamentos para as noites de segunda e tardes de quinta – disparou George.

Lorde Arbuthnot olhou para ele com grande surpresa.

– Não encontrei o que estou procurando – falou George.

Santo Deus, todo aquele duplo sentido estava lhe deixando tonto.

Arbuthnot estreitou os olhos.

– Tem certeza?

– O máximo de certeza possível. Está muito cheio aqui.

– Que decepcionante.

– De fato.

– Talvez devesse dançar com lady Weatherby – sugeriu lorde Arbuthnot em voz baixa.

George virou-se bruscamente.

– Perdão?

– Foram apresentados? Asseguro-lhe que ela é uma mulher sem igual.

– Nós nos conhecemos – confirmou George.

Ele conhecera Sally Weatherby quando ela ainda era Sally Sandwick, a irmã mais velha de um de seus amigos. Ela se casara e enterrara um marido nesse meio-tempo, e só há pouco passara do luto completo para o parcial. Felizmente para ela, lavanda caía-lhe muito bem.

– Weatherby era um bom homem – disse Arbuthnot.

– Eu não o conhecia – falou George.

Ele era um pouco mais velho, e Sally era sua segunda esposa.

– Trabalhei um tempo com ele – continuou Arbuthnot. – Um bom homem. Muito bom.

– Faz anos que não falo com lady Weatherby – contou George. – Não sei se terei algo para lhe dizer.

– Ah, creio que pensará em algo.

– Imagino que sim.

– Ah, vejo minha esposa ali – apontou lorde Arbuthnot. – Ela está fazendo aquela coisa com a cabeça que quer dizer que ou precisa da minha ajuda ou está prestes a morrer.

– Então melhor ir até ela – disse George. – Claramente.

– Suponho que ela precisará da minha ajuda de qualquer maneira – retrucou Arbuthnot, dando de ombros. – Boa sorte, filho. Espero que sua noite seja proveitosa.

George observou lorde Arbuthnot cruzar a sala, então virou-se para cumprir sua missão.

Parecia que era hora de dançar com Sally Weatherby.

CAPÍTULO 22

O Sr. Coventry era um excelente dançarino, mas Billie não podia lhe dar mais do que uma pequena parte de sua atenção enquanto ele a conduzia pelos intrincados passos de um cotilhão. George terminara de conversar com o senhor, e agora se curvava diante de uma dama de beleza tão impressionante que era um espanto que todos à sua volta não tivessem de proteger os olhos do brilho que irradiava.

Sentiu a raiva e o ciúme fervilharem dentro dela, e a noite, antes tão mágica, azedou.

Billie sabia que não deveria ter chamado o Sr. Coventry para dançar. Lady Manston teria tido uma apoplexia se estivesse lá. Provavelmente teria uma assim que a fofoca chegasse até ela. E chegaria. Billie podia ter evitado Londres por anos, mas sabia como funcionavam as coisas o suficiente para perceber que aquilo se espalharia por todo o salão em poucos minutos.

E por toda a cidade na manhã seguinte.

Diriam que era muito atirada. Que estava atrás do Sr. Coventry, que estava desesperada por razões que ninguém sabia, mas que devia ter um segredo terrível, afinal por que outra razão jogaria fora séculos de convenção e convidaria um cavalheiro para dançar?

E então alguém se lembraria daquele infeliz incidente na corte, alguns anos atrás. Uma coisa terrível, de fato, comentariam todos, fazendo muxoxos. O vestido da Srta. Philomena Wren pegara fogo e, quando alguém percebeu o que estava acontecendo, havia um bando de moças inertes, presas ao chão, incapazes de se mover com todo o peso de suas saias largas. A Srta. Bridgerton não estava lá? Ela não estava *em cima* da Srta. Wren?

Billie teve que cerrar a mandíbula para não grunhir. Se ficara por cima de Philomena Wren, tinha sido apenas para apagar o fogo, mas ninguém mencionaria isso.

Que Billie também tinha sido a causadora do incêndio ainda era um segredo bem guardado, graças a Deus. Mas, sinceramente, como uma dama se *moveria* em trajes de corte completos? O protocolo da corte exigia vestidos com anquinhas muito mais largas do que qualquer coisa que as mulheres usavam no dia a dia. Billie normalmente tinha uma ótima noção do espaço que seu corpo ocupava no mundo – era a pessoa menos desajeitada que conhecia. Mas quem não teria dificuldades de se movimentar em uma geringonça que projetava seus quadris quase um metro em todas as direções? E, indo mais direto ao ponto, que idiota achara uma boa ideia deixar uma vela acesa em uma sala cheia de damas com aqueles trajes volumosos?

A borda de seu vestido ficara tão longe do corpo que Billie nem sentira quando derrubara a vela. A Srta. Wren também não sentira quando o vestido dela começara a queimar. E na verdade não sentira nada, Billie pensou, satisfeita, porque a dama tivera presença de espírito suficiente para pular em cima de outra garota, abafando a chama antes que atingisse sua pele.

E, no entanto, no frigir dos ovos, ninguém parecia lembrar que Billie salvara a Srta. Wren da morte e da desfiguração. Não, sua mãe ficara tão horrorizada com a situação toda que abandonara os seus planos para a temporada de Billie em Londres, o que a menina queria que acontecesse desde o início. Havia anos vinha lutando para não precisar participar de uma temporada.

Mas queria conseguir isso de outra forma que não o fato de os pais sentirem *vergonha* dela.

Com um suspiro, forçou-se a concentrar-se novamente no cotilhão que aparentemente dançava com o Sr. Coventry. Não conseguia nem se lembrar disso, mas parecia ter feito corretamente os passos e não pisado em nenhum dedo. Por sorte, não tivera de conversar muito; era o tipo de dança que separava uma dama do parceiro com a mesma frequência que os unia.

– Lady Weatherby – disse o Sr. Coventry quando estava perto o suficiente para ser ouvido.

Billie ergueu os olhos, surpresa; tinha quase certeza de que o Sr. Coventry sabia o nome dela.

– Perdão?

Eles se separaram e depois voltaram a ficar juntos.

– A mulher com quem lorde Kennard está dançando – continuou Coventry. – A viúva de Weatherby.

– Ela é viúva?

– Ficou recentemente – confirmou o Sr. Coventry. – Acabou de deixar as vestes pretas.

Billie cerrou os dentes, tentando manter a expressão agradável. A bela viúva era muito jovem, não devia ter nem cinco anos a mais do que Billie. Estava primorosamente vestida com o que Billie agora sabia ser a última moda, e sua pele era o perfeito alabastro que Billie nunca conseguiria ter sem se besuntar de creme.

Se o sol algum dia tivesse tocado as bochechas perfeitas de lady Weatherby, Billie comeria seu chapéu.

– Ela precisará se casar novamente – disse Coventry. – Não deu um herdeiro ao velho Weatherby, então está vivendo da generosidade do novo lorde Weatherby. Ou, mais precisamente...

Novamente, a dança os separou e Billie quase gritou de frustração. Por que as pessoas achavam que era uma boa ideia conduzir conversas importantes enquanto dançavam? Ninguém se importava com o fornecimento oportuno de informações?

Ela deu um passo à frente, de volta à esfera de conversação do Sr. Coventry, e falou:

– Mais precisamente...?

Ele sorriu com ar de quem sabe das coisas.

– Ela precisa contar com a boa graça da esposa do novo lorde Weatherby.

– Tenho certeza de que vai apreciar a companhia de lorde Kennard – disparou Billie de forma diplomática.

Não iria enganar o Sr. Coventry; ele sabia perfeitamente bem que Billie estava morrendo de ciúmes. Mas ela precisava ao menos tentar mostrar indiferença.

– A senhorita não deveria se preocupar – sugeriu Coventry.

– Não deveria me preocupar?

Mais uma vez, Billie teve de esperar por sua resposta. Passou delicadamente em torno de outra dama, o tempo todo amaldiçoando o cotilhão. Não havia uma dança nova no continente que mantivesse uma dama e um cavalheiro juntos por uma música inteira? Estava sendo considerada fora dos padrões, mas, sinceramente, ninguém mais concordava com sua sensatez?

– Kennard não ficou contente em deixá-la aos meus cuidados – disse Coventry quando pôde. – Se convidou lady Weatherby para dançar, não foi para nada além de pagar na mesma moeda.

Mas George não era assim. Seu humor podia ser um pouco ácido, mas seu comportamento nunca era. Não convidaria uma dama para dançar com o único propósito de despertar ciúme em outra. Ele podia ter ficado um pouco ressentido, podia estar furioso com Billie por envergonhá-lo em frente aos amigos, mas, se ele estava dançando com lady Weatherby, era porque queria.

Billie sentiu-se mal de repente. Não deveria ter tentado manipular a situação, dizendo de modo atrevido que deveria dançar com o Sr. Coventry. Mas ficara muito frustrada. A noite estava indo tão bem... Quando vira George, deslumbrante em suas roupas de festa, quase ficara sem ar. Tentara dizer a si mesma que ele era o mesmo homem de Kent, usando o mesmo paletó e os mesmos sapatos, mas ali em Londres, entre as pessoas que dirigiam o país e possivelmente o mundo, ele parecia diferente.

Ele pertencia àquele lugar.

Havia um ar de gravidade à volta dele, de confiança serena e absoluta segurança do lugar que ocupava. Ele tinha aquela vida inteira sobre a qual ela não sabia nada, uma vida com festas, bailes e reuniões no White's. Algum dia, ele tomaria seu lugar no Parlamento, e ela ainda seria a impulsiva Billie Bridgerton. Só que, em poucos anos, *impulsiva* daria lugar a *excêntrica*. E depois disso seria uma escalada galopante até a loucura.

Não, pensou com obstinação. Isso não aconteceria. George gostava dela. Talvez até a amasse um pouco. Ela tinha visto em seus olhos, e sentira em seu beijo. Lady Weatherby nunca poderia...

Os olhos de Billie se arregalaram. Onde estava lady Weatherby?

E, indo mais direto ao ponto, onde estava George?

Cinco horas depois, George finalmente entrou em Manston House, na ponta dos pés, cansado, frustrado e, acima de tudo, pronto para estrangular lorde Arbuthnot.

Quando o general lhe pedira para entregar uma mensagem, George pensara: *Isso será muito simples.* Ele já estava planejando ir ao baile Wintour, e Robert Tallywhite era exatamente o tipo de pessoa com quem poderia jogar conversa fora. Seriam dez minutos de seu dia, e ele poderia dormir naquela noite sabendo que tinha feito algo pelo rei e pela pátria.

Não previra que sua noite envolveria seguir Sally Weatherby até o Cisne Sem Pescoço, um pub um tanto desagradável do outro lado da cidade. Foi lá que finalmente encontrara Robert Tallywhite, que parecia estar se divertindo atirando dardos em um chapéu de três pontas preso a uma parede.

De olhos vendados.

George entregara sua mensagem, e o conteúdo não parecera surpreender Tallywhite, mas, quando tentara ir embora, fora compelido a ficar para tomar um copo de cerveja. E por compelido quisera *mesmo* dizer compelido, do tipo jogado em uma cadeira por dois homens absurdamente grandes, um dos quais ostentava o olho roxo mais vívido que George já vira.

Tal ferimento indicava uma notável tolerância à dor, e George temia que isso correspondesse a uma notável capacidade de *causar* dor. Então, quando o velho Olho Violeta mandou que se sentasse e bebesse, George obedeceu.

Passara, então, as duas horas seguintes tendo uma conversa incrivelmente complicada e fútil com Tallywhite e seus capangas. (Sally desaparecera logo depois de tê-lo levado ao simplíssimo Cisne sem Pescoço.) Eles falaram sobre o clima, as regras do críquete e os méritos relativos do Trinity College em oposição aos do Trinity Hall, em Cambridge. Passaram, então, aos benefícios da água salgada para a saúde, a dificuldade de obter gelo no verão e a possibilidade de o alto custo do abacaxi afetar a popularidade das laranjas e dos limões.

À uma da madrugada, George já desconfiava de que Robert Tallywhite não era completamente são e, às duas, estava certo disso. Às três, ele finalmente conseguiu sair, mas não antes de levar "por acidente" uma cotovelada nas costelas, dada por um dos imensos amigos de Tallywhite. Ganhara também um arranhão na bochecha esquerda, embora George não conseguisse lembrar sua origem.

E o pior de tudo, pensou ele enquanto subia as escadas da Manston House, era que havia abandonado Billie. Sabia que aquela noite era importante para ela. Mas, que diabo, também era importante para *ele*. Só Deus sabia o que ela estaria pensando do seu comportamento.

– George.

Ele tropeçou ao entrar no quarto. Billie estava parada no meio dele, usando roupão.

Usando roupão.

A roupa estava frouxamente amarrada, e ele podia ver a fina seda cor de pêssego de sua camisola espreitando por baixo. Parecia muito fina, quase transparente. Um homem poderia correr as mãos por uma seda assim e sentir o calor da pele queimando através dela. Um homem poderia pensar que tinha o direito de fazer isso, com uma dama ali a apenas dois metros de sua cama.

– O que você está fazendo aqui? – perguntou ele.

Os lábios dela se contraíram. Ela estava irritada. Na verdade, ele poderia até dizer que ela estava bastante furiosa.

– Estava esperando você – disse ela.

– Isso eu consegui presumir – retrucou ele, puxando a gravata.

Se a incomodava o fato de ele estar se despindo em sua frente, era problema dela, concluiu ele. Fora ela que montara acampamento em seu quarto.

– O que aconteceu com você? – perguntou ela. – Numa hora estava me empurrando para o pobre Sr. Coventry...

– Eu não teria tanta pena dele – queixou-se George. – Ele ficou com a minha dança.

– Você *deu* a ele sua dança.

George continuou trabalhando em sua gravata, finalmente soltando-a com um último puxão.

– Acho que eu não tive muita escolha – disse ele, atirando a faixa de tecido agora mole em uma cadeira.

– O que quer dizer com isso?

Ele fez uma pausa, feliz por estar de costas para ela. Estava pensando em lorde Arbuthnot, mas é claro que Billie não sabia – e não poderia saber – sobre os negócios deles.

– Dificilmente eu poderia fazer outra coisa – continuou ele, os olhos fixos em um ponto aleatório na parede –, tendo em vista que você o convidou para dançar.

– Eu não o *convidei* exatamente.

Ele olhou por cima do ombro.

– Detalhes, Billie.

– Muito bem – falou ela, cruzando os braços –, mas acho que eu também não tive muita escolha. A música estava começando e você continuou lá *parado*.

Ele não tinha nada a ganhar ressaltando que estava prestes a levá-la para a pista de dança quando lorde Arbuthnot chegara, então se conteve. Eles se entreolharam por um longo e tenso momento.

– Você não deveria estar aqui – disse George finalmente.

E se sentou para tirar as botas.

– Eu não sabia para onde ir.

Ele a observou atenta e intensamente. O que ela queria dizer com isso?

– Estava preocupada com você – admitiu ela.

– Posso cuidar de mim mesmo.

– Eu também posso – replicou ela.

Ele assentiu seu *touché*, depois voltou sua atenção para os punhos das mangas, afastando a fina renda belga para que seus dedos pudessem passar os botões pelas casas.

– O que aconteceu esta noite? – perguntou Billie.

George fechou os olhos, bem ciente de que ela não podia ver sua expressão. E foi a única razão pela qual ele se permitiu um suspiro cansado.

– Eu nem saberia por onde começar.

– Pode ser pelo começo.

Ele olhou para ela, incapaz de conter um sorriso irônico. Como aquela frase era característica dela... Mas ele apenas balançou a cabeça e disse com voz cansada:

– Não esta noite.

Ela cruzou os braços.

– Pelo amor de Deus, Billie, estou exausto.

– Eu não me importo.

Isso o pegou desprevenido, e por um instante ele só conseguiu olhar, piscando como uma coruja idiota.

– Onde você estava? – exigiu saber ela.

E como a verdade era sempre melhor quando possível, ele lhe disse:

– Em um pub.

Ela jogou a cabeça para trás, surpresa, mas sua voz soou fria quando falou:

– Dá para sentir o cheiro.

Isso o fez soltar uma risada amarga.

– Dá, não dá?

– Por que estava em um pub? O que poderia estar fazendo lá que fosse mais importante do que...

Ela se conteve, horrorizada, levando a mão à boca.

George não podia responder, então não disse nada. Não havia nada no mundo que fosse mais importante do que ela. Mas *havia* coisas mais importantes do que dançar com ela, independentemente de quanto ele desejasse que fosse diferente.

Seu irmão estava desaparecido. Talvez a missão absurda daquele dia não tivesse nada a ver com Edward. Maldição, George estava certo de que não tinha. Como poderia ter? Edward estava perdido numa área inóspita de Connecticut, e ele estava ali em Londres, recitando poeminhas como se tivesse ficado louco.

Mas seu governo lhe solicitara realizar aquela tarefa e, mais importante ainda, ele dera a sua palavra de que a executaria.

George não se incomodaria em recusar se lorde Arbuthnot aparecesse com outra missão tola. Não tinha temperamento para seguir ordens cegamente, mas concordara daquela vez e fora até o fim.

O silêncio no quarto ficou denso, e então Billie, que se afastara dele, abraçando o próprio corpo, sussurrou:

– Acho que vou para a cama.

– Você está chorando? – perguntou ele, levantando-se de um salto.

– Não – foi a resposta rápida demais dela.

Ele não poderia suportar. Deu um passo à frente sem nem mesmo perceber.

– Não chore – pediu.

– Não estou chorando! – exclamou ela.

– Não – disse ele de forma gentil. – Claro que não está.

Billie passou as costas da mão de forma deselegante pelo nariz.

– Eu não choro – protestou ela –, muito menos por sua causa.

– Billie – disse ele, e, antes que percebesse, ela estava em seus braços.

Ele a segurou contra o peito e acariciou as costas dela enquanto as lágrimas caíam uma a uma dos olhos de Billie.

Ela chorava delicadamente, o que de alguma forma era inesperado. Billie nunca fizera nada pela metade, e, se fosse para chorar, ele achava que seria copiosamente.

Foi quando ele percebeu... ela estava falando a verdade. Ela *não* chorava. Ele a conhecia havia vinte e três anos e nunca a vira verter uma lágrima. Mesmo quando machucara o tornozelo e tivera de descer a escada sozinha, ela não chorara. Por um momento, parecera que iria chorar, mas depois firmara os ombros, engolira a dor e seguira em frente.

Mas ela estava chorando naquele momento.

Ele a fizera chorar.

– Eu sinto muito – murmurou junto ao cabelo dela.

Não sabia o que poderia ter feito diferente, mas isso não parecia importar. Ela estava chorando, e cada fungada emitia o som do próprio coração dele se partindo.

– Por favor, não chore – pediu ele, porque não sabia mais o que dizer. – Tudo vai ficar bem. Eu prometo, tudo vai ficar bem.

Sentiu-a assentir contra seu peito, um pequeno movimento, mas o suficiente para deixar claro que ela o estava ouvindo.

– Está vendo? – disse ele, tocando o queixo dela e sorrindo quando Billie finalmente levantou os olhos para ele –, eu falei, está tudo bem.

Ela respirou com dificuldade.

– Eu estava preocupada com você.

– Você estava preocupada?

Ele não queria parecer satisfeito, mas não conseguiu evitar.

– E com raiva – continuou ela.

– Eu sei.

– Você foi embora – reclamou ela sem rodeios.

– Eu sei.

Ele não ia inventar desculpas. Ela não merecia isso.

– Por quê? – perguntou ela. E, quando ele não respondeu, ela se desvencilhou de seu abraço e repetiu: – Por que foi embora?

– Não posso lhe contar – disse ele pesarosamente.

– Você estava com *ela*?

Ele não fingiu entender mal.

– Por pouco tempo.

Havia apenas um candelabro de três pontas no quarto, mas a luz era suficiente para George ver a dor cruzar o rosto de Billie. Ela engoliu em seco, o movimento fazendo tremer sua garganta.

A maneira como estava ali parada, com os braços protetoramente em torno da cintura... Era como se estivesse vestindo uma armadura.

– Não vou mentir para você – murmurou ele. – Não posso responder a suas perguntas, mas não vou inventar nada. – Ele deu um passo à frente, os olhos fixos nos dela enquanto prometia. – Está entendendo? Eu *nunca* vou mentir para você.

Billie assentiu, e ele viu algo mudar no rosto dela. Os olhos dela pareciam mais suaves, mas preocupados.

– Você se machucou – disse ela.

– Não muito.

– Mas ainda assim...

Ela estendeu a mão para o rosto dele, parando a poucos centímetros de distância.

– Alguém bateu em você?

Ele fez que não com a cabeça. Provavelmente se machucara quando fora persuadido a tomar uma cerveja com Tallywhite.

– Para dizer a verdade, não me lembro – disse ele. – Foi uma noite muito estranha.

Os lábios dela se entreabriram, e ele podia ver que queria fazer mais perguntas, mas em vez disso falou muito suavemente:

– Você nunca dançou comigo.

Os olhos de George encontraram os dela.

– Eu lamento por isso.

– Eu queria... eu esperava... – Os lábios dela se contraíram enquanto engolia em seco, e ele percebeu que prendia a respiração, esperando que ela continuasse. – Eu não acho...

O que quer que fosse, ela não conseguiu dizer, e ele percebeu que precisava ser tão corajoso quanto ela.

– Foi uma agonia – sussurrou ele.

Ela ergueu os olhos, espantada.

Ele beijou a palma da mão dela.

– Tem alguma ideia de como foi difícil dizer a Freddie Coventry para dançar com você? Como foi vê-lo pegar sua mão e sussurrar em seu ouvido como se tivesse o direito de estar perto de você?

– Sim – murmurou ela. – Eu sei exatamente.

E então, naquele momento, tudo ficou claro. Havia somente uma coisa que ele podia fazer.

E ele fez a única coisa que *podia* fazer.

George a beijou.

CAPÍTULO 23

Billie não era idiota. Sabia, quando decidira esperar por George no quarto dele, que aquilo podia acontecer. Mas não fora *por isso* que ela tinha ido parar lá. Não fora por isso que entrara em silêncio ali, girando a maçaneta da porta com experiente facilidade, para que deslizasse pelo mecanismo de trava sem fazer barulho. Não fora por isso que se sentara na cadeira dele, prestando atenção para ver se o ouvia voltar, e não fora por isso que olhara para a cama dele o tempo todo, extremamente consciente de que era ali que ele dormia, onde o corpo dele repousava da forma mais vulnerável, onde, caso se casassem, os dois fariam amor.

Não, disse a si mesma, fora ao quarto dele porque precisava saber aonde ele tinha ido, por que a deixara em Wintour House. E estava preocupada. Sabia que não dormiria até que ele estivesse em casa.

Mas sabia que aquilo poderia acontecer.

E agora que estava acontecendo...

Ela finalmente podia admitir que era aquilo que queria o tempo todo.

George a puxou contra ele, e ela não fingiu nenhuma surpresa, nenhum ultraje. Eles eram muito honestos um com o outro; sempre tinham sido, e Billie atirou os braços ao redor dele, beijando-o de volta com a respiração febril.

Foi como da primeira vez que ele a beijara, mas muito *mais*. As mãos dele estavam por toda parte, e o roupão dela não era grosso, o material muito mais sedoso e fino que seu vestido de dia. Quando ele segurou o traseiro dela, Billie sentiu cada dedo apertando-a com um desespero que fez seu coração se alegrar.

Ele não estava tratando-a como uma boneca de porcelana. Tratava-a como uma mulher, e ela adorava isso.

Com o corpo dele pressionado ao dela dos pés à cabeça, Billie sentiu a excitação dele, dura e insistente. *Ela* fizera isso com ele. Ela. Billie Bridgerton. Ela estava deixando George Rokesby louco de desejo, e era emocionante. Isso a fez se sentir ousada.

Ela queria mordiscar a orelha de George, lamber o sal da pele dele. Queria ouvir como a respiração dele acelerava quando ela arqueava o corpo contra o dele e queria saber o formato exato de sua boca, não pela visão, mas pelo toque.

Queria tudo dele, e o queria de todas as maneiras possíveis.

– George – gemeu ela, amando o som do nome dele saindo de seus lábios.

Então disse de novo e de novo, usando-o para pontuar cada beijo. Como algum dia pensara que aquele homem era rígido e inflexível? A maneira como ele a beijava era o calor personificado. Era como se ele quisesse devorá-la, consumi-la.

Possuí-la.

E Billie, que nunca gostara muito de deixar alguém assumir o controle, descobriu que queria que ele fizesse isso.

– Você é tão... inacreditavelmente... linda – declarou ele, sem conseguir formar propriamente uma frase.

Sua boca estava ocupada demais com outras atividades para unir as palavras com perfeição.

– Seu vestido esta noite... não posso acreditar que usou vermelho.

Ela olhou para ele, incapaz de conter o sorriso divertido que se espalhou por seus lábios.

– Não acho que branco se adeque bem a mim.

E, depois daquela noite, pensou maliciosamente, nunca mais se adequaria.

– Você parecia uma deusa – disse ele com a voz rouca. Então ele parou, só um pouco, e se afastou. – Mas sabe – continuou ele, os olhos ardendo com ar travesso –, acho que ainda prefiro você de calça.

– George!

Ela não pôde deixar de rir.

– Shhhh... – alertou ele, mordiscando a orelha dela.

– É difícil ficar quieta.

Ele olhou para ela com malícia.

– Sei como fazer você se calar.

– Ah, sim, por...

Mas ela não conseguiu terminar a frase, porque no instante seguinte ele a estava beijando de novo, de forma ainda mais intensa do que antes. Ela sentiu os dedos dele em sua cintura, deslizando sob a faixa de seda que prendia seu roupão ao corpo. O laço se desfez e depois escorregou para o chão, o material sedoso roçando sua pele enquanto caía.

Os braços dela se arrepiaram quando foram expostos ao ar da noite, mas ela não estava com frio, apenas alerta enquanto ele estendia a mão reverentemente para acariciá-la, bem devagar, do ombro ao pulso.

– Você tem uma sarda – murmurou ele. – Bem... – ele se inclinou e deu um beijo suave perto da parte interna do cotovelo dela – ... aqui.

– Você já a tinha visto – disse ela suavemente.

Não estava em um lugar indiscreto; Billie tinha muitos vestidos de manga curta.

Ele riu.

– Mas nunca lhe dei a devida atenção.

– É mesmo?

– Sim.

Ele levantou o braço dela, torcendo-o um pouco para fingir observar sua sarda.

– É claramente o mais belo sinal de toda a Inglaterra.

Ela foi invadida por uma maravilhosa sensação de calor e alegria. Mesmo com o corpo ardendo de desejo por George, não conseguia deixar de encorajar aquela conversa provocante.

– Só da Inglaterra?

– Bem, ainda não viajei muito para o exterior...

– Ah, é mesmo?

– E sabe... – Ele baixou a voz para um grunhido rouco. – Pode haver outras sardas bem aqui neste quarto. Você pode ter uma aqui. – Ele mergulhou um dedo sob o corpete da camisola dela, em seguida moveu a outra mão para o quadril. – Ou aqui.

– Posso – concordou ela.

– Na parte de trás do joelho – continuou ele, as palavras quentes contra o ouvido dela. – Você poderia ter uma aqui.

Ela assentiu. Não tinha certeza se ainda conseguia falar.

– Em um dos seus dedos do pé – sugeriu ele. – Ou nas costas.

– Você deveria verificar – conseguiu dizer ela.

Ele respirou fundo, estremecendo, e de repente ela percebeu quanto ele estava mantendo sua paixão sob controle. Enquanto ela se soltava alegremente, ele travava uma batalha feroz contra o próprio desejo. E Billie sabia – de alguma forma, sabia – que um homem menos nobre não teria forças para tratá-la com tanta ternura.

– Faça-me sua – pediu ela.

Já se permitira se soltar. Agora estava dando essa permissão a ele também.

Ela sentiu os músculos dele se contraírem e, por um instante, ele parecia estar sentindo dor.

– Eu não deveria...

– Deveria, sim.

George apertou os dedos contra a pele dela.

– Não vou conseguir parar.

– Não quero que pare.

Ele recuou, a respiração ofegante enquanto ficava a alguns centímetros de Billie. Suas mãos estavam no rosto dela, segurando-a absolutamente imóvel, e seus olhos ardiam ao encará-la.

– Você *vai* se casar comigo – exigiu ele.

Ela assentiu, pensando apenas em concordar o mais rápido possível.

– Diga – pediu ele impetuosamente. – Diga as palavras.

– Vou – sussurrou ela. – Vou me casar com você. Eu prometo.

Por cerca de um segundo ele ficou paralisado, e então, antes que Billie pudesse sequer pensar em sussurrar seu nome, ele a pegara e praticamente a atirara na cama.

– Você é minha – grunhiu ele.

Ela subiu mais para cima na cama, apoiada nos cotovelos, e olhou para ele, que se aproximava, as mãos primeiro puxando a camisa para fora da calça e, em seguida, tirando-a por cima da cabeça. Ela ficou sem ar quando viu o corpo dele. George era lindo. Lindo e perfeitamente moldado. Ela sabia que ele não passava os dias cobrindo telhados e arando os campos, mas devia fazer algum tipo de atividade física regular, porque não havia suavidade em suas formas. Ele era esguio e bem definido, e, à medida que a luz da vela dançava sobre a pele dele, ela podia ver os músculos se flexionando por baixo.

Ela se sentou e estendeu a mão, os dedos ansiosos para tocá-lo, para ver se a pele dele era tão lisa e quente quanto parecia, mas ele estava fora de seu alcance, observando-a com olhos famintos.

– Você é tão linda... – sussurrou George. Ele se aproximou, mas, antes que ela pudesse tocá-lo, ele pegou a mão dela e levou-a aos lábios. – Quando a vi esta noite, acho que meu coração parou de bater.

– E está batendo agora? – sussurrou ela.

Ele pegou a mão dela e colocou-a em seu coração. Ela podia senti-lo batendo sob a pele, e quase era possível ouvi-lo reverberar pelo corpo dela. George era tão forte, tão rijo, tão maravilhosamente masculino...

– Sabe o que eu queria fazer? – murmurou ele.

Ela fez que não com a cabeça, extasiada demais pelo calor da voz dele para emitir algum som.

– Eu queria virá-la de volta e empurrá-la porta afora antes que alguém mais a visse. Não queria dividir você com ninguém. – Ele traçou os lábios dela com o dedo. – Ainda não quero.

O calor se inflamou dentro dela, e de repente Billie se sentiu mais ousada, mais feminina.

– Também não quero dividir você com ninguém.

Ele sorriu, e seus dedos percorreram o pescoço dela, passando pelo vale delicado de sua clavícula, parando apenas quando alcançou a fita que fechava o decote de sua camisola. Sem nunca tirar os olhos dos dela, ele puxou um dos lados, desfazendo lentamente o nó, a volta correspondente do laço ficando cada vez menor até finalmente se soltar.

Billie observava os dedos dele, hipnotizada, enquanto roçavam sua pele, a borda do corpete agora aberto entre o polegar e o indicador dele. A seda escorregou de seu ombro, então foi deslizando pelo braço. Ela estava pertíssimo de ser revelada a ele, mas não sentia pudor, nenhum medo. Tudo o que tinha era paixão e uma necessidade implacável de ir em frente.

Ela olhou para cima, e ele para baixo, quase como se tivessem planejado. Ele a encarou com um olhar indagador e Billie assentiu, sabendo exatamente o que ele estava perguntando. George respirou fundo, o som áspero de desejo, e então ele correu a camisola dela sobre a elevação dos seios antes de deixar que a gravidade fizesse o resto. A seda cor de pêssego reuniu-se luxuriosamente ao redor da cintura dela, mas Billie não notou. George olhava para ela com uma reverência que lhe tirou o fôlego.

Ele estendeu a mão trêmula e segurou o seio dela, o mamilo roçando suavemente contra a palma dele. Billie foi inundada por aquela sensação e arfou, perguntando-se como tal toque era capaz de fazer seu abdômen se contrair. Ela sentia uma espécie de fome, e o lugar oculto entre suas pernas se contraiu com o que ela só podia imaginar que fosse desejo.

Era isso que deveria sentir? Como se fosse incompleta sem ele?

Billie observou a mão de George enquanto ele a acariciava. Era muito grande, poderosíssima e excitantemente masculina contra sua pele alva. Ele se movia lentamente, um forte contraste ao beijo febril de alguns minutos antes. Ele a fazia se sentir como uma obra de arte inestimável, estudando cada uma de suas curvas.

Billie mordeu o lábio inferior, um pequeno gemido de prazer escapando de seus lábios enquanto a mão dele se afastava lentamente, provocando sua pele até que a única conexão entre eles fosse a ponta dos dedos dele em seu mamilo.

– Você gosta disso – afirmou ele.

Ela assentiu.

Os olhos dos dois se encontraram.

– Vai gostar ainda mais disso – grunhiu ele.

E então, quando ela arfou de surpresa, ele se inclinou e tomou-a em sua boca. A língua dele rolava sobre seu mamilo, e ela o sentiu entumescer – como só costumava acontecer no frio do inverno.

Mas se havia algo que ela não estava sentindo, era frio.

O toque dele era carregado de eletricidade. O corpo inteiro dela se retesou, arqueando-se até ser preciso apoiar as mãos na cama atrás dela para não cair.

– George! – praticamente guinchou ela, e mais uma vez ele pediu silêncio.

– Você nunca aprende, não é? – murmurou ele contra sua pele.

– É você que está me fazendo gritar.

– Isso não foi um grito – disse ele com um sorriso convencido.

Ela o olhou com alarme.

– Não pretendi que soasse como um desafio.

Ele riu alto – embora mais baixo do que ela antes.

– Apenas planejando para o futuro, quando o volume não for um problema.

– George, há criados!

– Que trabalham para mim.

– George!

– Quando estivermos casados – continuou ele, entrelaçando os dedos aos dela –, faremos tanto ou tão pouco barulho quanto desejarmos.

Billie sentiu o rosto ficar vermelho.

Ele beijou o rosto dela com ar provocador.

– Eu a fiz corar?

– Sabe que sim – disse ela.

Ele a olhou com um sorriso convencido.

– Eu provavelmente não deveria me orgulhar muito disso.

– Mas se orgulha.

Ele levou a mão dela aos lábios.

– Sim.

Billie ergueu o olhar para o rosto dele, descobrindo que, apesar da urgência em seu corpo, estava contente em parar um instante apenas para observá-lo. Ela acariciou o rosto de George, sentindo cócegas quando os dedos correram pela barba por fazer. Contornou a sobrancelha dele, maravilhada com o fato de uma linha firme e reta poder se arquear de maneira tão imperativa quando ele queria. E tocou os lábios dele, que eram incrivelmente macios. Quantas vezes observara a boca de George enquanto ele falava, sem saber que aqueles lábios podiam trazer tamanho prazer?

– O que você está fazendo? – perguntou ele, sua voz um sorriso rouco.

Os cílios dela se ergueram enquanto seus olhos encontravam os dele, e foi só quando falou que ela soube a resposta.

– Memorizando você.

George ficou sem ar, e então a beijou de novo, a leveza do momento dando lugar outra vez ao desejo. Ele correu a boca até o pescoço dela, provocando--a, deixando calor em seu rastro. Billie sentiu que seu corpo ia escorregando, deitando-se na cama, e então de repente ele estava em cima dela, as peles se tocando com ardor. A camisola deslizou por suas pernas e então saiu completamente. Ela estava completamente nua por baixo dele, e ainda assim, de alguma forma, não parecia estranho. Era George, e ela confiava nele.

Era George, e ela o amava.

Billie sentiu que ele levou as mãos até o fecho da calça, e então ele praguejou baixinho enquanto era forçado a rolar de cima dela para (nas palavras dele) "tirar a maldita coisa". Ela não pôde deixar de rir de sua profanidade; ele parecia estar tendo muito mais dificuldades com aquilo do que ela imaginava ser habitual.

– Você está rindo? – perguntou ele, erguendo as sobrancelhas em um ousado arco.

– Você deveria ficar feliz por eu já ter tirado meu vestido – disse ela. – Trinta e seis botões forrados nas costas.

Ele lançou um olhar temível a ela.

– O vestido não teria sobrevivido a mim.

Quando Billie riu, um dos botões de George enfim se soltou e sua roupa caiu no chão.

Billie ficou boquiaberta.

O sorriso de George estava quase selvagem quando ele subiu de volta na cama, e ela teve a sensação de que ele tomara seu espanto como um elogio.

O que realmente era. Com uma dose saudável de alarme.

– George – disse ela com cautela –, sei que isso *vai* funcionar, porque, por Deus, *tem funcionado* há séculos, mas tenho de dizer que não parece confortável. – Ela engoliu em seco. – Para mim.

Ele beijou o canto de sua boca.

– Confie em mim.

– Eu confio – assegurou ela. – Só não confio *naquilo*.

Ela pensou no que tinha visto nos estábulos ao longo dos anos. Nenhuma das éguas parecia se divertir.

Ele riu enquanto seu corpo deslizava sobre o dela.

– Confie em mim – repetiu. – Só precisamos ter certeza de que você está pronta.

Billie não sabia bem o que *isso* significava, mas estava tendo dificuldade até em pensar nisso, porque George estava fazendo coisas muito perturbadoras com os dedos.

– Você já fez isso antes – afirmou ela.

– Algumas vezes – murmurou ele –, mas essa é diferente.

Ela olhou para ele, deixando seus olhos fazerem a pergunta.

– Simplesmente é – disse George.

Ele a beijou novamente enquanto sua mão subia pela coxa dela.

– Você é tão forte... – disse ele em tom suave. – Adoro isso em você.

Billie respirou, trêmula. A mão dele estava no topo de sua perna agora, abrangendo toda a largura, e o polegar estava muito perto do meio dela.

– Confie em mim – sussurrou ele.

– Você não para de dizer isso.

Ele descansou a testa contra a dela, e Billie teve a sensação de que ele tentava não rir.

– Estou falando sério. – Ele beijou o caminho de volta pelo pescoço dela. – Relaxe.

Billie não sabia *como* isso era possível, mas então, pouco antes de pegar o mamilo dela com a boca de novo, ele falou:

– Pare de pensar.

E essa foi uma ordem que ela não teve dificuldade em seguir.

A sensação se repetiu. Quando ele a provocou daquela maneira, a mente dela perdeu o controle. O corpo dela tomou conta, e ela esqueceu o que quer que achava que temia. Suas pernas se abriram, e ele se acomodou entre elas, e então, *ah, Deus*, ele a tocava. Ele a tocava e parecia tão pecaminoso e tão divino que só a fez querer mais.

Aquilo a deixou faminta de uma maneira que nunca tinha sentido antes. Ela queria trazê-lo para mais perto; queria devorá-lo. Agarrou seus ombros, puxando-o para baixo.

– George – disse, arfando –, eu quero...

– O que você quer? – murmurou ele, deslizando um dedo para dentro dela.

Billie quase caiu da cama.

– Eu quero... eu quero... eu só *quero.*

– Eu também – grunhiu ele, e então ele estava abrindo-a com os dedos, abrindo os lábios dela, e Billie o sentiu pressionando sua entrada. – Dizem que dói – continuou ele, com pesar –, mas não é por muito tempo.

Ela assentiu e deve ter ficado tensa, porque ele sussurrou mais uma vez:

– Relaxe.

E, de alguma forma, ela relaxou. Lentamente, ele arremeteu para dentro. A pressão foi mais estranha do que boa, e, mesmo quando sentiu uma leve fisgada de dor, essa sensação foi ofuscada por sua necessidade de mantê-lo perto e depois mais perto.

– Você está bem? – perguntou ele.

Ela fez que sim.

– Tem certeza?

Ela confirmou.

– Graças a Deus – gemeu ele, e avançou, entrando mais profundamente nela.

Mas ela sabia que ele estava se contendo.

George estava rangendo os dentes e segurando firme, e ela podia jurar que ele estava sentindo dor. Mas, ao mesmo tempo, ele gemia o nome dela como se fosse uma deusa, e as coisas que estava fazendo com ela – com seu membro e seus dedos, com seus lábios e suas palavras – alimentavam um fogo que a consumia.

– George – disse ela, ofegante, quando o aperto lá dentro parecia agarrá-la de dentro para fora. – *Por favor.*

Os movimentos dele ficaram mais frenéticos, e ela se afastou, a necessidade de se mover contra ele forte demais para ignorar.

– Billie... – gemeu ele. – Ah, meu Deus, o que você faz comigo?

E então, quando ela estava certa de que não podia mais aguentar, a coisa mais estranha aconteceu. Ela ficou rígida e estremeceu, e, no momento em que percebeu que não podia mais respirar, se desmanchou.

Foi indescritível. Foi perfeito.

Os movimentos de George ficaram mais frenéticos, e então ele enterrou o rosto na curva do pescoço dela, abafando seu grito rouco contra a pele de Billie enquanto arremetia uma última vez para dentro dela.

– Estou em casa – disse ele contra a pele dela, e Billie percebeu que era verdade.

– Eu também.

CAPÍTULO 24

Quando George desceu para o café da manhã no dia seguinte, não ficou surpreso ao saber que Billie ainda estava na cama.

Ela não tivera uma noite tranquila de descanso, pensou com alguma satisfação.

Eles haviam feito amor três vezes, e ele não podia deixar de se perguntar se a semente dele já estava criando raízes dentro dela. Era estranho, mas antes ele nunca pensara muito em ter filhos. Sabia que deveria, é claro. Um dia herdaria Manston e Crake, e tinha o dever sagrado de prover o condado com um herdeiro.

Mas mesmo com tudo isso, nunca *imaginara* seus filhos. Nunca se imaginara segurando um bebê nos braços, observando-o aprender a ler e escrever, ou ensinando-o a montar e caçar.

Ou ensinando-*a* a montar e caçar. Com Billie como mãe, suas filhas certamente insistiriam em aprender todas as habilidades dos irmãos. E, embora ele tivesse passado a infância profundamente irritado com a insistência de Billie em acompanhar os meninos, quando se tratava de suas filhas...

Se elas quisessem caçar, pescar e dar tiros de pistola...

Acertariam o alvo todas as vezes.

Embora ele pudesse impor o limite de não saltarem cercas aos 6 anos. Até mesmo Billie concordaria que isso seria absurdo.

Ela seria a *melhor* mãe do mundo, pensou enquanto caminhava pelo corredor até a pequena sala de jantar. Não seria do tipo que vê os filhos apenas uma vez por dia, para inspeção. Ela os amaria da mesma maneira que a mãe dela a amava, e riria, provocaria, ensinaria e repreenderia, e eles seriam felizes.

Todos eles seriam felizes.

George sorriu. Ele já estava feliz. E só ia melhorar.

Sua mãe já estava à mesa do café quando ele entrou na sala, olhando para o jornal enquanto passava manteiga na torrada.

– Bom dia, George.

Ele se inclinou e beijou a bochecha oferecida.

– Mãe.

Ela olhou para ele por cima da borda da xícara de chá, uma das elegantes sobrancelhas erguidas em um arco perfeito.

– Parece estar excepcionalmente bem-humorado esta manhã.

Ele lançou-lhe um olhar questionador.

– Você estava sorrindo quando entrou na sala – continuou ela.

– Ah.

Ele deu de ombros, tentando conter a alegria que quase o fizera descer as escadas aos pulos.

– Receio que eu não possa explicar.

O que era verdade. Ele certamente não poderia explicar isso para *ela*.

Lady Manston o observou por um momento.

– Suponho que não tenha algo a ver com a sua partida prematura ontem à noite.

George fez uma breve pausa no ato de colocar ovos em seu prato. Havia esquecido que sua mãe exigiria uma explicação para seu desaparecimento. Sua presença no baile Wintour fora a única coisa que ela lhe pedira...

– Sua presença no baile Wintour foi a única coisa que lhe pedi – disse ela, a voz mais afiada a cada palavra.

– Peço perdão, mãe – falou ele. Estava de muito bom humor para estragá-lo com bobagens. – Isso não vai acontecer novamente.

– Não é o *meu* perdão que deve obter.

– No entanto – objetou ele –, eu gostaria de tê-lo.

– Bem – seguiu ela, perturbada pelo remorso inesperado dele –, depende de Billie. Insisto que peça desculpas a ela.

– Já fiz isso – informou George sem pensar.

Ela ergueu os olhos bruscamente.

– *Quando?*

Maldição.

Ele respirou fundo, depois voltou a se servir.

– Eu a vi ontem à noite.

– Ontem à noite?

Ele deu de ombros, fingindo desinteresse.

– Ela estava acordada quando cheguei.

– E quando você chegou, por favor, me diga?

– Não sei ao certo. Meia-noite? – disse George, subtraindo algumas horas.

– *Nós* não chegamos em casa antes de uma hora.

– Então deve ter sido mais tarde – comentou ele tranquilamente.

Era incrível o que um excelente humor podia fazer pela paciência de alguém.

– Eu não estava prestando atenção.

– Por que Billie estava acordada?

Ele colocou quatro pedaços de bacon no prato e se sentou.

– Isso eu não sei.

Lady Manston contraiu a boca, fechando a cara.

– Não gosto disso, George. Ela deveria tomar mais cuidado com a reputação.

– Tenho certeza de que está tudo bem, mãe.

– No mínimo – continuou ela –, *você* deveria saber se comportar melhor. Hora de ter muito cuidado.

– Perdão?

– No instante em que a viu, você deveria ter ido para o seu quarto.

– Pensei que era melhor aproveitar a ocasião para me desculpar.

– Humpf. – Sua mãe não tinha uma resposta pronta para isso. – Ainda assim.

George sorriu de forma serena e começou a cortar o bacon. Alguns instantes depois, ouviu passos vindo na direção deles, mas pareciam pesados demais para serem de Billie.

E, de fato, quando um corpo surgiu à porta um momento depois, era o mordomo.

– Lorde Arbuthnot está aqui para vê-lo, lorde Kennard.

– A esta hora da manhã? – questionou lady Manston, surpresa.

George pousou o guardanapo, com o maxilar tenso. Já imaginara que precisaria falar com Arbuthnot sobre os acontecimentos da noite anterior, mas *naquele momento*?

George só conhecia as transações de lorde Arbuthnot o suficiente para saber que eram temperadas por perigos e segredos. Era inaceitável que ele levasse seus negócios à Manston House, e George não teria remorso algum em lhe dizer isso.

– Ele é amigo do meu pai – falou George enquanto se levantava. – Vou ver de que ele precisa.

– Devo acompanhá-lo?

– Não, não. Tenho certeza de que não será necessário.

George dirigiu-se à sala de estar, seu humor ficando mais sombrio a cada passo. A aparição de Arbuthnot naquela manhã só podia significar uma de duas coisas. Primeiro, que dera algo errado após a saída de George do Cisne na noite anterior e agora ele estava em perigo. Ou pior, sendo acusado de alguma coisa.

E segundo, o mais provável, pensou George amargamente, era que Arbuthnot quisesse algo dele. Que transmitisse outra mensagem, talvez.

– Kennard! – disse lorde Arbuthnot de forma jovial. – Excelente trabalho ontem à noite.

– Por que está aqui? – perguntou George.

Arbuthnot piscou diante daquela franqueza.

– Eu precisava falar com você. Não é por isso que em geral um cavalheiro visita outro?

– Esta é a minha casa – sussurrou George.

– Está dizendo que não sou bem-vindo?

– Não se quiser discutir os acontecimentos da noite passada. Não é a hora nem o lugar.

– Ah. Bem, na verdade não quero. Não há nada para discutir. Tudo saiu de maneira perfeita.

Não era como George teria descrito. Ele cruzou os braços e encarou Arbuthnot, esperando que dissesse o que queria.

O general pigarreou.

– Vim para lhe agradecer – disse ele. – E para pedir sua ajuda com outro assunto.

– Não – falou George.

Não precisava ouvir mais nada.

Arbuthnot riu.

– Você ainda nem...

– Não – repetiu George, a fúria cortando suas palavras como vidro. – Tem alguma ideia do que acabei fazendo ontem à noite?

– Por acaso, tenho.

– Você... o quê?

Aquilo foi inesperado. Quando diabo Arbuthnot ficara sabendo do que acontecera no Cisne Sem Pescoço?

– Foi um teste, garoto – informou Arbuthnot, batendo no ombro dele. – Você passou com sucesso total.

– Um teste – repetiu George, e, se Arbuthnot o conhecesse melhor, teria percebido que a total falta de inflexão na voz de George não era um bom sinal.

Mas Arbuthnot não o conhecia muito bem, e por isso estava rindo quando informou:

– Não acha que confiaríamos informações confidenciais a qualquer um.

– Achei que confiasse em mim – rosnou George.

– Não – seguiu Arbuthnot com uma solenidade estranha e apalermada. – Nem mesmo em você. Além disso – acrescentou ele, a expressão animada

–, "Panela no fogo, barriga vazia"? Dê-nos um pouco de crédito, por favor. Temos mais criatividade do que isso.

George sugou os lábios enquanto ponderava sua próxima ação. Atirar Arbuthnot para fora de casa pela orelha era tentador, mas um soco bem dado no queixo também seria bom.

– Isso tudo é passado agora – determinou Arbuthnot. – Precisamos que entregue um pacote.

– Acho que está na hora de o senhor se retirar – disse George.

Arbuthnot recuou, surpreso.

– É essencial.

– Assim como era panela no fogo, barriga vazia – lembrou George.

– Sim, sim – falou o general em tom condescendente –, você tem todo o direito de se sentir ofendido, mas agora que sabemos que podemos confiar em você, precisamos da sua ajuda.

George cruzou os braços.

– Faça isso pelo seu irmão, Kennard.

– Não se atreva a trazê-lo para isso – sussurrou George.

– É um pouco tarde para ser tão arrogante – retrucou Arbuthnot, seu comportamento amigável começando a mudar. – Não esqueça que foi você que veio até mim.

– E o senhor poderia ter recusado meu pedido de ajuda.

– Como acha que derrotamos o inimigo? – questionou Arbuthnot. – Acha que é apenas com uniformes impecáveis e marchando em formação? A verdadeira guerra é vencida nos bastidores, e se você é covarde demais...

Em um instante, George o segurava contra a parede.

– Não cometa o erro de pensar que pode me coagir a ser seu garoto de recados – disparou ele.

Sua mão apertou o ombro do senhor mais velho, e então o soltou abruptamente.

– Pensei que quisesse fazer a sua parte pelo país – retrucou Arbuthnot, puxando a bainha do paletó para endireitá-lo.

George se conteve para não dar uma resposta destemperada. Quase disse algo sobre como passara três anos desejando estar com seus irmãos, servindo com rifle e espada, preparado para dar a vida pelo bem da Inglaterra.

Quase disse que isso o fizera se sentir inútil, envergonhado por, de alguma forma, ser considerado mais valioso do que os irmãos em virtude de seu nascimento.

Mas então pensou em Billie, e em Crake e Aubrey Hall, e em todas as pessoas que dependiam deles. Pensou na colheita, na aldeia, e em sua irmã, que em breve traria ao mundo o primeiro de uma nova geração.

E se lembrou do que Billie dissera duas noites atrás.

Então encarou lorde Arbuthnot e falou:

– Se meus irmãos vão arriscar a vida pelo rei e pela pátria, então, por Deus, vou cuidar para que existam um bom rei e uma boa pátria. E isso não inclui levar mensagens com significado que desconheço para pessoas em quem não confio.

Arbuthnot encarou-o com ar sério.

– Não confia em mim?

– Estou furioso por ter vindo à minha casa.

– Sou amigo do seu pai, lorde Kennard. Minha presença aqui dificilmente será suspeita. E não foi isso que lhe perguntei. Não confia em mim?

– Sabe de uma coisa, lorde Arbuthnot, não acho que isso importe.

E não importava. George não tinha dúvidas de que Arbuthnot lutara – e continuava lutando, à sua maneira – por seu país. Apesar de George estar furioso por ter sido submetido à versão de um rito de iniciação do Departamento de Guerra, ele sabia que, se Arbuthnot lhe pedisse para fazer alguma coisa, seria um pedido legítimo.

Mas também sabia – *agora*, finalmente, sabia – que ele não era o homem certo para o trabalho. Teria sido um bom soldado, mas era melhor como administrador de terras. E, com Billie ao seu lado, seria excelente.

Ele se casaria em breve. Muito em breve, se dependesse só dele. Não tinha nada que ficar correndo por aí como algum tipo de espião, arriscando a vida sem saber direito por quê.

– Vou servir do meu próprio jeito – disse George.

Arbuthnot suspirou, contorcendo a boca, resignado.

– Muito bem. Agradeço por sua ajuda ontem. Sei que isso atrapalhou sua noite.

George achou que ele finalmente tivesse entendido, mas então Arbuthnot continuou:

– Tenho apenas mais um pedido, lorde Kennard.

– Não – falou George.

– Escute-me – interrompeu Arbuthnot. – Juro que não pediria se a situação não fosse tão crítica. Tenho um pacote que precisa ir para uma pousada em Kent. Na costa. Não muito longe da sua casa, eu acho.

– Pare – começou George.

– Não, por favor, permita-me terminar. Se fizer isso, prometo não incomodá-lo novamente. Serei honesto, há algum perigo envolvido. Há homens que sabem que está chegando, e vão querer impedi-lo. Mas são documentos de vital importância. – E então Arbuthnot deu a cartada final: – Podem até salvar seu irmão.

Arbuthnot era bom, George tinha de admitir isso. Não acreditou nem por um segundo que aquele pacote com destino a Kent tivesse algo a ver com Edward, e ainda assim quase concordou no momento em que o general parou de falar.

– Não sou o seu homem – murmurou ele.

Esse deveria ter sido o fim.

Teria sido o fim, mas então a porta se abriu e lá, de pé junto à entrada, os olhos brilhando com imprudente determinação, estava Billie.

∽

Billie não pretendera escutar. Estava a caminho do café da manhã, o cabelo preso apressadamente, talvez devido à ansiedade de ver George de novo, quando ouvira a voz dele na sala de visitas. Presumira que ele estava com a mãe – quem mais estaria em Manston House àquela hora da manhã? –, mas então ouviu a voz de outro cavalheiro, e ele dizia algo sobre a noite anterior.

Sobre a noite que George lhe dissera que não podia lhe contar.

Ela não devia ter ouvido, mas, sinceramente, quem conseguiria ter se afastado? E então o homem pediu a George para entregar um pacote, e disse que isso poderia ajudar *Edward*.

Ela não conseguiu se conter. Tudo em que conseguia pensar era que aquele era Edward. Seu amigo querido de infância. Se estava disposta a cair de uma árvore para salvar um gato mal-agradecido, certamente poderia levar um pacote até uma pousada na costa. Quão difícil poderia ser? E, se era perigoso, se era algo que exigia discrição, com certeza ela seria um ótimo disfarce. Ninguém esperaria que uma mulher fizesse a entrega.

Ela não pensou. Não precisava. Só entrou correndo na sala e falou:

– *Eu* levo!

~

George não pensou. Não precisava.

– Nem por cima do meu cadáver – rugiu ele.

Billie ficou paralisada por um instante, claramente não esperando aquele tipo de reação. Então ela aprumou os ombros e se aproximou depressa.

– George – disse ela com ar suplicante –, estamos falando de Edward. Como podemos não fazer tudo...?

Ele agarrou-a pelo braço e puxou-a para o lado.

– Você não sabe de todos os fatos – sibilou ele.

– Eu não preciso de todos os fatos.

– Nunca precisa – murmurou ele.

Os olhos dela se estreitaram perigosamente.

– Posso fazer isso – insistiu.

Santo Deus, ela seria sua morte.

– Tenho certeza de que sim, mas não vai.

– Mas...

– Eu proíbo.

Billie recuou.

– Você *proíbe*...

Foi nesse momento que Arbuthnot se aproximou.

– Acho que não fomos propriamente apresentados ontem à noite – falou ele com um sorriso amistoso. – Sou lorde Arbuthnot. Eu...

– Saia da minha casa – disparou George.

– George! – exclamou Billie, o rosto revelando seu choque diante da grosseria dele.

Arbuthnot se virou para ele com uma expressão pensativa.

– A dama parece ser bastante desenvolta. Acho que poderíamos...

– *Saia!*

– George?

Agora sua *mãe* apareceu à porta.

– Que gritaria é essa? Sinto muito, lorde Arbuthnot. Não vi o senhor aqui.

– Lady Manston. – Ele se curvou de forma apropriada. – Perdoe minha visita a esta hora. Tinha negócios a tratar com seu filho.

– Ele já estava de saída – disse George, apertando o braço de Billie quando ela começou a se contorcer.

– Me solte – grunhiu ela. – Eu posso ajudar.

– Ou não.

– Pare com isso – sussurrou ela, puxando furiosamente o braço. – Não pode me dar ordens.

– Garanto que posso – rebateu ele, os olhos ardendo fixos nos dela.

Ele seria seu marido, pelo amor de Deus. Isso não adiantava de nada?

– Mas eu quero ajudar – disse ela, baixando a voz enquanto dava as costas para o resto da sala.

– Eu também, mas este não é o caminho.

– Pode ser o *único* caminho.

Por um momento, ele não pôde fazer nada além de fechar os olhos. Aquilo era uma amostra de como seria o resto de sua vida como marido de Billie Bridgerton? Estava destinado a viver apavorado, sempre imaginando em que tipo de apuros ela se meteria?

Valeria a pena?

– George? – sussurrou ela, parecendo desconfortável.

Será que vira algo na expressão dele? Um sinal de dúvida?

Ele tocou o rosto dela, e olhou em seus olhos.

E viu seu mundo todo lá.

– Eu te amo – disse ele.

Alguém arfou. Pode ter sido a mãe dele.

– Não posso viver sem você – falou ele – e, na verdade, recuso-me a isso. Então, não, você não vai sair em uma missão imprudente até a costa para entregar um pacote potencialmente perigoso para pessoas que não conhece. Porque se alguma coisa acontecer com você...

A voz dele falhou, mas George não se importava.

– Se alguma coisa acontecesse com você, isso me *mataria*. E eu gostaria de pensar que você me ama demais para deixar isso acontecer.

Billie olhou para ele maravilhada, os lábios entreabertos, tremendo, enquanto tentava conter as lágrimas.

– Você me ama? – sussurrou ela.

Ele quase revirou os olhos.

– É claro que sim.

– Você nunca tinha falado.

– Devo ter falado.

– Não falou. Eu me lembraria.

– Eu também me lembraria – disse ele suavemente – se você tivesse dito isso para mim.

– Eu te amo – afirmou ela de imediato. – Mesmo. Eu te amo tanto. Eu...

– Graças a Deus! – exclamou lady Manston.

George e Billie se viraram. Ele não sabia quanto a Billie, mas havia esquecido que tinham plateia.

– Sabem *quanto* eu trabalhei para isso? Juro que pensei que teria que bater em você com uma vara.

– A senhora planejou isso? – perguntou George, incrédulo.

Ela se virou para Billie.

– Sybilla? Sério? Quando eu já a chamei de Sybilla?

George olhou para Billie. Ela não conseguia parar de piscar.

– Esperei muito tempo para chamá-la de filha – disse lady Manston, colocando uma mecha do cabelo de Billie atrás da orelha.

Billie franziu a testa, movendo a cabeça de um lado para outro enquanto tentava entender tudo.

– Mas eu sempre pensei que... que a senhora quisesse que eu me casasse com Edward. Ou Andrew.

Lady Manston balançou a cabeça, sorrindo.

– Sempre foi George, minha querida. Na minha cabeça, pelo menos. – Então olhou para o filho com uma expressão consideravelmente mais concentrada. – Você a pediu em casamento, eu espero.

– Devo ter exigido isso – admitiu ele.

– Ainda melhor.

George de repente se endireitou, olhando ao redor da sala.

– O que aconteceu com lorde Arbuthnot?

– Ele pediu licença quando vocês dois começaram a se declarar um para o outro – contou a mãe dele.

Bem, pensou George. Talvez o velho tivesse mais discrição do que ele pensara.

– Por que ele estava aqui, afinal? – perguntou lady Manston.

– Não importa – respondeu George, e então olhou para sua noiva.

– Não importa – concordou ela.

– Bem – falou lady Manston com um sorriso radiante –, mal posso esperar para contar a todos. Os Billingtons vão dar um baile semana que vem e...

– Podemos apenas ir para casa? – interrompeu Billie.

– Mas você se divertiu tanto ontem à noite! – replicou lady Manston.

Em seguida olhou para George.

– Ela dançou a noite inteira. Todos a adoraram.

Ele sorriu com indulgência.

– Não estou nem um pouco surpreso.

Ela se virou de volta para Billie.

– Podemos fazer o anúncio no baile dos Billingtons. Será triunfal.

Billie estendeu a mão e apertou a de George.

– Estou de acordo.

– Tem certeza? – perguntou ele.

Ela ficara muito apreensiva em fazer seu *début* em Londres. George adoraria voltar para casa em Kent, mas Billie merecia aproveitar seu sucesso.

– Tenho – disse ela. – Foi inebriante. E é ótimo saber que, quando eu tiver de participar desses eventos, posso me sair bem e me divertir. Mas não é o que eu amo. Eu preferiria estar em casa.

– De calça? – provocou ele.

– Só se eu estiver no campo.

Ela olhou para lady Manston.

– Uma futura condessa deve se comportar com alguma propriedade.

Lady Manston riu do comentário.

– Você será uma excelente condessa, embora não tão cedo, eu espero.

– Não por anos e anos – falou Billie carinhosamente.

– E você – continuou lady Manston, fitando George com os olhos cheios de lágrimas –, meu filho. Você parece feliz como não o vejo há muito tempo.

– E estou – confirmou ele. – Só desejo que...

– Você pode dizer o nome dele – disse a mãe dele suavemente.

– Eu sei.

Ele se inclinou e beijou-a no rosto.

– Edward terá de se resignar por perder o casamento, porque não vou esperá-lo voltar para casa.

– Não mesmo, não quero que espere – falou lady Manston, num tom que fez Billie corar intensamente.

– Mas vamos encontrá-lo – disse George. Ele ainda segurava a mão de Billie, então levou-a aos lábios e beijou sua promessa na pele dela. – Eu prometo.

– Suponho que estejamos de partida para Kent, então – determinou sua mãe. – Poderíamos até partir hoje, se assim quiserem.

– Ah, isso seria ótimo! – exclamou Billie. – Acha que minha mãe ficará surpresa?

– Nem um pouco.

– O quê? – Billie ficou boquiaberta. – Mas eu o odiava!

– Não, não odiava – discordou George.

Ela lançou-lhe um olhar.

– Você me irritava muito.

– E *você* era a pedra no meu sapato.

– Bem, você...

– Isso é uma competição? – perguntou lady Manston, incrédula.

George olhou para Billie e o sorriso dela preencheu sua alma.

– Não – disse ele, puxando-a para os seus braços –, somos um time.

Billie olhou para ele com tanto amor que quase o deixou sem ar.

– Mãe – chamou ele, sem tirar os olhos da noiva –, a senhora pode querer deixar a sala agora.

– Perdão?

– Eu vou beijá-la.

A mãe deixou escapar um gritinho.

– Você não pode fazer isso.

– Estou bastante certo de que posso.

– George, vocês ainda não estão casados!

Ele observou os lábios de Billie com o olhar ardente de um especialista.

– Mais uma razão para apressar as coisas – murmurou ele.

– Billie – disse a mãe dele com firmeza, transferindo sua atenção para quem ela claramente considerava ser o elo mais fraco –, vamos.

Mas Billie apenas balançou a cabeça.

– Sinto muito, milady, mas é como ele diz. Somos um time.

E então, porque ela era Billie Bridgerton e nunca se importara em assumir o controle, enfiou os dedos no cabelo de George e puxou sua boca até a dela.

E, porque ele era George Rokesby e iria amá-la pelo resto de seus dias, retribuiu o beijo.

EPÍLOGO

Vários meses depois
Crake House

– Os resultados são definitivos – contou Billie, acrescentando a última coluna com um floreio. – Eu ganhei.

George olhou para ela da cama deles – um móvel grande e bonito, de dossel, que Billie redecorara em verde algumas semanas após o casamento. Ele estava lendo um livro; Billie não conseguira ver o título. George sempre lia antes de irem para a cama. Ela adorava isso nele. Ele era uma criatura de muitos hábitos. Outra razão para formarem um par perfeito.

– O que foi desta vez? – murmurou George.

Billie sabia que ele estava sendo indulgente, mas estava tão satisfeita com os números à sua frente que concluiu que não se importava.

– A colheita de cevada – informou ela. – Aubrey Hall superou Crake em... espere um instante... – Ela mordeu o lábio inferior enquanto fazia outro cálculo. – Um ponto um!

– Que triunfo!

Ela franziu os lábios, tentando parecer séria.

– Você considerou a área maior de cevada de Aubrey? – perguntou ele

– Claro! – Ela revirou os olhos. – Francamente, George.

Os lábios dele curvaram-se ligeiramente.

– Posso lembrá-la de que mora em Crake?

Billie sorriu de volta.

– E que seu nome é Billie Rokesby agora?

– Sempre serei uma Bridgerton no coração. Bem... – acrescentou ela, não gostando da cara séria de George –, uma Bridgerton *e* uma Rokesby.

Ele suspirou. Só um pouco.

– Imagino que não tenha planos de aplicar suas formidáveis habilidades na administração de Crake.

Não pela primeira vez Billie sentiu-se tomada por gratidão pelo fato de George não ter protestado quando lhe dissera que gostaria de continuar seu trabalho em Aubrey Hall. Seu marido era um homem incomum. Ele a compreendia. Às vezes ela achava que ele podia ser a única pessoa a conseguir isso.

– Meu pai ainda precisa de mim – disse ela. – Pelo menos até que Edmund esteja pronto para assumir.

George levantou-se da cama e se aproximou.

– O administrador do seu pai ficaria feliz em finalmente merecer o salário.

Ela ergueu os olhos.

– Sou melhor do que ele.

– Bem, *isso* é evidente.

Ela bateu no braço dele, então suspirou quando ele se inclinou e beijou o seu pescoço.

– Eu deveria lhe agradecer – falou ela.

Os lábios dele pararam, e ela o sentiu sorrir contra sua pele.

– Pelo quê?

– Por tudo, na verdade. Mas principalmente por ser você.

– Então fique à vontade, lady Kennard.

– Vou tentar reduzir um pouco o trabalho – rebateu ela.

George estava certo. Ela provavelmente não precisava fazer *tanta* coisa em Aubrey Hall. E, do jeito que eles iam, estaria grávida em breve. Teria de aprender a deixar sua vida em Aubrey, ou pelo menos não ficar tanto no controle.

Ela se afastou para poder olhar o rosto dele.

– Você não se importaria se eu assumisse um papel mais ativo aqui em Crake? Com as terras, não só com a casa?

– É claro que não! Teríamos sorte de... – Ele parou, suas palavras interrompidas por uma batida à porta. – Entre!

A porta se abriu revelando um criado visivelmente agitado.

– Um mensageiro, milorde – avisou ele.

Billie piscou, surpresa.

– A esta hora da noite?

O criado estendeu uma carta dobrada.

– Está endereçada a lorde Manston, mas ele...

– Está em Londres – concluiu George por ele. – Pode deixar comigo.

– Ele falou que era urgente – alertou o criado. – Ou eu jamais entregaria a correspondência particular de seu pai.

– Está tudo bem, Thomas – disse Billie gentilmente. – Se é urgente, é mais importante que seja recebida rapidamente do que entregue a lorde Manston.

George deslizou um dedo por baixo da cera, mas não rompeu o selo.

– O mensageiro espera uma resposta?

– Não, senhor. Mas o encaminhei para comer uma refeição quente.

– Muito bem, Thomas. Isso é tudo.

O criado saiu, e Billie lutou contra o impulso de ir para o lado do marido ler por cima do seu ombro. O que quer que estivesse na carta, ele lhe contaria em breve.

Ela viu os olhos dele correrem da esquerda para a direita, lendo rapidamente as palavras. Cerca de quatro linhas abaixo, seus lábios se entreabriram e ele ergueu os olhos. O coração dela parou, e Billie sabia o que ele ia dizer antes mesmo de as palavras deixarem seus lábios:

– *Edward está vivo...*

CONHEÇA OUTRO TÍTULO DA AUTORA

Mais lindo que a lua

Foi amor à primeira vista. Mas Victoria Lyndon era a filha do vigário, e Robert Kemble, o elegante conde de Macclesfield. Foi o que bastou para os pais dos dois serem contra a união. Assim, quando o plano de fuga dos jovens deu errado, todos acreditaram que foi melhor assim.

Sete anos depois, quando Robert encontra Victoria por acaso, não consegue acreditar no que acontece: a garota que um dia destruiu seus sonhos ainda o deixa sem fôlego. E Victoria também logo vê que continua impossível resistir aos encantos dele. Mas como ela poderia dar uma segunda chance ao homem que lhe prometeu casamento e depois despedaçou suas esperanças?

Então, quando Robert lhe oferece um emprego um tanto incomum – ser sua amante –, Victoria não aceita, incapaz de sacrificar a dignidade, mesmo por ele. Mas Robert promete que Victoria será dele, não importa o que tenha que fazer. Depois de tantas mágoas, será que esses dois corações maltratados algum dia serão capazes de perdoar e permitir que o amor cure suas feridas?

Mais lindo que a lua, primeiro livro da série Irmãs Lyndon, é uma história irresistível sobre reencontros e desafios, romantismo e perseverança.

CONHEÇA OS LIVROS DE JULIA QUINN

OS BRIDGERTONS
O duque e eu
O visconde que me amava
Um perfeito cavalheiro
Os segredos de Colin Bridgerton
Para Sir Phillip, com amor
O conde enfeitiçado
Um beijo inesquecível
A caminho do altar
E viveram felizes para sempre

Os Bridgertons, um amor de família

QUARTETO SMYTHE-SMITH
Simplesmente o paraíso
Uma noite como esta
A soma de todos os beijos
Os mistérios de sir Richard

AGENTES DA COROA
Como agarrar uma herdeira
Como se casar com um marquês

IRMÃS LYNDON
Mais lindo que a lua
Mais forte que o sol

OS ROKESBYS
Uma dama fora dos padrões
Um marido de faz de conta
Um cavalheiro a bordo
Uma noiva rebelde

TRILOGIA BEVELSTOKE
História de um grande amor
O que acontece em Londres
Dez coisas que eu amo em você

DAMAS REBELDES
Esplêndida – A história de Emma
Brilhante – A história de Belle
Indomável – A história de Henry